SARAH

DU MÊME AUTEUR

LE FOU ET LES ROIS
Prix Aujourd'hui 1976
(Albin Michel, 1976)

MAIS
avec Edgar Morin
(Oswald-Néo, 1979)

LA VIE INCERTAINE DE MARCO MAHLER
(Albin Michel, 1979)

LA MÉMOIRE D'ABRAHAM
Prix du Livre Inter 1984
(Robert Laffont, 1983)

JÉRUSALEM
photos Frédéric Brenner
(Denoël, 1986)

LES FILS D'ABRAHAM
(Robert Laffont, 1989)

JÉRUSALEM, LA POÉSIE DU PARADOXE,
photos Ralph Lombard
(L. & A., 1990)

UN HOMME, UN CRI
(Robert Laffont, 1991)

LA MÉMOIRE INQUIÈTE
(Robert Laffont, 1993)

LES FOUS DE LA PAIX
avec Éric Laurent
(Plon/Laffont, 1994)

LA FORCE DU BIEN
(Robert Laffont, 1995)

LE MESSIE
(Robert Laffont, 1996)

LES MYSTÈRES DE JÉRUSALEM
Prix Océanes, 2000
(Robert Laffont, 1999)

LE JUDAÏSME RACONTÉ À MES FILLEULS
(Robert Laffont, 1999)

LE VENT DES KHAZARS
(Robert Laffont, 2001)

MAREK HALTER

SARAH

LA BIBLE AU FÉMININ *

roman

ROBERT LAFFONT

© Éditions Robert Laffont, S.A., Paris, 2003
ISBN 2-221-09586-3

46038

L'homme quittera son père et sa mère et s'attachera à sa femme et ils deviendront une seule chair.

Genèse 2, 24

Si l'homme était un fleuve, la femme en serait le pont.

Proverbe arabe

Fragilité, ton nom est femme!

William Shakespeare, *Hamlet*

Mon enfant, ma sœur,
Songe à la douceur
D'aller là-bas vivre ensemble!
Là, tout n'est qu'ordre et beauté
Luxe, calme et volupté!

Charles Baudelaire, *L'Invitation au voyage*

Qui est celle qui brille comme l'aurore,
Belle comme la lune,
Resplendissante comme le soleil,
Redoutable comme les bataillons?

Le Cantique des cantiques, 6, 10

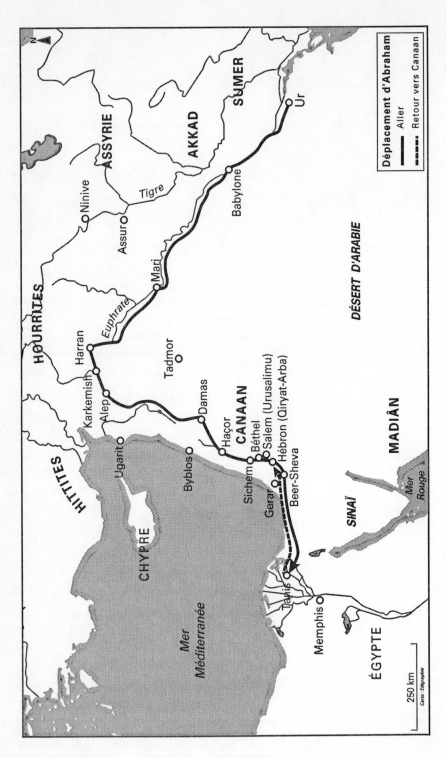

Déplacement de Sarah et d'Abraham d'Ur en Égypte.
Vers 2100 avant notre ère.

Prologue

Cette nuit, par deux fois, ma poitrine a cessé de s'emplir d'air. Par deux fois elle est demeurée vide, aussi racornie qu'une outre au cuir desséché. Ma bouche grande ouverte sur le vent de l'aube était incapable de le boire. En tremblant, mes mains se sont dressées contre l'obscurité. La douleur a couru le long de mes os, gourmande comme une vermine.

Et puis cela a cessé. Par deux fois l'air est revenu sur mes lèvres. Il s'est posé sur ma langue, aussi frais et doux que du lait.

C'est un signe, et je sais le reconnaître. Après tant et tant d'années et d'épreuves, Yhwh, le dieu invisible, va séparer Sarah d'Abraham. La nuit prochaine, ou celle qui lui succédera. Très bientôt, Il me retirera la vie.

C'est ainsi que vont les choses. C'est ainsi qu'elles doivent advenir. Il n'est pas besoin de protester ni de s'emplir de crainte. Yhwh tracera ma route depuis cette terre qui porte encore mes pas. Des pas de vieille femme, si légers que l'herbe désormais plie à peine sous mon poids.

C'est ainsi et c'est bien. La prochaine fois que l'air se refusera à ma bouche, j'aurai moins peur.

Tout à l'heure, alors que l'aube répandait sa tendresse pâle sur les prairies et les falaises poussiéreuses qui entourent Hébron, j'ai quitté la tente des mères. Je ne suis pas allée attendre Abraham devant la sienne avec du pain et des fruits ainsi que je l'ai fait des milliers de fois depuis qu'il est devenu

11

mon époux. Je suis venue ici, sur la colline de Qiryat-Arba, et me suis assise sur une pierre à l'entrée de la grotte de Makhpéla. Il m'a fallu du temps pour grimper le sentier. Mais peu m'importe l'effort ! Si Yhwh décide de me couper le souffle en plein jour, je veux que mon corps s'affaisse ici, en ce jardin, devant cette grotte.

Cet endroit m'emplit de paix et de joie. Une falaise blanche entoure l'entrée comme un mur finement maçonné. À l'ombre d'un immense peuplier, une source s'écoule dans un vaste jardin en demi-cercle. Sa pente douce comme une paume s'offrant à ceux qu'elle accueille descend vers la plaine, ponctuée de longs murets dressés par les bergers, plantée d'arbres aux troncs épais, parfumée par les buissons de sauge et de romarin.

D'ici, je vois nos tentes serrées autour de la tente noir et blanc d'Abraham. Elles sont si nombreuses que je ne saurais les compter. Des centaines sans doute. Aussi loin que mon regard porte sur la prairie, je vois scintiller la laine des troupeaux sur l'herbe plus verte que l'eau d'une mare. C'est la fin du printemps. Les pluies ont été clémentes et sont venues quand il le fallait. Je vois aussi les fumées qui s'élèvent bien droites au-dessus des feux, signe que le vent de l'est, chargé de sable et de sécheresse, nous épargnera aujourd'hui encore. J'entends les trompes, les chiens qui aboient en rassemblant les troupeaux. De temps à autre des cris d'enfants montent jusqu'à moi en vibrant. Mon ouïe n'a pas faibli plus que mes yeux. Il est encore de bonnes choses dans le corps de Sarah !

La jeunesse ne connaît pas le temps, la vieillesse ne connaît que cela. Jeune, on joue à cache-cache avec l'ombre. Vieux, on cherche la chaleur du soleil. Or l'ombre est immuable et le soleil éphémère. Il s'élève, traverse le ciel et disparaît. Ensuite on attend avec impatience son retour. Aujourd'hui j'aime le temps avec autant d'amour que j'aime mon fils tant espéré, Isaac.

Longtemps, pour moi, le cycle des saisons a tourné sur lui-même sans laisser de trace. Un jour suivait un autre, mon corps n'en portait pas la marque. Cela a duré des années et des années. Je ne m'appelais pas encore Sarah, mais Saraï. On disait de moi que j'étais la plus belle des femmes. D'une beauté qui faisait peur autant qu'elle attirait. Une beauté qui a séduit Abram dès son premier regard sur moi. Une beauté qui ne se fanait pas, troublante et maudite comme une fleur qui jamais n'engendrerait de fruit. Il n'y avait pas un jour où je n'exécrais cette beauté qui ne me quittait plus.

Jusqu'à ce que Yhwh, enfin, efface le geste terrible qui fut la cause de tout. Une faute commise dans l'innocence de l'enfance, pour l'amour de celui qui s'appelait alors Abram. Une faute, ou une parole que je n'ai pas su entendre dans l'ignorance où nous étions.

Le soleil est haut, maintenant. À travers les fines aiguilles des cèdres et les feuilles dansantes du grand peuplier, il chauffe mon vieux corps. Je suis devenue si menue désormais que je pourrais me vêtir de mes longs cheveux qui n'ont jamais blanchi. Un corps tout petit, mais qui abrite tant et tant de souvenirs! Tant d'images, de parfums, de caresses, de visages, d'émotions et de mots que je pourrais en peupler toute la terre de Canaan.

J'aime cet endroit. Ici, les souvenirs jaillissent en moi comme une cascade abreuve la rivière. L'air frais qui vient de l'intérieur de la grotte effleure ma nuque et ma joue avec la tendresse d'un murmure familier. Par instants il me semble que c'est là mon propre souffle, celui que Yhwh a retenu hors de moi cette nuit.

En vérité, cet endroit est un clou dans le pilier du temps, pareil aux clous de poterie qui signent la présence des âmes dans les murs splendides de ma ville, Ur.

Il y a deux nuits j'ai reçu un autre signe de Yhwh. J'ai fait un rêve les yeux grands ouverts. Mon souffle était encore paisible mais mon corps rigide et froid. Dans l'obscurité de la tente, sans même les rayons de la lune pour jouer avec les tissages des toiles, j'ai entendu soudain le frappement d'outils de métal contre la pierre. J'ai entendu des voix d'hommes au travail. Je me suis demandé à quoi ils pouvaient travailler, en pleine nuit, près de la tente des mères. J'ai voulu me lever pour aller voir. Mais avant que je puisse prendre appui sur mon coude j'ai vu. J'ai vu avec mes yeux ce que seul l'esprit des rêves fait voir.

Ce n'était plus la nuit mais le jour. Le soleil illuminait la falaise blanche et l'entrée de la grotte de Makhpéla. C'était là que travaillaient des hommes depuis la première lueur du jour. Ils montaient des murs. Des murs solides, épais. Ils élevaient une belle façade, ajourée d'une porte et de fenêtres. Une maison de pierre aussi splendide qu'un palais d'Ur, d'Éridu ou de Nippur. Une demeure que j'ai reconnue immédiatement.

Ils construisaient notre tombeau.

Celui d'Abraham et de son épouse Sarah.

Je serai la première à y prendre place. Mon bien-aimé Abraham y allongera mon corps pour je puisse enfin accéder à la paix de l'autre monde.

Mon rêve s'est effacé. Les coups de marteau sur les pierres ont cessé. Mes yeux se sont ouverts sur l'obscurité de la tente. Rachel et Léa dormaient à côté de moi d'un souffle paisible.

Cependant le sens de ce rêve est demeuré en moi. Nous, tous ceux à qui le dieu invisible d'Abraham S'est fait connaître, ce peuple nombreux désormais à qui Il a offert Son Alliance pour l'éternité, nous ne connaissons que les villes de tentes, ces cités du désert, du vent et de l'errance. Pourtant, moi, Sarah, je suis née dans une maison de trente pièces, dans une ville qui en comptait des centaines pareilles et dont le plus beau des temples était aussi haut que la colline de Qiryat-Arba. Les murs de son enceinte étaient plus épais qu'un bœuf.

Toute ma vie, alors que je suivais Abraham dans les montagnes où naît l'Euphrate, alors que je marchais à son côté à la recherche du pays de Canaan, et encore jusqu'en Égypte, jamais je n'ai vu de ville aussi splendide que l'Ur de mon enfance. Et jamais je ne l'ai oubliée.

Pas plus que je n'ai oublié ce que l'on m'y a enseigné : que la puissance des peuples de Sumer et d'Akkad réside dans la beauté de leurs villes, dans la solidité de leurs murs, la perfection de leurs canaux et bassins, dans la magnificence de leurs jardins.

Alors, lorsque le jour s'est levé, je suis allée voir Abraham. Tandis qu'il mangeait je lui ai raconté ce que j'avais vu en rêve.

— Il est temps que notre peuple construise des murs, des maisons et des villes, ai-je déclaré. Qu'il s'enracine dans cette terre. Souviens-toi comme nous avons aimé les murs de Salem. Comme nous avons été éblouis par les palais de Pharaon. Mais dans ce camp, dans le camp du grand roi Abraham, l'homme qui entend la parole de Yhwh et qui sait s'en faire entendre, les femmes tissent encore les toiles des tentes comme elles le faisaient dans le clan de ton père Terah, aux pieds des murailles d'Ur, dans l'espace réservé aux *mar.Tu,* les hommes-sans-ville.

Abraham m'a écoutée sans me quitter des yeux. Un sourire a fait frémir sa barbe.

— Je sais que tu as toujours regretté les murs de ta ville.

Il a pris mes doigts dans les siens et nous sommes restés un long moment comme cela. Deux vieux corps soudés par les mains et les milliers de mots de tendresse qu'il n'est plus nécessaire de prononcer.

Enfin, j'ai dit ce que je voulais dire depuis que mon rêve s'était effacé :

— Quand je cesserai de respirer je veux que tu enterres mon corps dans la grotte de Makhpéla, sur la colline de Qiryat-Arba. Le jardin qui l'entoure est le plus beau que j'ai vu depuis celui du palais de mon père. Ils appartiennent à un Hittite du nom d'Ephrôn. Tu les lui achèteras, je sais qu'il ne repoussera pas ton offre. Quand mon corps sera enfoui sous la terre, tu feras venir des maçons de Salem ou de Beer-Sheva. C'est encore mieux s'ils possèdent le savoir des maçons de Pharaon. Tu leur demanderas de construire à l'entrée de la grotte les plus beaux murs, les plus solides qu'ils savent bâtir afin d'élever le tombeau d'Abraham et de Sarah. Ce sera la première maison de notre peuple. Il se réunira ici nombreux et confiant. Isaac et Ismaël seront là aussi. Ensemble. N'est-ce pas à nous, avec l'aide de Yhwh, d'assurer l'avenir ?

Abraham n'a pas eu besoin de me promettre qu'il fera selon mon vœu. Je sais qu'il en sera ainsi, car il en a toujours été ainsi.

Aujourd'hui, je peux attendre en paix de perdre mon souffle. Attendre et me souvenir. Il n'y a pas de vent et pourtant les feuilles du peuplier, au-dessus de moi, tremblent, emplissant l'air d'un bruit de pluie. Sous les cèdres et les acacias, la lumière danse avec un ruissellement de plaquettes d'or. Un parfum de lis et de menthe se pose sur mes lèvres. Des hirondelles jouent et pépient au-dessus de la falaise. Cela était en tout point identique ce jour-là. Ce jour où le sang a coulé pour la première fois entre mes cuisses. Ce jour où a commencé la longue vie de Saraï, fille d'Ichbi Sum-Usur, fille de Taram.

Première partie

Ur

Le sang des épouses

Les coudes en avant, Saraï repoussa la tenture qui servait de porte. Emportée par son élan, elle avança jusqu'au centre de la terrasse de brique qui dominait la cour des femmes. La première lumière de l'aube était suffisante pour qu'elle vît le sang sur ses mains. Ses paupières se fermèrent pour retenir des larmes naissantes.

Elle n'avait pas besoin de baisser les yeux pour deviner les taches qui souillaient sa tunique. Il lui suffisait de sentir leur moiteur plaquer le fin tissu de laine contre ses cuisses et ses genoux.

Et voilà que cela revenait! Une douleur aiguë. Une griffe de démon qui s'agitait entre ses hanches! Elle resta figée, les paupières mi-closes. La douleur s'estompa aussi soudainement qu'elle était apparue.

Saraï tendit devant elle ses mains souillées. Elle aurait dû implorer Inanna, la puissante Dame du Ciel. Pourtant, aucun mot ne put passer ses lèvres. Elle était pétrifiée. La peur, le dégoût, le refus s'entremêlaient dans son esprit.

Un instant plus tôt, se réveillant le ventre cerclé de douleur, elle avait plongé les mains entre ses cuisses. Dans ce sang qui s'écoulait d'elle pour la première fois. Le sang des épouses. Celui qui engendre la vie.

Il n'était pas venu ainsi qu'on le lui avait promis. Il n'était ni rosée ni miel. Mais coulant comme d'une blessure invisible.

En un moment de panique, elle s'était vue se vidant telle une brebis sous la lame de bronze.

Ce n'était qu'une sottise enfantine dont la honte à présent lui venait. Mais sa frayeur avait été assez grande pour qu'elle se dresse en gémissant sur sa couche et se précipite dehors.

Maintenant, dans la lumière naissante du jour, elle observait ses mains rougies comme si elles ne lui appartenaient pas. Une étrange chose se passait dans son corps qui noyait d'un coup tous les bonheurs de son enfance.

Demain, après-demain, tous les jours et les années à venir seraient différents. Elle savait ce qui l'attendait. Ce qui attendait chaque fille en qui coulait le sang des épouses.

Sililli, sa servante, et toutes les femmes de la maison allaient rire, danser, chanter, remercier Nintu, la sage-femme du Monde.

Pourtant Saraï n'éprouvait aucune joie. Elle aurait voulu que son corps, en cet instant, ne fût pas son corps.

Elle respira fort. L'odeur des feux de nuit qui flottait dans l'air frais du petit matin l'apaisa un peu. La fraîcheur des briques sous ses pieds nus lui fit du bien. Il n'y avait aucun bruit dans la maison ou les jardins. Pas même un vol d'oiseau. La ville entière semblait retenir son souffle avant le jaillissement du soleil encore caché par le revers du monde tandis que la lueur ocre qui le précédait se répandait comme une huile sur l'horizon.

Avec brusquerie Saraï recula, franchit à nouveau la tenture, replongea dans la pénombre de sa chambre. On distinguait à peine le grand châlit où dormaient Nisaba et Lillu. Sans bouger, Saraï écouta la respiration régulière de ses sœurs. Au moins ne les avait-elle pas réveillées.

Elle avança avec prudence jusqu'à son propre lit. Elle voulut s'y asseoir, hésita.

Elle pensa aux conseils que lui avait donnés Sililli. Changer de tunique, enlever le drap, y rouler la paille souillée, prendre près de la porte des boules de laine enduites d'huile douce, s'en laver les cuisses et le sexe, en prendre d'autres, parfumées à l'essence de térébinthe, pour absorber le sang. Il lui suffisait de faire quelques gestes. Mais elle ne pouvait pas. Elle ne savait pas pourquoi, mais elle ne pouvait affronter même l'idée de se toucher.

La colère aussi prenait la place de la crainte. Pourquoi accepter que Nisaba et Lillu la découvrent ainsi et poussent des cris en ameutant toute la maison ? Hurlant au-dessus de la cour des hommes : « Saraï saigne, Saraï a le sang des épouses ! »

Ce serait plus répugnant que tout.

Pourquoi le sang qui coulait entre ses cuisses la rendait-il plus adulte ? Pourquoi en obtenant la liberté de parler allait-elle perdre la liberté d'agir ? Car c'était cela qui allait arriver. Désormais son père pourrait la donner en échange de quelques sicles d'argent ou quelques mesures d'orge à un homme, un inconnu qu'il lui faudrait peut-être haïr pour le restant de ses jours. Pourquoi les choses devaient-elles se passer comme elles se passaient et pas autrement ?

Saraï fit un effort pour repousser le chaos de pensées que la tristesse et la colère bousculaient dans sa tête. Elle aurait dû trouver les mots des prières que Sililli lui avait enseignées. Mais elle ne s'en souvenait plus. Comme par l'effet d'un démon, son cœur et son esprit n'en possédaient aucun. Dame Lune allait être furieuse. Elle lancerait sur elle sa malédiction.

La colère et le refus à nouveau l'envahirent. Elle ne pouvait pas rester dans le noir. Mais elle ne voulait pas réveiller Sililli. Dès qu'elle serait entre ses mains, tout commencerait.

Il lui fallait fuir. Fuir au-delà de l'enceinte qui cernait la ville, peut-être jusqu'à la courbe de l'Euphrate où s'étalaient, sur des dizaines d'*ùs*, l'enchevêtrement de la ville basse et les lagunes des roseaux. Mais là s'étendait un autre monde. Un monde hostile et fascinant. Saraï n'en eut pas le courage. Elle préféra se réfugier dans le jardin, immense, planté de cent sortes d'arbres, de fleurs, de légumes, entouré d'un mur par endroits plus haut que les plus hautes chambres. Elle se dissimula dans un bosquet de tamaris agrippé à la partie la plus ancienne du mur. Le soleil, le vent et les pluies avaient, ici et là, dissous le vertigineux empilage de briques, le réduisant en une poussière dure et ocre. Lorsque les tamaris étaient en fleur, immenses plumets roses, ils formaient une sorte de chevelure végétale que l'on pouvait admirer depuis l'autre bout de la ville. Aussi, faisaient-ils désormais la marque de la maison d'Ichbi Sum-Usur, fils de Ella Dum-tu, puissant d'Ur, marchand et fonctionnaire de premier rang au service du roi Amar-Sin, régnant sur l'empire d'Ur par la volonté d'Ea, le Grand Puissant.

— Saraï! Saraï!!

Elle reconnut les voix. Celle perçante de Lillu et celle, plus sourde et inquiète, de Sililli. Tout à l'heure déjà des servantes avaient couru dans les allées du jardin. Puis s'en étaient reparties bredouilles.

Le silence revint, avec seulement le murmure de l'eau s'écoulant dans les canaux d'irrigation et les pépiements des oiseaux.

De là où elle se trouvait, Saraï voyait tout mais on ne pouvait pas la voir. La maison de son père était l'une des plus belles de la ville royale. Elle avait la forme d'une main enserrant une immense cour centrale, tout en longueur, sur laquelle donnait le porche de l'entrée. Deux bâtiments aux murs de briques vernies de vert et de jaune, ouverts seulement pour les réceptions et les fêtes, séparaient la grande cour, à gauche et à droite, de deux autres plus petites : celle des femmes et celle des hommes. Les chambres du quartier des hommes, avec leurs escaliers blancs, surplombaient le temple des ancêtres de la famille, les entrepôts et la pièce des scribes de son père. Les habitations des femmes, elles, étaient construites au-dessus des cuisines, des dortoirs des servantes et de la chambre rouge. Les unes comme les autres donnaient sur une large terrasse en forme de lune, abritée par des tonnelles de vignes et de glycine, et qui ouvrait sur les jardins. Ainsi, la nuit, les époux pouvaient rejoindre les épouses sans passer par les cours.

De son bosquet Saraï voyait aussi une grande partie de la ville, et, la dominant ainsi qu'une montagne, la ziggurat, la Plate-forme Sublime. Il n'était pas de jours sans qu'elle vienne en admirer les jardins, pareils à un lac de feuillage entre le ciel et la terre. De leur foison verte où croissaient toutes les sortes de fleurs, toutes les sortes d'arbres que les dieux avaient semés sur la terre, surgissaient les marches recouvertes de céramiques noires et blanches menant à la Chambre Sublime dont les colonnes et les parois étaient recouvertes de lapis-lazuli. Là, une fois l'an, le roi d'Ur s'unissait à la Dame du Ciel.

Mais aujourd'hui, elle n'avait d'yeux que pour ce qui se passait dans la maison. Maintenant tout était à nouveau calme. Saraï avait l'impression qu'on ne la cherchait plus. Tout à l'heure elle avait hésité à rejoindre les servantes dans le jardin. Mais chaque heure qui passait la rendait plus fautive. Il était désormais trop tard pour qu'elle quitte sa cachette. Quiconque la verrait en cet état pousserait des cris d'effroi, se détournant, se voilant les yeux comme devant une femme saisie par les démons. Il était impensable qu'elle se présente ainsi devant les femmes. Toute la maisonnée de son père en serait souillée. Elle devait attendre la nuit sans bouger. Alors seulement elle pourrait faire quelques ablutions dans le bassin d'irrigation du jardin. Puis elle irait demander pardon à Sililli. Avec beaucoup de larmes et de terreur dans la voix afin de l'amadouer.

D'ici là elle devait oublier sa soif et la chaleur qui peu à peu transformait l'air, immobile, en un étrange magma de poussière sèche.

— Saraï !

Elle se raidit.

— Saraï, réponds-moi ! Je sais que tu es là ! Veux-tu mourir aujourd'hui, avec la honte des dieux sur toi ?

Elle reprit ses esprits d'un coup. Elle reconnut les mollets larges, la tunique jaune et blanc bordée d'un liséré noir.

— Sililli?

— Qui veux-tu que ce soit?

La voix de sa servante était rude, pleine de colère, mais les mots chuchotés.

— Comment as-tu fait pour me retrouver?

Sililli s'écarta de quelques pas, grondant d'une voix encore plus basse:

— Cesse donc tes bavardages et dépêche-toi de sortir avant que l'on nous voie.

— Tu ne dois pas me regarder, avertit Saraï.

Elle sortit du bosquet, se redressa avec peine, les muscles endoloris par sa trop longue immobilité. Sililli étouffa un cri.

— Tout-puissant Ea! Oh! pardonne-lui, pardonne-lui!

Saraï n'osa pas lever les yeux vers la servante. Elle fixa l'ombre courte et ronde qui s'agitait sur le sol. Cela suffit à lui faire comprendre que Sililli levait les mains au ciel avant de les serrer contre son giron tout en marmonnant, la voix oppressée:

— Puissante Dame du Ciel, pardonne-moi d'avoir vu sa face souillée, ses mains souillées! Ce n'est qu'une enfant, sainte Inanna. Nintu bientôt la purifiera.

Saraï se retint de se précipiter dans les bras de la servante. Dans un murmure à peine audible, elle s'excusa:

— Je suis désolée... Je n'ai pas fait ce que tu m'as recommandé. Je n'ai pas pu.

Elle n'eut pas le temps d'en dire plus. Une couverture de lin tomba sur elle, la recouvrant de la tête aux pieds. Les mains de Sililli enlacèrent sa taille. Cette fois, Saraï put sans honte s'appuyer contre le corps charnu et ferme de celle qui avait été sa nourrice, sa presque mère.

Tout contre son oreille, à travers le lin, sans plus de fureur dans la voix mais seulement le tremblement de la crainte, Sililli chuchota:

— Mais oui, je connais depuis longtemps cette cachette, petite sotte. Depuis la première fois où tu es venue ici! Croyais-tu donc pouvoir échapper à ta vieille Sililli? Au nom du tout-puissant Ea, qu'est-ce qu'il t'a pris? Croyais-tu pouvoir te dérober aux lois sacrées d'Ur? Pour aller où? Pour rester en faute ta vie entière? Oh, ma petite fille! Pourquoi n'es-tu pas venue me voir? Penses-tu être la première à avoir peur du sang des épouses?

Saraï voulut se justifier, mais la main de Sililli se posa sur sa bouche.

— Non! Tu me raconteras tout plus tard. Il ne faut pas que l'on nous voie ici. Grand Ea! Qui sait ce qu'il adviendrait de toi si l'on t'apercevait ainsi? Tes tantes savent déjà que tu es devenue femme. Elles t'attendent dans la chambre rouge. N'aie crainte, elles ne te blâmeront pas si tu te présentes avant que le soleil soit trop bas. Je t'ai apporté une cruche d'eau de citron et d'écorce de térébinthe pour que tu puisses te laver les mains et le visage. Maintenant, jette ta tunique souillée sous les tamaris. Je reviendrai la chercher pour la brûler. Enveloppe-toi dans ce voile de lin. Fais bien attention d'éviter tes sœurs car personne ne pourra empêcher ces pestes d'aller tout raconter à ton père.

Saraï sentit à travers le tissu la main de Sililli qui lui caressait la joue :

— Fais ce que je te demande. Et sans attendre. Ton père doit ignorer ton escapade.

— Sililli!

— Quoi encore?

— Seras-tu toi aussi dans la chambre rouge?

— Bien sûr. Où veux-tu que je sois?

Propre, parfumée, son voile de lin noué sur l'épaule droite, Saraï parvint à la cour des femmes sans rencontrer âme qui vive. Elle avait rassemblé tout son courage pour atteindre la porte mystérieuse qu'elle n'avait encore jamais approchée.

De l'extérieur, la chambre rouge n'était qu'un mur blanc tout en longueur, massif, sans fenêtre. Il occupait entièrement l'espace au-dessous des habitations réservées aux femmes :

épouse, sœurs, filles, parentes et servantes d'Ichbi. Une sorte de portique en jonc, soigneusement agencé et recouvert d'une abondante bignone aux fleurs ocre, en dissimulait la porte. Ainsi pouvait-on en tous sens traverser la cour des femmes sans jamais la voir.

Saraï franchit le portique. Devant elle, la porte de la chambre rouge était petite, double, d'un épais bois de cèdre, peinte en rouge pour le bas et en bleu pour le haut.

Saraï n'avait que quelques pas à faire pour pousser cette porte. Mais elle ne bougea pas. On eût dit que des fils invisibles retenaient ses membres. Était-ce la peur?

Comme toutes les filles de son âge, elle avait entendu quantité d'histoires sur la chambre rouge. Comme toutes les filles de son âge, elle savait que les femmes allaient s'y enfermer durant sept jours une fois par mois. Lors des pleines lunes, elles s'y réunissaient pour prononcer des vœux et des suppliques qu'on ne pouvait formuler nulle part ailleurs. Elles y riaient, pleuraient, y partageaient leurs rêves et leurs secrets en mangeant du miel, des gâteaux, des fruits. Parfois elles y mouraient dans d'atroces souffrances. Il était arrivé à Saraï d'entendre, à travers les murs épais, les hurlements d'un accouchement et, quelquefois, elle n'avait plus revu celle qui y était entrée, heureuse de son gros ventre. Jamais un homme n'y pénétrait, ni tentait même d'y glisser un regard. Les téméraires, les curieux emportaient la souillure jusque dans l'enfer d'Ereschkigal.

Mais, en vérité, elle savait très peu de ce qui s'y passait. On se transmettait en chuchotant, entre sœurs et cousines, les rumeurs les plus folles. Les *filles-encore-fermées* ignoraient ce qui arrivait à celles qui pénétraient pour la première fois dans la chambre rouge. Pas une des *munus,* les *femmes-ouvertes,* n'en dévoilait le secret.

Le jour pour elle était venu. Qui pouvait aller contre la volonté des dieux? Sililli avait raison. Il était temps. Elle ne pouvait demeurer en faute plus longtemps. Elle devait avoir le courage de franchir cette porte.

Ur

***

Ses yeux, éblouis par la grande lumière du dehors, s'accoutumèrent lentement à l'obscurité. Un mélange d'odeurs fortes flottait dans l'air confiné. Elle reconnut le parfum de l'huile tirée des peaux d'oranges et des amandes. Celui-ci se mêlait à l'odeur de l'huile de sésame que l'on utilisait dans les lampes. Puis, au bout d'un moment, elle perçut une autre odeur qu'elle n'avait encore jamais respirée. Plus épaisse, plus écœurante.

Des ombres se formèrent dans les ombres, des silhouettes s'animèrent. La chambre rouge n'était pas dénuée de lumière. Une dizaine de mèches de lampes se reflétait dans des disques de cuivre en diffusant une clarté jaune et vacillante. La salle était plus grande que Saraï ne l'avait imaginée. Plus haute aussi, avec, sur les côtés, des cloisons renfermant des petites pièces. Le sol était dallé de briques rafraîchies par une étroite rigole où courait une eau limpide. Au fond, on entendait le bruissement léger d'une fontaine.

Un claquement de mains la fit sursauter. Trois de ses tantes se tenaient devant elle. Derrière, légèrement en retrait, Saraï distingua Sililli, au côté de deux jeunes servantes. Toutes les femmes portaient une toge de lin blanc à larges bandes noires, leurs cheveux étaient retenus par des foulards de couleur sombre. Elles souriaient affectueusement.

Sa tante Égimé, la plus âgée des sœurs de son père, s'avança d'un pas. Elle frappa à nouveau ses mains l'une contre l'autre, puis croisa les bras sur sa poitrine, maintenant ses paumes ouvertes. Sililli lui tendit alors une cruche de poterie remplie d'eau parfumée, et d'un geste gracieux Égimé y plongea la main pour en asperger Saraï.

— *Nintu, maîtresse des menstrues,*
Nintu, toi qui décides de la vie dans le ventre des femmes,
Nintu patronne bien-aimée de la mise au Monde, accueille dans cette chambre Saraï, enfantée par Taram et fille d'Ichbi, puissant d'Ur. Elle est ici pour se purifier, elle est ici pour que son sang premier te soit confié. Elle est ici pour redevenir pure et propre à la couche des naissances !

Après cette prière de bienvenue, les autres femmes claquèrent trois fois dans leurs mains. Tour à tour, chacune lança l'eau parfumée sur la jeune fille. Le visage et les épaules de Saraï ruisselèrent. Le parfum était violent, si violent qu'il pénétrait ses narines, sa gorge, et la remplissait d'une ivresse sourde.

Lorsque la cruche fut vide, les femmes entourèrent Saraï, lui saisirent les mains, l'entraînant dans une des alcôves. Saraï découvrit alors un bassin rond, haut mais peu large. Sililli dénoua son voile de lin. Nue, on la poussa dans le bassin. Il était encore plus profond qu'elle ne l'avait estimé : l'eau atteignait le dessous de ses seins à peine formés. Elle lui glaça les os. Saraï frissonna. Elle serra les bras autour de son torse, en un geste enfantin. Les femmes rirent. Elles vidèrent des fioles dans le bassin puis la frottèrent vigoureusement avec de petits sacs de lin remplis d'herbes. De nouveaux parfums éclatèrent autour de Saraï. Cette fois elle reconnut la menthe et le térébinthe, ainsi que la bizarre odeur de la bile de belette dont on s'enduisait parfois les pieds pour écarter les démons.

L'huile assouplit l'eau. Saraï s'habitua à sa fraîcheur. Elle ferma les yeux et s'abandonna. Bientôt, la tension et la peur s'effacèrent sous les frictions et les caresses.

Le temps de s'habituer, Égimé lui ordonnait déjà de sortir du bain. Sans l'essuyer ni la recouvrir du moindre tissu, la vieille tante la conduisit dans une partie de la pièce où un tapis de couleurs vives avait été déroulé. Sans ménagement, elle lui fit écarter les jambes et disposa prestement un vase de bronze à large col entre ses cuisses. Sililli saisit la main de Saraï, tandis que, le regard rivé à la coupe, Égimé dit d'une voix forte :

— *Nintu, patronne de la mise au Monde, toi qui reçus la brique sacrée de l'accouchement des mains d'Enki le Puissant, toi qui tiens le ciseau du cordon de naissance,*

Nintu, toi qui as reçu le vase de lazulite verte, le silagarra *offert par Enki le Puissant, recueille le sang de Saraï.*

Assure-toi qu'il soit fécond.

Nintu, recueille le sang de Saraï comme la rosée dans le sillon. Assure-toi qu'il fasse son miel. Ô Nintu, sœur d'Enlil le Premier, assure-toi que la

vulve de Saraï soit fertile et douce comme la datte de Dilum et que son époux
futur ne s'en lasse jamais !

Un étrange silence suivit.

Saraï pouvait entendre son cœur battre contre ses tempes,
dans sa gorge. Sur ses jambes, ses fesses, ses épaules, son ventre,
son front, sa peau commençait à s'échauffer. Elle avait l'impression d'avoir été frappée avec des orties.

Alors, de la même voix sèche et autoritaire, la vieille tante
recommença la prière. Cette fois, toutes ensemble, les tantes
reprirent la mélopée.

Puis elles recommencèrent.

Et Saraï comprit qu'il en serait ainsi jusqu'à ce que son
sang coule dans le vase de bronze.

La cérémonie semblait ne pas finir. À chaque mot que prononçait Égimé, la main de Sililli serrait les doigts de Saraï. Soudain, une douleur froide figea ses reins, mordit ses cuisses. Elle
eut honte de sa nudité, de sa posture. Pourquoi cela durait-il si
longtemps ? Pourquoi le sang tardait-il à couler maintenant,
alors que ce matin encore il coulait avec tant d'abondance ?

Vingt longues suppliques se succédèrent. Enfin le vase se
teinta de rouge. Les femmes applaudirent. Égimé saisit le visage
de Saraï entre ses doigts rêches et plaqua ses lèvres sur son
front :

— C'est bien, ma fille ! Vingt suppliques, c'est un chiffre
qui convient. Nintu te trouve à son goût. Tu peux t'en réjouir et
la remercier.

Elle saisit la coupe de bronze et le déposa entre les mains
de Saraï.

— Suis-moi, ordonna-t-elle.

Au fond de la chambre rouge, contre le mur recouvert
d'un torchis peint de rouge et de bleu, était dressée une statue
de terre cuite, plus grande que Saraï. La statue avait les traits
d'une femme au visage rond, aux lèvres épaisses, avec des cheveux bouclés retenus par un cercle de métal. Une de ses mains
tenait un minuscule vase, identique à celui que portait Saraï.

L'autre brandissait le ciseau de naissance. L'autel, aux pieds de la statuette, était recouvert de victuailles autant qu'une table de fête.

— Nintu, sage-femme du Monde, murmura Égimé, le front incliné, Saraï, fille de Taram et d'Ichbi, te salue et te remercie.

Saraï la regarda sans comprendre. Avec une moue d'agacement, la vieille tante saisit sa main droite, trempa ses doigts dans le sang et les frotta sur le ventre de la statue.

— Recommence, ordonna-t-elle encore.

Avec une répulsion qui lui fit serrer les lèvres, Saraï obéit. Égimé prit alors le vase de bronze, renversa quelques gouttes des menstrues dans la petite coupelle que tenait la statue de Nintu. Lorsqu'elle se redressa, un grand sourire, comme Saraï ne lui en avait jamais vu, éclairait son visage.

— Bienvenue dans la chambre rouge, fille de mon frère. Bienvenue parmi nous, future *munus*! Si j'ai bien compris les explications embrouillées de Sililli, il semble que tu n'as pas mangé depuis ce matin. Je suppose que tu as faim?

Un grand rire éclata derrière Saraï. Sililli l'attira contre elle, l'enveloppant de ses bras. Saraï s'abandonna à l'étreinte, trouvant un étonnant réconfort à poser sa tempe contre la poitrine bien ronde qui l'accueillait.

— Tu vois, murmura Sililli avec un soupçon de reproche, ce n'est pas si terrible. Ça ne valait pas la peine de faire tant d'histoires.

Ce soir-là, avant de la rassasier de gâteaux, de fruits, de galettes d'orge au miel et fromage frais de brebis, on lui offrit une tunique neuve : un fin tissage de lin et de laine : avec des bandes noires, identique à celui que portaient ses tantes et les servantes. On lui offrit aussi un châle pour ses cheveux. Ensuite les femmes lui apprirent à vivre confortablement avec ses règles. On lui montra comment confectionner de petits tampons de laine que l'on trempait dans une huile particulière, celle dont elle avait senti l'odeur forte et un peu écœurante dès qu'elle avait poussé la porte.

— C'est de l'huile d'olive, expliqua sa tante Égimé. Une huile rare et précieuse que produisent les *mar.Tu*, les hommes-sans-ville. Tu pourras remercier ton père : il la fait venir pour les femmes du roi et en soutire quelques amphores pour nous. Quand il n'y en a plus, on utilise de l'huile de poisson plat. Crois-moi, c'est bien moins doux et ça pue horriblement. Tellement qu'il nous faut ensuite nous tremper les fesses toute une journée dans de l'huile de cyprès. Sinon, nos hommes, lorsqu'ils retrouvent le chemin de notre couche, croient que nos vulves sont devenues des paniers de pêche !

De grands rires saluèrent la plaisanterie. Enfin, Sililli lui expliqua comment plier le linge dont elle devait s'envelopper l'entrecuisse.

— Tu en changes chaque soir avant de te coucher. Le lendemain tu les laves. Je te montrerai le fourneau, là-bas au fond de la chambre.

De fait, la chambre rouge possédait tout ce qu'il fallait pour que les femmes puissent y vivre sept jours sans jamais en sortir. Les couches y étaient confortables, les fruits, les viandes, le fromage et les gâteaux étaient fournis en abondance par les femmes demeurées au-dehors. Des paniers regorgeaient de laine filée et des cadres de tissage tendaient des ouvrages déjà bien avancés.

Comme Sililli ne devait sa présence dans la chambre rouge qu'à l'initiation de Saraï, elle ne put y dormir cette nuit-là ni les suivantes. Avant de rejoindre la cour des femmes, elle prépara une tisane qu'elle fit boire à Saraï dans une coupe fumante.

— Ainsi tu n'auras pas mal au ventre cette nuit.

Les lèvres douces de Sililli se posèrent avec tendresse sur ses tempes.

— Je n'ai le droit de revenir dans la chambre rouge que le soir au crépuscule. Si quelque chose ne va pas, demande à tante Égimé. Comme tu as vu, elle grince, mais elle t'aime bien.

Sans doute avait-elle mis autre chose dans son breuvage que des herbes pour soigner le ventre. Peu de temps après son départ, Saraï s'endormit d'un sommeil qu'aucun mauvais rêve ne vint troubler.

Quand elle se réveilla, ses tantes et les servantes s'activaient déjà. Malgré la pénombre, leurs doigts tissaient avec autant d'aisance que sous le soleil. Elles bavardaient comme les oiseaux pépient, ne s'interrompant que pour rire ou se gronder avec entrain.

Égimé ordonna à Saraï d'aller remercier Nintu et de déposer quelques offrandes de nourriture sur l'autel. Ensuite la jeune fille se lava dans le bassin où une servante vint verser des huiles puis enduire son ventre et ses cuisses d'une pommade parfumée.

Lorsqu'elle fut propre, Égimé s'approcha pour lui demander si elle saignait toujours et avec régularité. Après quoi, Saraï put se rassasier de lait de brebis, de fromage de vache à peine caillé, mélangé de miel, de pain d'orge trempé dans du jus de viande que l'on tartinait de dattes broyées, d'abricots et de pêches.

Cependant, alors qu'elle s'apprêtait à aider au tissage, pour apprendre à passer les fuseaux entre les fils des trames les plus subtiles, ses jeunes tantes dressèrent devant elle une haute plaque de bronze.

Saraï, étonnée, les observa sans comprendre.

— Ôte ta tunique, nous allons te dire à quoi tu ressembles.

— À quoi je ressemble?

— Exactement. Tu vas te regarder toute nue dans le miroir et nous nous allons te dire ce que va voir ton futur époux quand il te parfumera avec l'onguent du mariage.

Ces mots glacèrent le ventre de Saraï plus que le bain du matin. Elle jeta un regard à Égimé. Sans cesser son ouvrage, la vieille tante hocha la tête avec un sourire qui avait le poids d'un ordre.

Saraï haussa les épaules avec un dédain qu'elle était bien loin de ressentir. Elle regretta l'absence de Sililli. En sa présence, jamais ses jeunes tantes ne s'autorisaient à se moquer d'elle.

D'un mouvement brusque, elle se débarrassa de sa tunique. Tandis que les femmes s'asseyaient autour d'elle en gloussant, elle affecta de mettre dans ses gestes et sur son visage autant d'indifférence qu'elle le pouvait.

— Tourne-toi doucement, ordonna l'une des tantes, que l'on puisse bien te voir.

Sa silhouette s'anima dans le cuivre du miroir. En vérité, elle ne se voyait guère elle-même tant la lumière était maigre. Égimé fut la première à commenter le spectacle qu'elle offrait :

— Le sang des épouses coule de son ventre, mais il faut bien admettre que ce n'est qu'une enfant. S'il veut goûter son gâteau de miel dès le jour de l'onguent, le futur époux ne sera pas trop gâté.

— Je n'ai que douze ans et deux saisons ! protesta Saraï, sentant la colère lui chauffer la poitrine. Bien sûr que je suis une enfant !

— Mais ses cuisses sont fines et bien galbées, intervint l'une des servantes. On voit qu'elle aura de belles jambes.

— Son pied restera petit, et ses mains aussi, dit une autre. Ce qui sera certainement gracieux.

— Est-ce qu'un époux s'intéresse aux pieds et aux mains de son épouse le jour de l'onguent ? grommela Égimé.

— Si tu penses à ses fesses, ma sœur, il en aura pour son plateau d'argent. Regarde comme elles sont hautes et bien dures. On dirait de petites calebasses dorées. Quel époux résisterait au désir d'y croquer ? Et la fossette de ses reins. Dans un an ou deux, l'époux pourra y boire son lait, je vous le dis, mes sœurs.

— Son ventre aussi est tout mignon, dit la plus jeune des tantes, et sa peau tout ce qu'il y a de fin. Un vrai plaisir que d'y passer la paume.

— Lève les bras, Saraï ! demanda une autre. Hélas ! mes sœurs, notre nièce a des bras moins gracieux que les jambes !

— Ses coudes sont abîmés comme ceux d'une gosse, mais cela passera. Les épaules sont jolies. On dirait bien qu'elles vont être larges. Qu'en penses-tu, Égimé ?

— Grandes épaules, grands tétons, voilà ce que l'on dit. Je l'ai vérifié des dizaines de fois.

Elles pouffèrent toutes ensemble.

— Pour l'heure, le futur époux n'en aura guère sous la dent !

— Mais ils pointent, ils prennent forme, les petits agneaux !

— À peine ! On voit plus la forme de ses os que celle de ses seins.

— Tu n'en avais guère plus à son âge, lança Égimé à sa jeune sœur, et regarde aujourd'hui : il nous faut te tisser des tuniques de double longueur pour que tu puisses les recouvrir !

Elles rirent encore sans se rendre compte que Saraï, du poignet, essuyait les larmes qui coulaient jusqu'à sa bouche.

— Assurément, ce qu'il n'aura pas sous l'œil, l'époux, le jour de l'onguent, c'est la douce forêt. Pas même une ombre ! Il devra se contenter du sillon et, à mon avis, attendre que le champ grandisse pour le labourer !

— Assez !

D'un coup de pied, Saraï renversa le miroir de bronze. Et déjà elle se recouvrait avec sa tunique.

— Saraï ! gronda Égimé.

— Je ne veux plus écouter vos méchancetés ! Je n'ai besoin de personne pour savoir que je suis belle et que je le serai plus encore quand je serai grande. Je serai plus belle que vous toutes. Vous, vous êtes jalouses, voilà ce que vous êtes !

— Orgueilleuse et langue de serpent, voilà ce que tu es ! répliqua Égimé. Ce n'est pas à te voir que ton futur époux fera la grimace. C'est à t'entendre. J'espère que mon frère Ichbi a pris ses précautions et ne s'attirera pas un refus !

— Mon père n'a pas décidé de me marier. Ce n'est pas la peine de toujours répéter les mêmes choses. Je n'ai pas de futur époux. Vous toutes, vous êtes vieilles et vous dites des bêtises.

Elle avait presque crié, la voix aiguë. Ses mots rebondirent sur les murs humides de la chambre rouge et retombèrent sur le sol en brique dans un silence embarrassé. Les rires cessèrent. Égimé plissa un peu plus le front :

— Comment sais-tu que tu n'as pas de futur époux?

Un frisson parcourut Saraï. La peur qui la veille avait noué son ventre était revenue.

— Mon père ne m'a rien dit, souffla-t-elle. Il me dit toujours ce qu'il veut que je fasse.

Ses tantes et les servantes détournèrent les yeux.

— Ton père n'a rien à te dire pour les choses qui se passent comme elles le doivent, rétorqua Égimé.

— Si, mon père me dit tout. Je suis sa fille préférée...

Saraï s'interrompit brusquement. Il avait suffi qu'elle prononce ces mots pour entendre le mensonge qu'ils contenaient.

Égimé eut un bref soupir.

— Sornettes de fillette! N'invente pas ce qui n'est pas. Les lois de la cité et la volonté d'Ea le Puissant seront respectées. Aussi vas-tu demeurer avec nous encore quatre jours, le septième tu sortiras de la chambre rouge et l'on te préparera pour tes épousailles. Le mois des labours est un beau mois pour ça. Il y aura des repas et des chants. Celui qui sera ton époux doit déjà être en route pour Ur. Je suis certaine que ton père l'aura choisi riche et puissant. Tu n'auras pas à te plaindre. Avant la prochaine lune, il t'aura enduite avec l'onguent de cyprès. Voilà ce qu'il va se passer. Et c'est très bien ainsi.

Abram

Après sept longs jours et sept nuits pleines de rêves qu'elle n'osa confier à personne, Saraï quitta la chambre rouge. Elle redoutait ce moment autant qu'elle l'espérait.

Le soleil n'était encore pas bien haut mais la lumière du jour l'éblouit si fort qu'elle put à peine ouvrir les yeux. Elle entendit plus qu'elle ne vit Sililli l'accueillir, l'embrasser avec des gloussements de contentement tandis qu'Égimé lui prodiguait d'ultimes conseils.

Avant même que Saraï pût dire un mot, Sililli l'entraîna dans l'escalier menant aux chambres des femmes. Le blanc des murs y était encore plus éblouissant que celui de la cour. Saraï se laissa conduire comme une aveugle. Sous ses pieds, les marches de l'escalier paraissaient plus nombreuses qu'elle n'en avait le souvenir. Elle ouvrit les yeux sur la terrasse supérieure de la maison. Sililli poussa une porte en cèdre si neuve qu'elle sentait encore la résine.

— Entre !

La main levée au-dessus de ses yeux, Saraï hésita. La porte ne semblait ouvrir que sur une ombre béante.

— Entre donc ! répéta Sililli.

La pièce était spacieuse, plus longue que large. Elle possédait une fenêtre carrée qui laissait pénétrer le soleil du matin. Au-dessous, le mur formait une banquette recouverte d'une natte. Le sol était de briques rouges huilées et le plafond, haut, fait de roseaux fins, soigneusement liés aux poutres équarries. Tout était neuf. Les deux lits, le grand comme le petit, ainsi qu'un énorme coffre peint renforcé de clous d'argent. Un cadre de tissage, neuf lui aussi, était repoussé contre un mur. Les vases, les bols et les coupes disposés sur une claie dans un angle de la pièce n'avaient jamais servi, pas plus que le foyer de terre cuite n'avait été léché par la moindre flamme.

— N'est-ce pas magnifique ? C'est ton père qui a voulu que les choses soient ainsi.

Les joues de Sililli étaient rouges d'excitation. Dans un flot de paroles, elle raconta comment Ichbi Sum-Usur avait pressé les menuisiers et les maçons afin que toutes ces merveilles soient prêtes pour le jour où Saraï quitterait la chambre rouge.

— Il a pris soin de tout ! Il est venu décider lui-même de la hauteur des murs. Il a dit : « C'est la première de mes filles que je marie. Rien ne sera trop beau. Je veux que sa chambre d'épouse soit la plus haute et la plus belle de la cour des femmes ! »

Une bizarre sensation serpenta dans la gorge de Saraï. Elle avait envie de partager la joie de Sililli et en même temps sa poitrine était si contractée qu'elle peinait à trouver son souffle. Elle ne pouvait détacher les yeux du grand lit. Sililli avait raison, c'était le plus beau qu'elle ait vu. En platane, le châlit possédait de larges pieds où les figures du zodiaque avaient été sculptées avec délicatesse. Sur la large planche sombre qui, au bout, retenait des peaux de mouton d'un blanc immaculé, une silhouette de Nintu était peinte de rouge.

— Il y a chacun des mois des quatre saisons, commenta Sililli, qui frôla de l'index le dessin du Poisson-Chèvre, la constellation de *Mul.suhur*. Afin que chacun te soit favorable.

Elle désigna le petit lit disposé dans l'autre angle de la pièce et ajouta :

— Celui-ci est pour moi. Il est neuf aussi. Bien sûr, je n'y dormirai que les nuits où tu seras seule.

Saraï évita son regard. Mais Sililli n'en avait pas fini avec son bonheur. Elle fit claquer les ferrures d'argent du grand coffre, souleva le battant de bois épais, dévoilant un amas d'étoffes et de châles.

— Un coffre plein, cela aussi, ton père l'a voulu! Regarde ces beaux tissages! Des *rakutus* de lin si fin que l'on croirait de la peau de bébé. Et ça...

Elle ouvrit une pochette de cuir. Toutes sortes de fibules, bracelets, broches de cheveux en bois et argent cliquetèrent sur les peaux de mouton. Sililli s'agita encore. En quelques gestes habiles, elle déploya l'une des étoffes autour de Saraï, la drapant en une toge aux plis parfaits qui, selon la règle, laissait l'épaule gauche dénudée.

Elle recula d'un pas, mais Saraï ne lui laissa pas le temps d'admirer son œuvre. Elle retira le tissu de la toge et le laissa tomber sur le lit, demandant d'une voix plus tremblante qu'elle ne l'aurait voulu :

— Sais-tu qui il va être?

— Saraï... Mais de quoi parles-tu?

— De lui. De celui que mon père m'a choisi pour époux. Celui qui va se coucher dans ce grand lit avec moi.

Les rides revinrent sur le front de Sililli et un gros soupir fit trembler sa poitrine. Elle reprit machinalement le tissu abandonné par Saraï pour le replier soigneusement.

— Comment le saurais-je? Ce n'est pas à une servante que ton père confie ces choses-là.

— Est-il déjà arrivé dans la maison? s'énerva Saraï. Tu dois au moins savoir ça.

— Il n'est pas coutume que le marié et son père se présentent chez la future épouse avant qu'elle ait participé au premier repas des invités. Égimé ne t'a donc rien enseigné pendant ces sept jours?

— Oh que si! Elle m'a appris à chanter, à laver mon linge, à tisser des fils de couleur, très fins mais solides. Elle m'a enseigné ce qu'une épouse doit faire pour que son mari n'ait jamais faim. Comment on doit le nourrir le matin et le soir. Ce que l'on doit lui dire et ne pas lui dire. Elle m'a appris à me teindre les pieds, à me coiffer avec le châle, à m'enduire de pommade entre les fesses! J'en ai encore la tête qui bourdonne!

La voix de Saraï montait comme les larmes dans ses yeux, qu'elle aurait bien voulu dissimuler.

— Mais elle ne m'a pas dit qui serait mon époux.

— Parce qu'elle ne le sait pas.

Saraï chercha le mensonge dans les yeux de Sililli. Elle n'y lut qu'une tendresse un peu triste. Un peu lasse.

— Elle ne le sait pas, Saraï, répéta Sililli. C'est ainsi, ma fille. Une fille appartient à son père, son père la donne à son époux. Ainsi vont les choses !

— C'est ce que vous racontez toutes. Mais moi, je vais aller demander à mon père.

— Saraï ! Saraï ! Ouvre les yeux ! Demain, toute la maison sera en fête. Ton père offrira le premier banquet et il montrera ta beauté à ses invités. Ton époux viendra offrir son plateau nuptial, ses lingots d'argent, et tu sauras alors qui il est. Après-demain, il t'enduira du parfum de l'épouse et tu seras à lui. Voilà ! Voilà ce qui va se passer. Rien n'y peut changer, car c'est ainsi que se marient les filles des puissants d'Ur. Et toi, tu es Saraï, fille d'Ichbi Sum-Usur. Dans deux nuits, ton époux viendra dormir dans cette belle chambre, dans ce beau lit. Pour ton plus grand bonheur. Ton père ne peut pas avoir fait un mauvais choix...

Les mains sur les oreilles pour ne plus entendre, Saraï se précipita hors de la pièce. Sur le seuil, une ombre l'immobilisa : Kiddin, son grand frère, se dressait devant elle.

Il avait quinze ans mais en paraissait deux ou trois de plus. Bien que sa barbe ne soit encore qu'un duvet transparent, il possédait la belle apparence d'un jeune seigneur d'Ur, fils aîné d'une grande maison. Ses traits étaient réguliers. Les muscles de ses épaules, de ses bras et de ses cuisses étaient déjà ceux d'un guerrier. Kiddin adorait la lutte et la pratiquait chaque jour. Il soignait sa chevelure et contrôlait son regard, le ton et la mesure de ses paroles, ses gestes. Saraï avait depuis longtemps remarqué qu'il faisait en sorte que le tissu de sa toge, sur son épaule droite dénudée, souligne la finesse de sa peau et donne aux femmes le désir d'y glisser les doigts. Dans la maison il était par-dessus tout soucieux que chacun respecte son rang d'aîné. Sililli elle-même, qui semblait pourtant ne craindre qu'Ichbi Sum-Usur, prenait soin de ne jamais le froisser.

La voix froide, Kiddin annonça :

— Bonjour, ma sœur. Notre père te demande de le rejoindre, car il va sacrifier des moutons pour connaître ton futur d'épouse. Le *barù* est déjà dans le temple. Il boit et se parfume.

Saraï ouvrit la bouche pour poser la question qui la taraudait, mais seul un « Bonjour grand frère » franchit ses lèvres. Un éclair passa dans les yeux de Kiddin. Un sourire moqueur rappela qu'il n'était qu'un jeune garçon.

— Prépare-toi. Je reviens te chercher dans peu de temps.

Il tourna le dos et quitta la pièce en grand seigneur qui aime laisser le silence planer sur ses paroles.

La petite pièce où le père de Saraï travaillait était bien encombrée. Deux des murs étaient parcourus de rayonnages surchargés de tablettes d'argile. Des lettres et contrats, des comptes par centaines. Toutes ces choses importantes qui faisaient d'Ichbi Sum-Usur un homme craint et respecté.

Sur une longue table en ébène, un serviteur pressait une boule d'argile dans une matrice de bois à l'aide d'un pilon. À ses côtés, des caissettes d'argile fraîche recouvertes de lin humide, des couteaux de bronze, des pots remplis de calames petits et grands... tout ce qu'il fallait pour écrire. Assis à l'autre extrémité, les doigts précis et alertes, un scribe sculptait les mots dans la pâte.

Saraï entendit son père dicter :

— ... l'époux pourra venir en ma maison, y séjourner comme un fils bienvenu...

Elle laissa retomber derrière elle la tenture de la porte.

— Ma fille !

Sous sa barbe longue et noire, aux ondulations parfaites, le double menton de son père se gonfla de plaisir. D'un geste Ichbi Sum-Usur congédia les serviteurs. Le scribe et son aide prirent à peine le temps de recouvrir d'un linge leur ouvrage inachevé et s'éclipsèrent en ployant plusieurs fois la nuque devant Saraï. Ichbi Sum-Usur ouvrit alors les bras en grand, répétant, comme si ces mots, dans sa bouche, étaient du miel.

— Ma fille, ma première à marier !

— Je suis bien heureuse de te voir, mon père.

Et c'était vrai. Elle l'était toujours. Non que son père fût particulièrement bel homme. Il était à peine plus grand qu'elle et sa corpulence témoignait de son manque d'exercice ainsi que des trop plantureux repas qu'il aimait organiser en toute occasion. Cependant, sa prestance la séduisait, cette sorte de distinction que donne la puissance et qui n'appartenait qu'aux plus nobles natifs d'Ur. Son regard, souligné d'un large trait de khôl, possédait l'assurance de ceux qui se savent au-dessus de la multitude. De plus, aujourd'hui, il s'était drapé dans une tunique magnifique, ourlée de broderies multicolores et de petits glands d'argent, insignes des fonctionnaires de premier rang. La robe de Saraï, bien que d'une finesse extrême, en paraissait presque banale.

Elle était fière de son père, fière d'être sa fille et, bien qu'il revînt à Kiddin, le frère aîné, d'être le premier des enfants d'Ichbi Sum-Usur, elle ne doutait pas d'être la première dans son cœur. Et elle n'aimait rien tant que de s'en assurer.

Elle ploya le buste en un salut respectueux, un peu excessif peut-être, mais qui déclencha un grognement satisfait de son père. Il s'approcha, lui releva la tête d'un doigt sous le menton.

— Tu es belle à voir, mon enfant. Égimé affirme que tu as été bonne fille dans la chambre rouge. C'est bien. Je suis content de toi. Et toi, es-tu contente de moi ?

Saraï respira le parfum de myrrhe dont il s'était abondamment aspergé et se contenta d'un battement de cils pour toute réponse.

— C'est tout ? Je te fais construire la plus belle chambre de cette maison et c'est tout le merci que tu m'en fais ?

— Je suis très contente de ma chambre, mon père. Le lit surtout est très beau. Tout est très beau. Le coffre et les robes. Tout. Et tu es toujours mon père adoré.

— Mais? soupira Ichbi Sum-Usur, qui savait lire en elle aussi bien que sur une tablette des scribes royaux.

— Mais, mon père bien-aimé, j'ignore tout de l'époux qui viendra m'y rejoindre. Selon qui il sera, peut-être trouverais-je mon lit bien moins beau et ma chambre pire qu'un pisé de la ville basse.

La surprise arrondit le sourcil d'Ichbi Sum-Usur avant qu'une plainte, mi-soupir mi-rire, agite les glands de sa toge.

— Saraï! Saraï, ma fille! Tu ne changeras donc jamais?

— Mon père, je veux seulement savoir qui tu m'as choisi pour époux et pourquoi. N'en ai-je pas le droit?

La voix de Saraï n'était ni larmoyante ni soumise. Au contraire, Ichbi Sum-Usur put y percevoir une vibration qu'il connaissait bien. Cette modulation qu'il possédait lui-même lorsqu'il attendait que l'on se plie sans discussion à ses ordres.

Ses paupières voilèrent à demi ses yeux. Comme il le faisait lorsqu'il voulait impressionner ses subalternes, il laissa s'appesantir le silence. Dehors, dans la cour, des voix lancèrent des saluts de bienvenue. Des invités arrivaient. Saraï posa sa petite main sur le large poignet de son père. Il se redressa avec toute la solennité dont il était capable.

— Un père choisit celui qui prendra sa fille pour épouse selon les raisons qui lui conviennent. Celui que je t'ai choisi me convient. S'il me convient, il te conviendra.

— Je veux seulement voir son visage.

— Tu auras toute ta vie d'épouse pour le voir.

— Et s'il ne me plaît pas?

— Un mariage n'est pas un caprice. Un époux ne se choisit pas parce qu'il a un joli nez.

— Qui te parle de nez? N'est-ce pas toi qui m'as appris à reconnaître le destin d'un homme en observant son visage et sa démarche?

— Alors fais-moi confiance. J'ai fait le bon choix.

— Père, s'il te plaît!

— C'est fini! s'énerva pour de bon Ichbi Sum-Usur. Que crois-tu donc? Que je vais t'accompagner chez lui pour que tu juges de sa mine? Puissant Ea, protège-moi! Peut-être aussi devrais-je expédier des messagers à travers toute la ville pour annoncer qu'Ichbi Sum-Usur change d'avis, il ne marie plus sa déesse de fille car elle ne trouve pas à son goût l'époux qu'il lui a choisi!... Saraï, Saraï! S'il te plaît n'offusque pas les dieux avec de nouvelles bêtises.

Il se retourna et saisit d'un geste furieux la tablette d'argile fraîche sur laquelle le scribe écrivait un instant plus tôt. Il la brandit devant le visage de Saraï.

— Cette tablette, c'est ton contrat d'épouse. Il reste sept jours, sept jours avant qu'il m'en revienne une toute pareille, portant l'empreinte du calame de ton époux et de son père. Sept journées de festins, de chants et de prières qui vont me coûter deux mille mines d'orge! Sept jours pendant lesquels ma fille préférée n'aura qu'un droit et un devoir : être belle et sourire.

Sa voix était montée, ses derniers mots jetés avec tant de colère qu'on avait dû les entendre de la cour. Il lança sa tablette sur la table, ramena soigneusement sa tunique qui avait glissé de son épaule.

— Le devin nous attend. Espérons qu'il ne va pas découvrir je ne sais quelle catastrophe dans les entrailles des moutons.

Le devin était un vieil homme si maigre que son corps semblait à peine présent sous sa toge. Sa chevelure et sa barbe, parfaitement peignées et huilées, lui couvraient les épaules et la poitrine. De son visage on ne voyait que ses prunelles noires, lumineuses comme des pierres polies.

Saraï se tenait entre son père et Kiddin. Elle sentait leur chaleur contre ses épaules et pouvait entendre leur respiration. De temps à autre, Kiddin lui jetait des regards qu'elle préférait ne pas affronter. Il ne cachait pas avoir entendu la colère de leur père. Il les avait rejoints alors qu'ils se rendaient au temple avec un sourire qui en disait long. Inutile d'ailleurs qu'il livre à haute voix ses pensées, Saraï les devinait aussi bien que s'il les lui avait chuchotées à l'oreille : « Cette fois-ci, ma sœur, notre père a tenu bon. Il ne cède pas à tes caprices ! Il était temps ! Crois-tu toujours être sa préférée ? »

Il ne restait plus qu'à espérer que les dieux soient bons avec elle. Et que son père ne lui ait pas choisi un époux comme Kiddin ! Toujours à vouloir montrer sa force et sa morgue. Elle ne le supporterait pas une seule journée !

Saraï repoussa ces pensées. Elle ne devait pas songer à mal tandis que le *barù* commençait la cérémonie. Elle devait au contraire ouvrir son cœur au devin et aux Puissants du Ciel. Qu'ils voient ce qu'il y avait de bon en elle. Qu'ils fassent en sorte que son époux soit un homme capable de cultiver ce qu'il y avait de meilleur en elle.

Elle se redressa, détendit ses doigts, releva doucement le visage, comme pour qu'on la voie mieux. Et lutta contre l'odeur âcre provenant des copeaux de cèdre que le devin lançait sur les braises d'un petit foyer. On n'y voyait guère, toutes les ouvertures du temple ayant été obturées. Seules deux torches de cire d'abeille éclairaient la banquette qui supportait les statues et les autels des ancêtres de la famille. Le devin avait disposé trois foies de mouton au pied des aïeux d'Ichbi Sum-Usur. Tournant le dos, il marmonnait des paroles que nul ne comprenait. Chacun néanmoins faisait de son mieux pour ne pas troubler sa concentration.

Derrière le premier rang occupé par Saraï, son père et son frère, il n'y avait, quelques pas en retrait, qu'une demi-douzaine de proches parents et deux ou trois invités. Des gens dont Saraï, en entrant dans le temple, avait fui les sourires et les encouragements, encore furieuse de n'avoir pu faire céder son père. Maintenant, chacun, comme elle, faisait un effort pour respirer et ne pas tousser, malgré la fumée qui piquait les yeux et irritait la gorge.

Soudain, le *barù* rassembla les trois foies sur un épais plateau d'osier. Il se retourna et marcha droit sur Saraï et son père. Saraï ne put s'empêcher de fixer les entrailles d'où s'écoulait encore un filet de sang chaud. La voix du devin retentit, forte et nette dans le temple :

— Ichbi Sum-Usur, serviteur fidèle, toi dont le nom veut dire « Fils qui sauve son honneur », Ichbi Sum-Usur, j'ai déposé un foie devant ton père. J'ai déposé un foie devant le père de ton père. J'ai déposé un foie devant ton bisaïeul. À tous les trois j'ai demandé d'être présents pour l'oracle. C'est ce qu'ils savent que tu sauras, Ichbi Sum-Usur.

Le visage émacié du devin était tout devant Saraï. Son haleine laiteuse, un peu sure, la fit reculer. La main impitoyable de Kiddin l'obligea à reprendre sa place. Dans un profond silence, le *barù* auscultait son visage dans ses moindres détails. La concentration lui retroussait les lèvres tel un fauve. Fascinée, Saraï regardait les gencives trop blanches, les dents trop jaunes, les nombreux trous qui les séparaient. Elle fit de son mieux pour ne pas montrer son dégoût et son appréhension. Autour d'elle on n'entendait pas un souffle. Pas un frottement de pied, pas un claquement de langue. Seulement le crépitement des copeaux sur les braises.

Sans crier gare, le *barù* poussa le plateau contenant les entrailles contre la poitrine de Saraï. Elle en saisit les bords. Il pesait beaucoup plus lourd qu'elle ne l'avait imaginé. Elle se retint de baisser les yeux sur la chair vive et sombre.

Le *barù* s'écarta d'elle, recula de plusieurs pas. Sans quitter Saraï du regard, il s'immobilisa près du foyer de brique. À côté, il avait disposé la statuette de son propre dieu sur une table de pierre. Sa barbe se mit à trembler sans pourtant que sa bouche frémisse. Lentement, lentement, ses yeux se levèrent vers l'ombre du plafond. Puis il se tourna vers son dieu. Ses bras s'écartèrent, son buste se plia en avant, sa voix tonna, les faisant tous tressaillir :

— Ô Asalluli, fils d'Ea, mon seigneur tout-puissant de la divination, je me suis purifié dans l'odeur du cyprès. Ô Asalluli, pour Ichbi Sum-Usur ton serviteur, pour Saraï ta servante, accepte cet *ikribu*. Rends-toi présent, ô Asalluli, écoute l'inquiétude d'Ichbi Sum-Usur qui donne sa fille pour épouse. Écoute sa question et rend un oracle favorable. Depuis ce mois *kislimù*, dans la troisième année du règne d'Amar-Sin et jusqu'à l'heure de sa mort, Saraï sera-t-elle une épouse bonne, féconde et fidèle ?

Le silence, épais, enfumé, retomba dans le temple.

Rien ne se passa. Nul ne bougea. Saraï sentit les muscles de ses épaules se durcir puis s'emplir de fines aiguilles. Sa nuque peu à peu aussi douloureuse que si l'on y plantait une pointe de flèche. Puis ce fut ses reins, ses cuisses, ses bras ! Tout son corps raidi par le poids du plateau supportant les foies s'enflammait si bien qu'elle crut qu'elle allait crier de douleur.

Le devin fut là, à nouveau tout près d'elle. Il plaça ses mains sur les siennes. Des mains glacées dont la chair était à peine assez épaisse pour protéger les os. Il retira le plateau d'un geste sec. Saraï respira un grand coup. La douleur s'écoula hors de ses membres ainsi qu'une eau fuyante. Dans son dos, il y eut des soupirs de soulagement. Pourtant ni son père ni Kiddin ne cillèrent.

Le *barù* déposa les foies sur trois cylindres de terre cuite entourant la statuette de son dieu. D'un grand sac en cuir il retira des tablettes écrites, un foie de mouton en poterie vernissée. D'un pas vif, il alla ôter la tenture qui obturait l'ouverture la plus proche de la table. La lumière du jour bondit dans la pièce et joua dans les volutes de fumée bleues épaisses comme des algues.

Alors qu'il revenait près de la table, un bruit étrange l'immobilisa. Une sorte de chuintement, presque un sifflement. Chacun se raidit, les yeux agrandis d'inquiétude. Le devin fixa les foies avec intensité. Une bulle se formait sur celui de gauche. Puis le sang s'écoula lentement sur le lobe. À nouveau le chuintement se fit entendre. Un murmure de crainte courut sur les bouches. Saraï perçut contre son bras le tremblement de son père.

Le devin avança d'un pas, avec précaution. Le foie glissa du cylindre qui le supportait, se repliant tel un chiffon mou. Alors qu'un cri d'effroi emplissait le temple, il tomba à terre.

Le silence les figea tous. Saraï n'osa pas regarder son père. La peur lui serrait la gorge et les reins. Le devin, sans un mot ni un regard pour l'assemblée, alla jusqu'à la table. Il inclina son corps chenu, saisit le foie tombé au sol pour le déposer dans un panier vide près des copeaux de cèdre. Puis, sans explication, il s'inclina sur les entrailles restantes et commença son ausculta-tion.

Un soupir de soulagement parcourut l'audience et chacun se prépara à la longue attente de l'extispicine.

Saraï s'arma de courage et de patience. Cela pouvait durer plusieurs heures de clepsydre. Un devin pouvait commencer l'analyse de l'oracle au milieu du jour pour ne l'achever qu'au crépuscule. Chaque partie du foie nécessitait un examen diffi-cile. Le *barù* les frôlait, les frottait, les tranchait. Il comptait les kystes, les fissures, les pustules, en vérifiait l'emplacement, le sens, l'importance dans ses tablettes et sur le foie en terre cuite. Il arrivait aussi qu'il écrive ses observations sur des tablettes fraîches.

Cette fois pourtant ce ne fut pas long. Une heure au plus. Le devin redressa son corps fragile. Il lava ses mains sanglantes et les essuya avec soin. Ichbi Sum-Usur se raidit. Saraï l'enten-dit respirer plus fort. Son propre cœur battit plus vite. L'inquié-tude à nouveau lui poinçonnait les reins.

Sans un regard pour elle, le *barù* revint se camper devant son père.

— L'extispicine est close, Ichbi Sum-Usur. Comme tu l'as vu, ton bisaïeul refuse son oracle. Pour les autres, il en va ainsi : deux foies, une élévation sur la gauche de la rate. Un foie : une perforation. Un foie : une croix sur le Doigt. Un foie : deux fis-sures à la Base du trône. Un foie sans fissure. Pour le reste, je te donnerai demain les tablettes où tout sera confirmé. L'oracle est favorable à ta fille. Épouse bonne et même volontaire. Épouse fidèle, bien que ce ne soit pas dans son caractère. Pour la fécondité : deux enfants. Des garçons sont possibles.

Saraï entendit tout à la fois le rire de son père et les excla-mations des parents dans son dos. Mais avant qu'elle ne comprenne si l'oracle était bon ou mauvais pour elle, selon son goût à elle, son père leva une main.

— *Barù*, pourquoi le père du père de mon père refuse-t-il son oracle ?

Le *barù* posa son regard sur Saraï.

— Ton bisaïeul se refuse à répondre à ta question, Ichbi Sum-Usur.

— Pourquoi, s'exclama Ichbi Sum-Usur d'une voix blanche. Ai-je fait un mauvais choix ?

Le devin hocha la tête.

— La question était : Saraï sera-t-elle une épouse bonne, féconde et fidèle ? Il ne s'agit pas de ton choix, mais de ta fille, Ichbi Sum-Usur. Ton ancêtre dit : Je ne veux pas me mêler de ces épousailles.

Un pesant silence s'ensuivit. Le cœur de Saraï battait la chamade. À son côté, Kiddin serrait ses mains nerveusement.

— Je ne comprends pas, dit son père. Dois-je refuser ma fille à celui qui la veut pour épouse ?

— Non. Deux foies et deux ancêtres, cela suffit. L'oracle demeure. Cependant, tu es un bon client, je t'offre gratuitement ce savoir, que je ne consignerai pas dans la tablette. Le père du père de ton père dit : Ta fille plaît à Ishtar. Elle peut être une épouse sans époux. Elle est de celles qui provoquent les violences. Cela peut être néfaste aussi bien que glorieux. Les dieux décideront de son sort : reine ou esclave. Néanmoins, pour ta famille comme pour celle de celui qui la prend pour épouse : qu'elle obtienne ses enfants sans tarder.

— Reine ou esclave !

— Mais aussi féconde et fidèle, approuva Sililli sans paraître impressionnée ou inquiète. C'est le plus important. Ton père doit être soulagé ! Moi, je le suis. Et tu vois, je t'ai dit la vérité. Il ne pouvait pas changer d'avis.

Saraï s'abstint de répondre. Elles se trouvaient dans sa nouvelle chambre et Sililli, avec le plus grand soin, lui lavait les cheveux, les enduisait d'un parfum huileux avant de les rassembler en une dizaine de nattes.

— Demain, assura encore Sililli, tu seras une reine. Cela aussi je le sais. Aussi bien qu'un *barù*.

Son long peigne en corne de bélier à la main, elle se pencha pour juger la rectitude de la raie qu'elle venait de tracer. Saraï resta encore un instant silencieuse avant de demander :

— Crois-tu que les *barù* disent toujours la vérité ?

Sililli prit son temps avant de répondre.

— Il leur arrive de se tromper. Il arrive aussi que les dieux changent d'avis. Mais lorsqu'un devin est sûr de son fait, il l'inscrit sur une tablette. Ce qu'il n'inscrit pas dans l'argile, on ne l'écoute que d'une oreille. Moi aussi je peux dire ton avenir en te regardant bien dans les yeux. D'autant que je les connais par cœur. Reine d'un bon époux avec de beaux enfants. Je n'y vois que du bon.

Elle rit sans attendre le rire de Saraï. Ses doigts travaillaient avec une agilité stupéfiante, formant une tresse après l'autre, tandis que Saraï regardait la nuit approcher par la petite fenêtre. Songeant : Je vais être ici tous les soirs, à préparer la nourriture pour mon époux. À me coucher dans le lit pour qu'il devienne père. Dans quelques jours seulement. Pendant des années et des années. Jusqu'à ce que je sois plus vieille que Sililli.

Comment cela était-il possible ?

Elle avait beau essayer de l'imaginer, elle ne parvenait pas à former les images de ces moments-là dans son esprit. Ce n'était pas seulement que lui manquaient le visage, la silhouette et le corps de son époux. Elle ne se voyait pas dans ce lit, elle, si menue, sans même assez de poitrine, comme l'avaient remarqué ses tantes, au côté d'un grand corps d'homme. Pas seulement au côté.

Elle demanda :

— Sililli, tu crois qu'il va faire ça ? Chercher tout de suite à me faire avoir des enfants ?

Sililli eut un grognement et lui caressa la joue. Saraï repoussa sa main.

— Ce n'est pas possible, n'est-ce pas ? Regarde-moi : je ne suis qu'une enfant ! Comment pourrais-je en avoir ?

Sililli interrompit son travail. Ses joues étaient aussi rouges que si elle se tenait devant un feu.

— Ne t'inquiète pas tant. Il ne le fera pas tout de suite. Si ça se trouve, ce n'est encore qu'un grand dadais. Vous aurez tout le temps.

Sa voix manquait de conviction. Saraï connaissait trop bien ses intonations.

— Tu mens, remarqua-t-elle sans méchanceté.

— Je ne mens pas ! protesta Sililli. C'est seulement qu'on ne sait jamais exactement comme les choses vont se passer. Mais un homme serait fou de semer sa graine dans une fille aussi jeune que toi.

— Sauf si un devin lui conseille de se dépêcher de faire des enfants.

À ça il n'y avait rien à redire. Elles se turent jusqu'à ce que Sililli en ait terminé avec sa coiffure.

Le lendemain, dès que la lumière fut suffisante pour que l'on puisse s'activer, la maison s'emplit de bruits. Les serviteurs achevèrent les préparatifs du premier des sept banquets à venir. Dans la grande cour centrale, une estrade de bambou avait été construite : les époux et leurs plus proches parents s'y tiendraient, surplombant le reste de la cour où les invités seraient répartis, les femmes à gauche, les hommes à droite. On déploya des nattes, des tapis, des coussins, ainsi que des petits sièges en osier. On dressa des tables basses sur lesquelles furent savamment disposés des pétales de fleurs, des branches de myrte et de laurier, ainsi que des coupes d'eau parfumée à l'orange et au citron. Des dais de jonc furent tendus entre les terrasses afin que l'espace du festin demeure frais même au plus chaud du jour.

Les statues des ancêtres de la maison furent transportées depuis le temple jusque sous une arcade menant à la cour des hommes et leurs autels précautionneusement reconstitués, embaumant la nourriture et les parfums. Ichbi Sum-Usur veilla lui-même à la disposition des plantes rares en pots venues de Magan et Meluhha, ainsi que des chatons en laisse, des colombes roucoulantes en cage, des serpents dans des paniers qui furent dispersés çà ou là dans la cour afin de divertir et d'impressionner les invités.

Enfin, on apporta les mets par dizaines, les plats de gâteaux et des paniers entiers de pains d'orge ou de blé. Les jarres de vin et de bière furent ouvertes...

Lorsque le soleil fut au plus haut, Kiddin vint chercher Saraï. Sililli s'exclama à sa vue. Un ruban finement tissé retenait ses cheveux aux boucles huilées. Un trait de khôl soulignait le blanc de ses yeux. À l'exception des glands en fil d'argent, il portait une toge d'apparat au moins aussi magnifique que celle de son père. Il resplendissait tel un dieu, si bien que l'on aurait pu le prendre pour l'époux.

Il saisit la main de Saraï et, tandis qu'ils traversaient la cour des femmes, elle entendit les gloussements excités des jeunes servantes qui avaient cessé leur travail pour s'ébahir de la beauté de leur jeune maître.

Kiddin n'abandonna la main de sa sœur que devant l'estrade, où elle monta s'asseoir sur un petit siège sculpté, entourée de ses tantes.

La vieille Égimé inspecta sa tenue dans les moindres détails. Mais Sililli avait œuvré à la perfection et elle ne trouva rien à redire. La coiffure de Saraï était si parfaite qu'elle pouvait passer pour un diadème tenu par des fibules d'argent, chaque pli de sa tunique était en place, la ceinture de laine tissée pour l'occasion soulignait la finesse de sa taille. Pour ce premier banquet, celui de la Présentation, elle ne portait aucun maquillage, sinon une fine poudre de kaolin qui lui recouvrait le visage, la rendant aussi blanche qu'une pleine lune. Dans cette simplicité, la délicatesse de ses traits et sa taille menue la rendaient plus étrange que belle.

De ce moment, Saraï se tint raide sur son petit siège, le regard droit devant elle, attendant que le soleil atteignît son

51

zénith et que les premiers invités passent la double porte du palais.

Ils furent plus d'une centaine. La grande famille d'Ichbi Sum-Usur avait été conviée dans son entier. Certains venaient d'Éridu, de Larsa et même d'Uruk. Ichbi Sum-Usur avait obtenu du roi Shu-Sin des sauf-conduits pour qu'ils puissent voyager jusqu'à Ur. Cette grâce était le plus beau cadeau que le souverain pût faire à son fidèle serviteur. Le père de Saraï en était rouge de fierté.

Les invités remontèrent l'allée ménagée entre les tables, les sièges et les coussins, traversèrent la cour jusqu'à l'estrade. Là, chacun salua Ichbi Sum-Usur et son fils aîné avec quantité de bonnes paroles et de rires avant de plonger les mains dans une vasque de bronze. L'eau qu'elle contenait était parfumée d'un mélange de benjoin, d'ambre et de myrte. Les invités s'en aspergeaient le visage, l'épaule et même l'aisselle que leur vêtement dénudait, gauche ou droite selon qu'ils étaient femme ou homme. Ensuite un esclave leur tendait un tissu de lin blanc à bandes jaunes avec lequel ils s'essuyaient avant de le draper sur leur tunique.

Enfin, les hommes s'écartaient pour aller s'asseoir devant une table, plus ou moins loin de l'estrade selon leur rang. Sans un regard, sans la moindre attention pour Saraï. Les femmes, tout au contraire, passaient chacune devant elle. Elles ne la saluaient pas vraiment. Elles jaugeaient sa mine et son apparence pour en faire ensuite d'incessants commentaires.

Ce cérémonial dura deux longues heures. Lorsque tous furent assis, Ichbi Sum-Usur et Kiddin allèrent faire des libations et des prières devant l'autel des ancêtres. Après quoi le père de Saraï revint vers ses invités et, ouvrant les bras, déclara d'une voix forte la bienvenue à tous et que les dieux du ciel d'Ur réclamaient d'assouvir leur faim et leur plaisir en l'honneur de la faim et du plaisir que sa fille Saraï connaîtrait bientôt, en vraie *munus*.

*
* *

La Terre grande et plate se fit resplendissante, para son corps dans
l'allégresse,
    La large Terre orna son corps de métal précieux et de lapis-lazuli,
    S'embellit de diorite, de calcédoine et de cornaline brillante,
    Le Ciel, le dieu sublime, planta ses genoux sur la large Terre,
    Il versa en elle la semence des héros, des arbres et des roseaux en son
sein,
    La Terre douce, la vache féconde, fut toute moite de la riche semence
du Ciel,
    Dans la joie, la Terre enfanta les plantes de la vie...

Elles étaient une dizaine de jeunes femmes à chanter au
pied de l'estrade. Un chœur de voix lancinantes et infatigables.
Danseurs virevoltant entre les invités et les tables, musiciens battant tambours et soufflant dans les flûtes, tous semblaient insen-
sibles à la chaleur. Pourtant, les dais qui protégeaient les
convives de la brûlure du soleil retenaient aussi l'air de la cour.
Pas un souffle ne déplaçait les puissants relents de parfums et de
cuisine. Saraï, incapable de manger, avait bu autant qu'elle le
pouvait. Sur ses joues et son front, la poudre de kaolin s'alourdissait en absorbant la transpiration et semblait vouloir bientôt
l'asphyxier.

À son côté, comme le reste des invitées, ses tantes
engloutissaient quantité de bière, de vin mielleux et de nour-
ritures. S'aérant le visage d'un battement d'éventail en osier,
elles pépiaient et s'esclaffaient à gorge déployée. Du côté
des hommes il en allait de même. En vérité, nul ne portait
la moindre attention aux chants ininterrompus dont les
paroles semblaient trop bien être uniquement destinées à
Saraï :

    ... Et moi la pucelle,
    Moi, le monticule haut soulevé,
    Moi, la pucelle au giron offert,

Sarah

> *Ma vulve qui la labourera?*
> *Mouillant le sol pour moi,*
> *Quel époux viendra mettre là son bœuf?*

Brusquement, les chants cessèrent. Les danseurs s'immobilisèrent, les esclaves reposèrent les jarres. Ichbi Sum-Usur congédia sa cour d'un geste sec. Seuls retentirent le roulement des tambours et la mélodie des flûtes tandis que tous les regards se tournaient vers l'entrée.

Saraï devina sa silhouette aussitôt qu'il pénétra dans la cour.

Lui, celui qui la voulait pour épouse.

Sans se rendre compte elle s'était redressée pour mieux le voir. Elle le distinguait mal encore dans l'ombre des dais. Il avançait lentement derrière un homme plus âgé, son père certainement. Il lui parut d'abord d'une taille particulièrement grande et d'une démarche assurée.

Elle ouvrit la bouche, mais il semblait que son corps oubliait de respirer. Son cœur martelait ses côtes. Ses mains tremblaient. Elle les cacha dans les plis de sa toge.

Le père du promis semblait prendre plaisir à avancer avec une lenteur exaspérante. Tous les invités, hommes ou femmes, les saluaient avec respect. Saraï crut entendre un murmure d'approbation. À moins que ce ne fût le bourdonnement du sang à ses oreilles.

Cependant, plus les deux hommes approchaient plus un sourire joyeux montait en elle. Elle le voyait mieux, maintenant. Un corps svelte malgré les épaules larges. Une nuque forte sous la toge, les cheveux en boucles abondantes retenues dans un chignon serré par un collet d'argent. Une barbe déjà, et même fournie. Un homme. Le balancement de ses bras, l'aisance de ses pas : un homme. Pas un enfant ni même un garçon de l'âge de Kiddin.

Saraï entendit les louanges mal contenues de ses tantes lorsque le père et le fils se présentèrent devant la vasque de parfum. L'un après l'autre, avec des gestes mesurés, ils s'aspergèrent le visage.

Cette fois elle put mieux le voir. Les sourcils droits, le nez mince et busqué. Entre les volutes de la barbe, la bouche était aussi nette qu'un trait. Des yeux presque voilés par les cils tant ils étaient longs. Sa toge de lin filé de rouge et de bleu laissait les mollets et les pieds visibles. Les chevilles, solides, étaient serrées avec élégance par les lanières de cuir des sandales. En tout, assurément, il possédait la noblesse que l'on pouvait espérer d'un homme dans le pays de Sumer et d'Akkad.

Une main agrippa le coude de Saraï, le serrant autant que des griffes. Elle sursauta, se tourna à demi pour recevoir l'haleine enivrée d'Égimé qui murmura avec fougue :

— Le voilà, ton époux ! Regarde-le bien, ma fille. Et accueille-le comme il le mérite. C'est un roi. Je te le dis. Nous toutes qui sommes ici, on le supplierait de nous écarter les jambes !

Saraï eut envie de sourire pour de bon, de ne plus rien craindre. Que son cœur ne batte que d'impatience, de joie et de plaisir. Il semblait bien, oui, que son père ait trouvé pour sa fille bien-aimée le plus puissant, le plus beau, le plus noble des hommes !

Ichbi Sum-Usur maintenant accueillait les deux hommes, Kiddin déjà fêtait l'époux, son futur frère. On voyait à quel point il admirait le nouveau venu et cherchait à lui plaire. Sourires, rires, inclination de tête, échanges de châles !

Oui, Kiddin, lui, n'aurait pas hésité à se marier avec cet homme.

À le voir faire, un petit serpent de doute s'agita dans le ventre de Saraï.

Trop occupée à dévisager celui qui allait être le maître de ses jours et de ses nuits, elle n'avait encore prêté aucune attention au plateau rituel que l'époux se devait d'offrir à la famille de l'épouse. Quatre esclaves le montaient à l'instant sur l'estrade. Il y eut des cris et des battements de mains. Désormais, les invités ne retenaient plus leur admiration.

Grand, le plateau surmonté d'une statue était sculpté dans un bois précieux venu de Zagros, recouvert de cuir, de bronze, d'argent. En son centre, tiré de la même pièce de bois, se dressait un taureau aux cornes d'or, mufle d'argent et yeux de lapis-lazuli. Sous son poitrail marqueté d'ivoire et d'ébène bandait un sexe de bronze énorme.

Les cris d'acclamation ne cessaient pas. Les yeux de Kiddin lancèrent des éclairs d'exaltation.

Saraï frissonna.

Ichbi Sum-Usur s'avança. Il dit tout haut quelque chose que Saraï ne comprit pas, porta la main sur le taureau et en caressa les cornes.

Un rire parcourut les rangs de la cour. Saraï se rendit compte que l'époux riait. La bouche ouverte, les dents blanches. En un éclair, elle vit le visage de cet homme dans sa chambre, dans son lit. Cet homme riant ainsi, la bouche grande ouverte au-dessus d'elle. Comme s'il allait mordre ou déchirer.

L'époux au même instant empoigna d'une main le sexe de bronze du taureau. De l'autre il repoussa sans ménagement les esclaves. Comme l'un d'eux ne comprenait pas son geste, d'un coup de pied dans la cuisse il le fit basculer cul par-dessus tête au pied de l'estrade, déclenchant ainsi de nouveaux rires. D'un seul bras, vacillant à peine sous le poids du plateau, il brandit son offrande au-dessus de sa tête. Les femmes poussèrent des cris aigus, les hommes se levèrent pour l'acclamer.

Égimé, qui n'avait pas lâché le bras de Saraï, glapit en l'étreignant si fort que Saraï à son tour cria tandis que du chœur des chanteuses un chant nouveau s'éleva :

Avec toi il couchera, il couchera,
Avec toi ton époux couchera,
Avec toi sa semence jaillira,
Avec toi dans ton giron fertile,
Avec toi ton époux...

Alors, au milieu du vacarme, il se tourna vers elle et pour la première fois la regarda.

Elle vit ses yeux qui la parcouraient tout entière, puis revenaient sur son visage.

Elle vit son expression.

Elle vit ce qu'il découvrait et ce qu'il en pensait.

Une enfant maigre et sans grâce. Une fille sans poitrine, sans hanches, aux mains tremblantes, aux os des poignets saillants. Une gamine au visage ridicule sous le kaolin craquelé comme une terre après l'été. Pas une femme aux pommettes hautes, aux lèvres ourlées et aux yeux de vache douce.

Elle le vit dans ses yeux et la crispation de sa bouche tandis qu'il relâchait son effort et laissait retomber le plateau des épousailles dans les mains des esclaves. Et ce qu'elle vit n'était pas même de la déception. C'était l'expression d'un homme qui méprise. Qui mesure avec dégoût l'effort qu'il lui faudra faire pour poser encore une fois son regard sur celle qui allait être son épouse.

Le lendemain, deux heures après le lever du jour, la cour accueillait encore plus d'invités. Certains patientaient dans la ruelle devant la maison, bien que les serviteurs aient ôté les sièges afin de gagner de la place. Les chants, les flûtes et les tambours parvenaient difficilement à couvrir le vacarme des voix.

À la mi-journée, les statues des ancêtres d'Ichbi Sum-Usur furent portées sur l'estrade et placées aux côtés de celles de la famille de l'époux. On déposa devant elles le plateau nuptial. Le taureau y disparaissait sous les pétales de fleurs, les bijoux, les offrandes de fins tissages. Le silence se fit lorsque les deux pères, après avoir jeté des copeaux de cèdre dans les foyers de terre cuite, s'adressèrent d'une voix chantante à leurs dieux et à leurs ancêtres bien-aimés.

Une vingtaine d'esclaves hissèrent sur l'estrade une grande vasque de bronze où des jeunes filles en toge blanche déversèrent des jarres d'onguent de cèdre et d'ambre dilués dans l'eau de l'Euphrate.

Puis les esclaves déployèrent d'un mur à l'autre un paravent de jonc et d'osier qui voila la vue de la vasque et des ancêtres aux invités demeurés dans la cour. Saraï, conduite par Égimé, arriva à l'extrémité de l'estrade réservée aux femmes.

Elle portait sa toge nuptiale, ourlée de glands à fils d'argent, serrée par une ceinture de tissage écarlate qui lui laissait les épaules nues. Ses paupières, depuis les sourcils jusqu'aux pommettes, étaient recouvertes d'une épaisse couche de khôl. Ses yeux brillaient comme ceux d'un animal surpris dans le noir. Ses lèvres paraissaient agrandies par la pâte d'ambre dont on les avait enduites. Cependant, ses tantes remarquèrent ses joues si pâles qu'il semblait que Sililli ne les avait pas suffisamment débarrassées du kaolin de la veille.

En face d'elle, de l'autre côté de l'estrade, son père, Kiddin et ses oncles entouraient l'époux et le père. Tous la dévisageaient mais la fumée des herbes et du cèdre voilait leurs regards. Saraï, elle, évitait soigneusement d'affronter celui de l'homme qui devait bientôt partager sa couche.

De l'autre côté du paravent, dans la foule des invités invisibles, le son des flûtes s'éleva. Doux, tremblant, mélodieux. La musique enveloppa Saraï avec tendresse. Elle s'enroulait autour de son cœur, montait dans sa poitrine, l'apaisant ainsi qu'une caresse. Toutes les pensées, qui, depuis le matin, avaient durci son corps s'évanouirent. Les muscles de ses épaules et son ventre se dénouèrent. Elle se sentit calme, sûre d'elle-même. Prête à accomplir ce qu'elle devait accomplir.

Et tout commença. Et tout ne fut pour elle qu'un seul et même mouvement.

Les chanteuses, derrière le paravent, accompagnèrent les flûtes.

Lorsque pour le taureau sauvage, je me serai baignée,
Lorsqu'avec de l'ambre j'aurai enduit ma bouche

Ichbi Sum-Usur parcourut l'estrade, traversant la fumée des copeaux de cèdre, la faisant tournoyer autour de lui.

Lorsqu'avec du khôl j'aurai peint mes yeux

D'une secousse Égimé la poussa vers son père. Celui-ci la conduisit au cœur de la fumée, faisant face aux ancêtres, les remerciant, les félicitant, tandis que les chanteuses, accompagnées par les voix de tous les invités, entamaient le chant nuptial :

> *Lorsque je me serai parée pour lui,*
> *Lorsque mes reins auront été modelés entre ses mains*

Ichbi Sum-Usur saisit alors les cordons de sa ceinture d'épouse et les dénoua. Il tira sur les pans de la toge, les fit glisser sur ses épaules. Et elle fut nue.

> *Lorsqu'avec du lait et de la crème il aura lissé mes cuisses*

La main sur ses reins, son père la poussa dans la vasque d'onguents. Il prit un bol de bois qu'une esclave lui tendait. Puisant dans la vasque, il l'emplit d'eau parfumée. Il leva haut la main au-dessus de Saraï avant de laisser couler l'eau sur sa poitrine. Elle plia un peu les genoux alors que l'eau froide coulait sur son ventre et jusqu'à la fente de son sexe.

Le chant devenait de plus en plus fervent. Les tambours maintenant en soulignaient les mots :

> *Lorsque sur ma vulve, il aura posé sa main,*
> *Lorsque, comme son bateau noir, il en aura ouvert la crête...*

Elle sut sans même le voir qu'il était là, derrière elle. Lui, l'époux. Elle vit le bol de bois quitter la main de son père pour passer dans celle de cet homme, et elle crut que son cœur allait éclater.

À son tour, l'époux s'inclina pour remplir le bol. Son épaule nue frôla la hanche de Saraï. Elle respira l'odeur violente de sa chevelure huilée de myrte. Les doigts qui allaient la toucher se reflétèrent dans l'eau parfumée.

Elle bondit alors hors de la vasque. Toute dégoulinante d'eau, elle attrapa sa tunique sur le sol et courut jusqu'à l'extrémité de l'estrade où se tenaient les femmes. Égimé fut la seule à se mettre en travers de son chemin. Saraï la repoussa sans ménagement. Elle entendit le bruit d'une chute et des cris. Elle courut à travers une pièce, puis une autre. Les chants avaient cessé. Elle vit le visage stupéfait d'une servante et courut encore jusqu'au jardin. Elle savait par où passer : par les canaux et les bassins. Elle pouvait sauter de l'un à l'autre, atteindre les rues de la ville sous les murs du palais.

Elle allait droit devant elle, sans autre but que de fuir le plus loin possible. Entre les hauts murs de brique, les rues étaient étroites et ombreuses, parfois juste assez larges pour laisser passer trois ou quatre personnes de front ou un âne bâté. Sous le regard ébahi des passants, elle se glissa sans ralentir sa course entre les sacs et les paniers des vendeurs ambulants.

Hors d'haleine, elle parvint enfin au grand canal qui longeait le mur d'enceinte de la ville royale d'Ur. Par mille ramifications, il distribuait l'eau de l'Euphrate dans les temples, les palais royaux et les demeures des Puissants. Rejoignant à l'ouest et au sud les ports ouverts sur le fleuve, il enlaçait la cité noble comme une île, la séparait et la purifiait des souillures de la ville basse, où vivait le peuple ordinaire.

Pressée dans l'ombre d'un mur, Saraï chercha à reconnaître parmi la foule les serviteurs ou les esclaves que son père aurait pu lancer à ses trousses. Elle n'en vit aucun. La surprise avait dû être si grande qu'elle était déjà loin avant que l'on se lance à sa recherche.

Maintenant elle devait au plus vite atteindre l'une des portes. Elle hésita pourtant. Les dieux lui permettraient-ils de franchir l'enceinte ?

Elle devait être étrange à voir, recouverte à la hâte de sa toge à glands aux plis désordonnés, les yeux noirs de khôl, la chevelure en diadème écroulée par sa course ! Elle devina d'avance le regard des gardes, qui surveillaient étroitement les entrées et les sorties dans la ville noble, tout aussi étonné que celui des passants qu'elle avait croisés jusqu'ici.

Un instant, elle songea : Et si je retournais dans la maison de mon père ? Sililli pourrait m'aider à me glisser dans ma chambre. Elle doit être en larmes, pleine d'inquiétude. Elle sera trop contente de me voir. Assurément, il n'est plus question d'époux et d'épouse. Sans doute, humilié, insulté par sa fuite, le si noble époux que lui avait trouvé son père devait-il être déjà hors de la maison. Une maison dont toutes les pièces devaient résonner de la fureur d'Ichbi Sum-Usur.

Non, elle ne pouvait pas rentrer. C'en était fini. Depuis qu'elle avait vu cet homme, son époux, sur l'estrade, sa décision était prise. Plus jamais elle ne verrait Sililli, ses sœurs, son père, ni même Kiddin, qu'elle ne regretterait guère. Son geste, accompli devant tous, faisait désormais d'elle une fille sans famille. Tout ce qu'il importait maintenant, c'était d'échapper aux soldats qui, à l'approche du crépuscule, renvoyaient chacun chez soi et chassaient les errants de la ville noble. Elle trouverait un abri pour la nuit hors des murs. Ce n'était pas le moment de s'apitoyer sur son sort. Au contraire, elle devait s'endurcir le cœur et faire preuve de courage. Demain, elle aurait tout le temps de réfléchir, plus et mieux.

D'un pas qu'elle tâcha de rendre le plus naturel possible, elle rebroussa chemin pour s'engouffrer dans l'ombre rouge d'une ruelle peu fréquentée. Dans sa course, elle avait repéré une impasse qu'un mur à demi écroulé obturait presque. Elle s'y faufila.

À l'abri des regards, elle défit sa coiffure, retira les aiguilles de corne autour desquelles Sililli avait enroulé ses mèches. Il eût été préférable d'en dénouer les tresses, mais elle n'en avait pas le temps. Elle se contenta de les rejeter dans son cou. Usant d'un pan de sa toge, elle se frotta les lèvres et les yeux, espérant en ôter le maquillage. Après quoi, elle se mit nue, déchira les ourlets de sa tunique pour en enlever les glands d'épouse qui y pendaient encore. Ayant conscience d'effectuer un geste irrémédiable, elle les jeta parmi les briques.

Prestement elle retourna l'étoffe afin que le tissage en paraisse moins luxueux, puis elle s'en enveloppa et s'en couvrit la tête. Elle espérait que les gardes ne verraient en elle qu'une servante, peut-être, mais assez noble pour ne pas attirer leur attention. Avec une confiance toute neuve, et même une joyeuse excitation, elle franchit à nouveau le mur pour rejoindre le canal et atteindre la porte du nord.

En vérité, un instant plus tard, son assurance toute neuve faiblit.

Le mur d'enceinte d'Ur, construit depuis plus de mille ans, était épais comme cinquante hommes et haut comme cent. Il n'était dans le royaume de Shu-Sin, fils de Shulgi, que Nippur à posséder des remparts aussi formidables. Des portes en permettaient le passage aux quatre points cardinaux. Des portes renforcées de bronze, si lourdes qu'il fallait cinquante hommes et des bœufs pour les manœuvrer. Maintenant que Saraï était assez près, elle voyait déambuler les gardes, lance au poing, casqués et protégés par des capes doublées de cuir, toisant d'un œil vigilant ceux qui entraient ou sortaient.

Cependant, les dieux décidèrent de lui faciliter les choses. À grand bruit, une procession arriva, qui s'en retournait des grands temples de Sin ou d'Ea jusque dans la ville basse. Derrière les musiciens, des hommes portaient des litières débordant de fleurs où trônaient les statuettes de leurs ancêtres. À leurs côtés, de jeunes prêtresses, vêtues de la simple toge des temples secondaires, sans ceintures ni bijoux de coiffure, transportaient des brûle-parfums d'où s'échappait la fumée acide du roseau et de la gomme de *bidurhu*. Derrière, une foule se pressait. Saraï n'eut aucun mal à s'y dissimuler. C'est à peine si une jeune fille de son âge la regarda se placer à côté d'elle avec un peu d'étonnement.

La procession franchit le pont de bois qui traversait le canal. Les gardes s'alignèrent sur les côtés de la porte ainsi qu'ils le devaient. Saraï retint son souffle en s'engouffrant dans la fraîcheur du mur. Celui-ci était si épais qu'on semblait avancer dans un tunnel. Elle n'entendit ni cri ni appel.

De l'autre côté s'étendaient des jardins et des chicanes de marches taillées dans une ancienne muraille. Soudain, Saraï découvrit l'immense ville basse. Des centaines de rues enchevêtrées se perdaient au loin sur des dizaines d'*ùs*. On en devinait les toits tout au long de la courbure du fleuve.

Hors les murs de la ville royale, le désordre saisit la procession. De jeunes garçons s'échappèrent du cortège en se chamaillant. Des habitants se pressèrent en bordure des rues pour chanter, danser et frapper dans leurs mains en accompagnant les musiciens. Certains s'agglutinèrent autour des porteurs de civières. On jeta des pétales, des bols de parfum ou de bière sur les statuettes. Les cris, les rires et les saluts noyèrent les chants. Saraï profita de la confusion pour s'engager dans la première rue venue.

Un long moment, elle avança au hasard. Elle ne reconnaissait rien de ce qui l'entourait. Ici, les maisons n'étaient que des cubes imbriqués les uns sur les autres. Les portes étaient de simples battants de bois ou des tentures, les murs recouverts d'un torchis blanc.

Beaucoup de monde allait et venait. Des gens du commun, vêtus de tuniques ou de pagnes, chaussés de semelles d'osier, les mollets gris de poussière. Ils bavardaient, riaient, se hélaient, portaient des paniers ou des sacs, aiguillonnaient des baudets ou poussaient des charrettes chargées de roseaux ou de melons d'eau. Quelques-uns, femmes ou hommes, posaient sur Saraï des regards étonnés, mais sans véritable curiosité. Pour elle, tout était étrange et stupéfiant.

De toute sa jeune vie, elle n'était sortie de la ville royale qu'une demi-douzaine de fois, toujours pour se rendre dans les grands temples d'Eridou. Elle traversait alors avec son père le fleuve en bateau, en direction de l'ouest. La ville basse, la ville du nord, les Puissants ne s'y rendaient pas. Ils n'avaient pour elle que mépris et défiance. Les servantes racontaient que les rues, la nuit, pullulaient de démons à peau noire, d'animaux aux corps multiples, aux mâchoires et aux griffes féroces, et autres horreurs surgies des cavernes infernales de dessous la terre.

Ici, dans la ville basse, les hommes et les femmes étaient soumis au pouvoir des Puissants d'Ur, sans jamais voir leur visage. Si Ichbi Sum-Usur avait besoin des artisans ou des marchands qui relevaient de ses domaines, il s'adressait pour cela à ses scribes, ses contremaîtres ou ses régents.

Il suffisait à Saraï de regarder autour d'elle pour comprendre qu'elle ne trouverait ni aide ni asile. Qui accueillerait une fille de ville royale, fuyarde de surcroît, sans craindre les foudres des Puissants ? Cela se saurait, et vite. Il n'y avait aucun secret possible dans la ville basse. Les gens y vivaient tout autant hors de leurs maisons que dedans. Les portes étaient le plus souvent ouvertes et les cours intérieures à la vue des passants. Les enfants, les oies, les chiens et même les cochons allaient et venaient comme ils l'entendaient, encombrant les rues et les ruelles. À chaque pas il fallait éviter les immondices. Mais nul n'en paraissait incommodé. Chacun vaquait à ses affaires, la bouche grande ouverte, se pressant comme si de rien n'était autour des étals où l'on vendait et échangeait de la nourriture comme des cordes, des plis de tissu, des sacs de grain ou même des ânes. L'odeur des légumes suris, de la viande et des poissons exposés à la chaleur, se mêlait à celles du crottin d'ânes et des déjections des enfants que la terre poussiéreuse n'avait pas encore absorbées. Une puanteur si asphyxiante que Saraï devait plaquer son voile contre sa bouche pour respirer. Elle était bien la seule, mais chacun était si occupé qu'on ne lui accordait aucune attention. Jusqu'à ce qu'un appel la fasse sursauter :

— Ma fille, ma fille !

Assise sur le seuil d'une maison, une vieille lui souriait. Ou grimaçait. Son visage n'était plus que rides où disparaissaient les yeux. Sa bouche, édentée, laissait voir une langue d'un rose répugnant. Elle agita un doigt tordu en direction de Saraï, l'invitant à approcher.

— Des herbes, des herbes, ma fille! Tu veux de mes herbes?

Une dizaine de petits paniers étaient alignés le long du mur à côté d'elle. Ils regorgeaient de feuilles, de graines de toutes les couleurs, de pierres, de cristaux de gomme. Saraï voulut s'enfuir, mais le regard de la vieille la retint.

— Des herbes ou autre chose? Viens, ma fille, n'aie pas peur!

Sa voix se fit plus douce. On y devinait une certaine gentillesse. La chance et les dieux lui souriaient-ils? songea Saraï. Peut-être la vieille pourrait-elle lui trouver un abri pour la nuit? Qu'est-ce qu'une femme comme elle pouvait craindre? Cependant, l'autre, à cet instant, s'exclama :

— Tu as besoin de quelque chose, déesse? N'importe quoi, Kani Alk-Nàa te le vend...

Entendant le mot déesse, Saraï se figea. La femme avait-elle reconnu en elle une fille de la ville royale? Ou se moquait-elle, tout simplement? Feignant l'indifférence, Saraï se pencha au-dessus des paniers. Ils ne contenaient pas que des herbes et des graines. De certains débordaient des squelettes d'animaux, des fœtus, des crânes, des entrailles séchées et les dieux savaient quoi encore! Elle était devant l'antre d'une sorcière, une *kassaptu*!

Celle-ci surprit son expression de dégoût et éclata d'un rire perçant.

— Tu es perdue bien loin de chez toi, déesse! Ne te fais pas manger par les démons de la nuit!

Saraï se redressa et, la crainte au ventre, s'éloigna en courant.

Dans son dos, les hauts murs d'Ur se nappaient de l'ocre du crépuscule, immenses comme des montagnes et désormais infranchissables avant l'aube. Au-dessus, seules les terrasses supérieures de la ziggurat étaient visibles, avec la couronne sombre de leurs jardins d'où émergeait la Chambre Sublime dont les lapis-lazulis reflétaient le soleil, telle une étoile dans le jour. Il n'était plus grande beauté en ce monde.

Saraï courait sans se retourner, songeant à son jardin, à sa chambre neuve, au moelleux de son lit. Elle ralentit le pas. La nuit venait comme une mer vient noyer les rivages.

Elle savait qu'à cette heure, si elle était restée là-bas, dans le palais de son père, entre les mains dédaigneuses de son époux pressé d'en finir, elle ne trouverait rien de beau dans sa chambre et son lit. Pourtant, des larmes vinrent mouiller ses yeux et mordre dans son courage.

« Ne te fais pas manger par les démons de la nuit ! » avait grincé la vieille. L'avertissement résonnait encore aux oreilles de Saraï. Le soleil disparaissait sous le rebord du monde. Elle peinait à avancer. Ses jambes étaient lourdes. Ses belles sandales de chevreau englouties par la vase. L'eau claquait sous ses pieds nus. Le bas de sa tunique était trempé. Les joncs lui giflaient les bras et les épaules.

Elle pataugeait au bord du fleuve sans savoir comment elle s'était retrouvée là. Elle avait suivi une ruelle, les maisons s'étaient espacées. Elle avait filé droit devant, épuisée, trop terrifiée pour s'arrêter, espérant encore on ne sait quoi. Une hutte de joncs, un bateau, un tronc d'arbre, un terrier, n'importe quoi qui pût la protéger. Or le froid et la nuit venaient et lui serraient la nuque.

— Houww !

Soudain son pied tourna sur quelque chose de dur, elle sentit un coup contre sa cuisse, songea aux démons, en hurlant de terreur. La tête la première elle bascula dans l'eau. Ses doigts s'enfoncèrent dans la vase. Le tissu de sa toge craqua sur ses hanches et manqua l'étrangler. D'un coup de reins elle se remit sur les fesses, prête à affronter la plus horrible des morts.

Ce qu'elle vit, pourtant, debout et se découpant dans la faible lumière, n'était pas un monstre mais un homme.

Peut-être même pas un homme : un garçon. La tête auréolée d'une couronne de cheveux bouclés, un corps long et mince, tout en muscles, presque nu, un pagne de lin grège autour des reins, les jambes noires de vase jusqu'aux genoux. Une sorte de panier d'osier cylindrique où s'agitaient des bêtes pendait à sa main gauche. Saraï distinguait mal ses traits. Seulement le brillant des yeux qui la fixaient.

Il fit un geste furieux du bras, montra le fleuve et dit quelque chose dans une langue qu'elle ne comprit pas. Puis il se tut en l'observant, plus attentif.

Elle se passa la main sur le visage pour ôter la boue de ses joues. Le tissu déchiré de sa tunique laissait voir son ventre et le fin duvet de son sexe. Elle resserra précipitamment les jambes, se mit à genoux dans l'eau en se voilant autant qu'elle le pouvait avec le tissu trempé, puis se redressa enfin.

Le garçon était plus grand qu'elle d'une tête. Il la regarda faire calmement, sans sourire malgré l'apparence épouvantable qu'elle devait présenter. Les yeux fixés sur ses tresses, il demanda :

— Qu'est-ce que tu fais ici?

Cette fois en bon langage. D'une voix sans méchanceté, seulement étonnée et curieuse. D'un revers du poignet, Saraï s'essuya une nouvelle fois la joue et les paupières.

— Et toi?

Il leva son panier et l'agita. Deux grenouilles y gonflaient le cou en clignant des yeux. Cette fois elle vit clairement son visage, étroit et le front haut, aux sourcils très arqués, presque joints au-dessus d'un grand nez courbe. Dans la dernière lueur du jour, le marron un peu vert de ses yeux devenait translucide et ses lèvres étaient belles : grandes, pleines, dessinées comme des ailes. Ses joues étaient voilées d'un duvet irrégulier. Son menton saillait sur un cou mince. Les os de ses épaules dessinaient des niches de peau humide.

Il dit :

— Je pêchais.

Il sourit, jeta un coup d'œil au fleuve que la nuit commençait à rendre immense et ajouta :

— C'est la bonne heure pour les grenouilles et les écrevisses. Si personne ne vient vous marcher dessus en hurlant.

Cette fois Saraï en était sûre : c'était un *mar.Tu*. Un de ces Amorrites venus des frontières du monde, là où le soleil disparaissait. Un homme qui ne possédait que des dieux inférieurs et que jamais l'on n'autorisait à pénétrer dans la ville royale.

Elle trembla, la peau des bras hérissée sous le froid. Le vent se leva. Il plaqua le tissu mouillé contre son corps. Sans savoir pourquoi, elle eut envie de dire la vérité. Que ce garçon sache qui elle était. Alors d'une traite elle déclara, la voix basse et fragile :

— Je m'appelle Saraï. Mon père, Ichbi Sum-Usur, est un Puissant d'Ur. C'était aujourd'hui qu'un homme devait me prendre pour épouse. Lui aussi est un Puissant d'Ur. Mais quand il a posé le regard sur moi, j'ai su que jamais je ne pourrais vivre avec lui, dans le même lit et la même chambre. J'ai su que je préférerais mourir plutôt que de sentir ses mains sur moi et son sexe entre mes cuisses. J'ai pensé à me cacher dans notre maison. Mais ce n'était pas possible. La servante qui s'occupe de moi connaît toutes mes caches. J'ai voulu me jeter d'un mur et me briser les jambes. Je n'en ai pas eu le courage. Je me suis enfuie. Maintenant mon père doit croire que sa fille est morte...

Le garçon l'écoutait en observant tantôt sa bouche tantôt ses tresses. Lorsqu'elle se tut, d'abord il ne dit rien. Le noir de la nuit semblait approcher en courant, les transformant en simples silhouettes sous les étoiles de plus en plus nombreuses.

Finalement, elle entendit sa voix :

— Moi je m'appelle Abram, fils de Terah. Je suis un *mar.Tu*. Nos tentes sont à cinq ou six *ùs* plus au nord. Il ne faut pas rester ici, tu vas prendre froid.

Elle entendit le bruit de l'eau alors qu'il faisait un pas vers elle et sursauta. Il tenait sa main. Paume contre paume, il serrait ses doigts chauds, un peu rêches, autour des siens.

Fermement mais avec une étrange douceur il l'entraîna. Une douceur qui irisa tout le corps de Saraï, de ses cuisses au plus loin de sa poitrine.

Cette fois, elle ne put retenir ses larmes alors qu'il ajoutait :

— Il faut te trouver un endroit sec, et faire un feu. La nuit est froide en cette saison. Je suppose que tu ne sais pas où aller.

Ce n'est pas tous les jours que les filles des Puissants d'Ur se perdent dans les joncs au bord du fleuve. Je pourrais te conduire sous la tente de mon père. Mais il croirait que je lui amène une épouse et mes frères seraient jaloux. Je ne suis pas l'aîné. Tant pis, on va bien trouver quelque chose.

Le « quelque chose » fut une simple butte de sable. Mais le sable était chaud et la butte protégeait du vent.

Abram semblait capable de voir dans l'obscurité. En peu de temps, il trouva des roseaux secs et des genévriers morts. À l'aide de lichens et de brindilles de genévrier qu'il tourna habilement entre ses paumes, il alluma un feu. La vue des flammes réchauffa Saraï tout autant que la chaleur.

Abram s'agita encore, disparaissant sans cesse pour revenir avec de nouvelles brassées de roseaux et d'arbustes secs. Quand il y en eut assez, il s'accroupit sans un mot.

Maintenant, ils pouvaient se voir l'un l'autre beaucoup mieux. Or, dès que leurs yeux se rencontraient, ils détournaient le regard, embarrassés. Ils se turent longuement, se réchauffant aux flammes dont s'échappaient des étincelles tourbillonnantes.

Saraï jugea que le jeune *mar.Tu* avait à peu près l'âge de Kiddin. Il devait être moins fort, sans doute plus habitué aux longues courses qu'à la lutte, l'exercice préféré de son frère. Ses cheveux aussi lui faisaient une silhouette bien différente, moins noble, moins orgueilleuse, mais qui lui plaisait.

Soudain, brisant la torpeur qui engourdissait Saraï, rompue de fatigue et d'émotion, Abram se leva et annonça :

— Je vais aller aux tentes.

Saraï se redressa d'un bond. Abram rit en voyant son visage terrifié. Il attrapa son panier d'osier et secoua les grenouilles.

— Ne t'inquiète pas. Je veux seulement aller chercher de quoi manger. J'ai faim, et peut-être que toi aussi. Ce n'est pas ce que j'ai pêché qui va nous nourrir.

Comme Saraï se rasseyait, vexée d'avoir montré sa peur, il sourit, moqueur.

— Es-tu capable de mettre du bois dans le feu?

Elle ne répondit que par un haussement d'épaules.

— Parfait, dit-il.

Il scruta le ciel un instant. La lune était déjà là. Saraï remarqua que c'était chez lui un geste habituel que de lever le visage vers le firmament, comme s'il cherchait les traces du soleil dans les étoiles. Puis, en quelques pas, il disparut dans la nuit. Saraï ne perçut plus que la brise dans les joncs, le clapotis du fleuve et, très loin, du côté de la ville basse, l'aboiement des chiens.

La peur revint l'assaillir. Le garçon pouvait très bien l'abandonner. Le feu pouvait la désigner aux démons. Ses yeux fouillèrent l'obscurité, comme si elle pouvait y découvrir une foule ricanante. Puis son orgueil reprit le dessus. Elle eut honte d'elle-même. Elle devait cesser d'avoir peur. Elle ne craignait que ce qu'elle ne connaissait pas. Cette nuit, tout possédait l'absolue nouveauté de l'inconnu. La nuit, le feu, le fleuve, le ciel au-dessus d'elle dans son infinité. Et même le nom de ce garçon *mar.Tu*, Abram.

Quel nom bizarre! Abram. Les syllabes se lovaient dans sa bouche d'une manière qui lui plut.

Précisément, Abram, lui, ne montrait aucune crainte de la nuit. Il s'y déplaçait comme en plein jour. Il ne semblait même pas redouter les démons.

Peut-être était-ce cela, être un *mar.Tu*?

En vérité, chez ce garçon, tout lui plaisait. Peut-être simplement parce qu'elle avait été effrayée d'être perdue et seule dans la nuit. Ou parce qu'il ne ressemblait en rien à Kiddin. En rien non plus à l'époux choisi par son père.

Elle songea avec amusement aux visages horrifiés qu'ils auraient eus, tous, en voyant Abram lui prendre la main sans plus de cérémonie! Un *mar.Tu* qui osait toucher une fille de Puissant! Quel sacrilège!

Mais elle, elle n'avait pas même songé à retirer sa main. Elle n'en avait éprouvé aucune honte, aucune répugnance.

Même son odeur, bien loin des parfums dont s'enduisaient les Puissants d'Ur, ne lui répugnait pas.

Qu'il fût un barbare de *mar.Tu*, en vérité, cela aussi lui plaisait !

Elle aurait aimé savoir ce qu'il pensait d'elle. Bien qu'elle dût être horrible à voir. Quoi qu'il en soit, Abram n'en avait rien laissé deviner. C'était peut-être là les manières des *hommes-sans-ville*. Son père, tout comme Sililli, prétendait que leurs sentiments étaient frustes, obscurs, rusés. N'empêche, celui-là n'avait pas hésité à lui venir en aide.

À moins que Sililli et son père n'aient raison et qu'elle ne le revoie plus.

Elle s'en voulut de cette pensée. Elle remit du bois dans le feu et s'astreignit à ne plus laisser son esprit divaguer.

Il la réveilla en laissant tomber à côté d'elle deux peaux de mouton au long poil blanc et un grand sac de cuir.

— Cela m'a pris un peu de temps parce que je ne voulais pas que mes frères me voient, expliqua-t-il. Ils auraient pensé que je voulais dormir sous les étoiles pour chasser dès l'aube et ils m'auraient suivi. Ils me suivent toujours quand je vais chasser. J'ai déjà tué dix lynx et trois cerfs. Un jour j'affronterai un lion.

Saraï se demanda s'il se vantait ou cherchait à l'impressionner. Mais non. Abram déroula les peaux de mouton et tira de son sac une robe grossière qu'il lui tendit.

— Pour remplacer ta toge.

Lui-même avait troqué son pagne contre une tunique serrée à la taille par une ceinture munie d'un étui de cuir d'où dépassait le manche d'un poignard.

Pendant que Saraï se reculait dans l'ombre afin de se changer il lui tourna ostensiblement le dos, rechargeant le feu, sortant la nourriture du sac.

Il la jaugea d'un coup d'œil alors qu'elle s'accroupissait à nouveau devant le feu. Il eut un sourire un peu ironique qui lui arrondissait les joues. À la lumière mouvante des flammes, le marron de ses yeux était encore plus transparent.

— C'est la première fois que tu portes une robe comme ça, n'est-ce pas ? s'amusa-t-il. Elle te va bien.

Saraï sourit à son tour.

— Est-ce que j'ai encore les yeux noirs ? demanda-t-elle.

Abram hésita, puis éclata de rire. Un rire, retenu depuis longtemps et plein d'ironie, qui le fit trembler tout entier.

— Les yeux, oui ! fit-il en reprenant son souffle. Et aussi les joues, les tempes. Tellement noir que tout à l'heure, si je n'avais pas vu la peau de ton ventre, j'aurais cru que tu l'étais tout entière. Il paraît que cela existe, là-bas, loin dans le Sud, au bord de la mer. Des femmes toutes noires !

Saraï sentit la fureur et la honte lui brûler les joues.

— C'est le khôl que l'on met aux épouses.

Elle saisit sa toge pour en déchirer rageusement un pan, mais le tissu résista.

— Attends, dit Abram.

Il tira son poignard. Une lame courbe en bois très dur comme Saraï n'en avait encore jamais vue et qui trancha le tissu humide sans effort. Quand il le lui tendit, elle lui saisit la main.

— Veux-tu le faire ?

Sa voix tremblait plus qu'elle ne l'aurait voulu. Elle se reprit, tenta de mettre plus d'assurance dans son ton en expliquant :

— Toi, tu vois dans l'obscurité.

Il hocha la tête, embarrassé. Elle ferma les yeux pour apaiser leur gêne. Agenouillé devant elle dans la chaleur lumineuse du feu, il lui nettoya les paupières, les joues, le front. Doucement. Comme s'il savait faire cela depuis longtemps.

Quand il eut fini, Saraï rouvrit les yeux. Il sourit et les ailes de ses belles lèvres parurent s'envoler.

— Tu me trouves jolie, maintenant ? osa-t-elle demander.

— Les filles de chez nous n'ont pas d'aussi belle coiffure, dit-il simplement. Ni un nez aussi droit.

Saraï ne sut s'il s'agissait d'un compliment.

Ensuite, pour chasser leur embarras et pour calmer leur faim, ils se jetèrent sur la nourriture apportée par Abram. Du chevreau encore tiède, du poisson blanc, des fromages, des fruits, du lait fermenté dans une gourde de peau. Des mets au goût fort, sans rien de sucré, comme on aimait les cuisiner chez les Puissants d'Ur. Saraï dévora d'aussi bon cœur qu'Abram, sans rien montrer de sa surprise.

Ils mangèrent d'abord en silence. Puis Abram demanda ce qu'elle comptait faire quand le jour serait levé. Elle dit qu'elle ne savait pas, qu'elle pourrait trouver refuge dans les grands temples d'Éridu, où les filles sans famille avaient le droit de devenir prêtresses. Sa voix manquait de conviction. En vérité, elle n'en savait rien. Demain semblait si loin !

Abram demanda encore si elle ne craignait pas que ses dieux la punissent d'avoir refusé l'époux que lui donnait son père et d'avoir quitté sa maison. Elle répondit que non, cette fois avec tant d'assurance qu'il la regarda avec étonnement, s'arrêtant de manger. Elle expliqua :

— Non. Sinon, quand la nuit est venue, ils auraient envoyé des démons au lieu de me faire tomber sur toi.

L'idée amusa beaucoup Abram.

— Il n'y a que vous, les Puissants d'Ur, à croire que la nuit est peuplée de démons. Moi, je n'y ai jamais vu que des taureaux, des éléphants, des lions ou des tigres. Ils sont féroces, mais un homme peut les tuer. Ou courir derrière les gazelles !

Saraï ne s'offusqua pas. Le feu crépitait, les braises chauffaient de plus en plus fort, les peaux de mouton étaient douces sous les mains. Abram avait raison. La nuit alentour ne l'effrayait plus.

Brutalement, elle sentit le bonheur la gagner, l'envahir, apaisant tout, ses pensées et son corps depuis l'extrémité de ses mèches jusqu'à ses orteils. Elle avait chaud, le rire était dans sa poitrine sans avoir besoin de franchir ses lèvres. Les flammes dansaient pour elle, le temps de la nuit était immobile, et ce garçon qu'elle ne connaissait pas quand le soleil brillait encore, Abram, si près qu'elle aurait pu effleurer son épaule, allait la protéger de tout. Elle le savait.

Alors ils débordèrent de mots, de questions et de réponses. Abram parla de ses deux frères, Harân, l'aîné, et Nahor. De son père qui moulait dans l'argile des statues d'ancêtres pour les gens comme Ichbi Sum-Usur. Les têtes qui sortaient de ses mains semblaient capables de parler.

Saraï voulut savoir s'il ne regrettait pas de vivre sous une tente. Il expliqua que le clan dont son père, Terah, était le chef, élevait de grands troupeaux pour un Puissant d'Ur. Ainsi tous les deux ans, quand sonnait l'heure des impôts royaux, ils accompagnaient les bêtes à Larsa, où elles étaient comptabilisées par les fonctionnaires de Shu-Sin.

— Après quoi on revient avec seulement quelques têtes et on fait croître un nouveau troupeau. Un jour, mon père gagnera assez avec ses statues, et nous n'aurons plus besoin de nous occuper d'élevage.

Lui aussi la questionna. Saraï raconta la vie dans le palais. Elle parla de Sililli, de Kiddin, de ses sœurs, et, pour la première fois depuis longtemps, du souvenir ténu et douloureux qu'elle avait de sa mère, morte à la naissance de Lillu. Emportée par l'élan de ses confidences, elle évoqua même la chambre rouge et le présage étrange du *barù*. Reine ou esclave...

Abram savait écouter, attentif et sans impatience.

Ils parlèrent si longtemps que le feu manqua de bois et la lune traversa plus de la moitié du ciel noir. Saraï dit que chez elle on redoutait que Dame la Lune, une nuit, disparaisse pour toujours. Et que les dieux, par colère, retiennent le soleil. Il ferait alors un froid effroyable.

— Sous une tente, ajouta-t-elle, ce serait encore plus terrible que dans une maison.

Abram secoua la tête en tisonnant les braises et répondit qu'il ne croyait à rien de cela. Il n'y avait pas de raison que la lune et le soleil disparaissent.

— Pourquoi en es-tu si sûr ? s'étonna Saraï.

— Personne ne se souvient que ce soit jamais arrivé. Pourquoi ce qui n'est encore jamais arrivé depuis la naissance du monde arriverait-il un jour ?

Et il ajouta :

— Dormir sous une tente n'empêche pas de réfléchir et d'apprendre en regardant autour de soi.

Pour la première fois, Saraï entendit son ton raisonneur et vibrant d'orgueil. Cependant, pour adoucir sa remarque, il précisa qu'il ne savait pas inscrire et lire les mots dans la glaise comme les Puissants d'Ur. Et que ceux-ci possédaient un savoir qu'il ignorait.

Soudain, il tendit la main à Saraï.

— Viens voir !

Il contourna le feu. Tout ankylosée, Saraï se précipita derrière lui, vaguement inquiète bien que la lune éclairât assez pour qu'Abram ne disparût pas dans l'obscurité.

Il s'immobilisa sur la crête de la dune. Devant eux, comme suspendues entre l'obscurité de la terre et le ciel fourmillant d'étoiles, des centaines de torches dessinaient une tiare dans la nuit : la ziggurat. La ziggurat dont on éclairait chaque soir les immenses escaliers et les plates-formes. Mais elle ne l'avait vu ainsi que des toits de sa maison, et jamais de si loin. Là seulement on en comprenait le dessin parfait, à la dimension inhumaine des dieux.

— On peut traverser le fleuve, on peut marcher loin dans la steppe, deux, trois jours de marche, et on la voit encore, dit Abram.

Il se tourna vers elle et saisit son visage entre ses mains. Elles étaient douces et brûlantes. Saraï tressaillit, croyant qu'il allait l'embrasser, se demandant si elle allait s'abandonner ou résister à l'impudence du *mar.Tu*. Les mains d'Abram basculèrent lentement son visage vers les étoiles qui nappaient la nuit.

— Regarde les feux du ciel. Ils sont plus extraordinaires que la ziggurat. Regarde leur nombre et vois comme ils sont loin ! Crois-tu qu'un dieu vive dans chacun d'eux ?

Comment pouvait-elle répondre à cette question? Elle resta silencieuse. Posa ses lèvres sur le poignet d'Abram. Il eut un rire narquois.

— Crois-tu vraiment qu'une fille de Puissant d'Ur puisse quitter la ville, la maison de son père, sans qu'on la recherche et la punisse?

Ce fut comme s'il lui avait versé de l'eau froide sur le corps. Les larmes et la colère chassèrent son bonheur avec la violence d'un coup. Elle dévala la dune, se recroquevilla sur la peau de mouton. Elle fit un effort pour ravaler ses pleurs. Quand il s'agenouilla derrière elle et posa les mains sur ses épaules, elle voulut se lever pour le gifler. Elle ne fit que s'appuyer contre lui avec une plainte, agrippant ses bras pour les serrer de toutes ses forces contre sa poitrine. C'est ainsi qu'ils s'écroulèrent côte à côte, le visage enfoui dans les poils de la peau de mouton. Sans plus bouger.

— Pardonne-moi, chuchota Abram à son oreille. Il n'y avait pas de méchanceté dans mes propos. Je ne voudrais pas qu'on te fasse du mal. Si demain tu veux encore fuir, je t'aiderai.

Elle voulut demander pourquoi il ferait cela, mais pas un mot ne franchit ses lèvres. Il suffisait qu'il soit serré contre elle, qu'elle respire son étrange odeur, sente la chaleur de son corps et de son souffle sur sa nuque... Pas plus.

Et comme ils ne bougeaient plus ni l'un ni l'autre, le trouble effaça les larmes. Les paumes d'Abram pressées contre ses seins lui semblèrent soudain brûlantes. Brûlantes comme l'était la pointe de ses seins. Contre ses fesses, Saraï perçut le sexe d'Abram qui gonflait. Le tremblement qui creusait son ventre n'avait rien à voir avec la peur ou la colère. Le souvenir lui vint de celui qui avait failli être son époux empoignant le sexe du taureau sculpté sur le plateau nuptial. C'était encore son jour d'épouse. Sa nuit d'épouse. Elle eut le désir de tendre la main et de saisir le membre d'Abram. De se retourner et de poser ses lèvres sur sa si belle bouche.

Abram à cet instant dénoua son étreinte et s'écarta d'elle

en disant qu'ils devaient dormir. Que demain elle aurait besoin de toute son énergie.

Il attrapa la seconde peau pour les recouvrir, s'installa à plat dos, lui offrant son bras étendu comme oreiller. Quand elle y posa sa tête, il murmura :

— Tu sens bon. Jamais je n'ai senti un si bon parfum sur une fille. Je sais que je me souviendrai toujours de ton odeur. De ton visage aussi, je me souviendrai toujours.

Ce fut comme si ces mots absorbaient la brûlure du désir. Un instant plus tard, la fatigue emportait brutalement Saraï. Elle s'endormit sans savoir si elle avait embrassé Abram pour de bon où si elle avait rêvé.

Quand elle se réveilla, elle était seule entre les peaux de mouton. Des soldats l'entouraient, javeline et bouclier à la main. Leur chef s'agenouilla devant elle et lui demanda si elle était la fille d'Ichbi Sum-Usur, le Puissant d'Ur.

L'herbe de sécheresse

La colère d'Ichbi Sum-Usur dura quatre lunes. Durant tout ce temps, il interdit que l'on prononce le nom de Saraï. Il interdit à quiconque de croiser son regard, de manger en sa compagnie, de rire ou se parfumer avec elle. Il interdit qu'elle se tresse les cheveux, se déplace sans un voile sur la tête, qu'elle se maquille de khôl et d'ambre et qu'elle porte des bijoux.

Toutes interdictions que Sililli dut observer à la lettre, elle qui demeurait toujours sa servante. Elle reçut en outre l'ordre de surveiller Saraï nuit et jour. Ichbi Sum-Usur lui précisa :

— Si cette fille à nouveau quitte cette maison sans mon autorisation, tu mourras. Je te pendrai par les pieds, je t'ouvrirai le ventre et j'y déposerai des scorpions.

Saraï ne trouva pas que des inconvénients à ces punitions. Ainsi n'eut-elle pas à supporter les regards apitoyés ou furieux de ses tantes, à subir les bavardages pleins de sous-entendus de ses sœurs ou des servantes.

Il lui fallut tout de même, une semaine durant, subir les jérémiades et les reniflements de Sililli le soir dans son lit aussi bien qu'au réveil, à peine l'aube venue, et l'entendre sangloter en priant la Toute-Puissante Inanna pour son pardon.

Saraï dut également assister, sous les yeux de ses ancêtres et de tous les membres de la famille présents dans la maison, au sacrifice de sept brebis. Elle dut faire dans le temple mille ablutions, se laver et se purifier encore et encore.

Sililli et Égimé l'épuisèrent de questions, voulurent savoir ce qu'elle avait fait pendant sa fuite, quels démons elle avait rencontrés au bord du fleuve, l'avaient assaillie durant cette nuit solitaire. D'ailleurs, n'était-ce pas des démons qui l'avaient poussée à quitter le bain nuptial alors que l'époux allait l'enduire de parfums ?

Saraï leur répondit avec calme, et autant de fois qu'elles voulurent l'entendre, qu'aucun démon ne l'avait approchée, ni ici dans la maison, ni là-bas au bord du fleuve.

« J'étais seule, j'étais perdue. »

Elle ne parla pas d'Abram.

Sililli pas plus qu'Égimé n'en crurent un mot. Saraï n'eut pas à croiser leurs regards pour s'en rendre compte. Les grimaces et les soupirs suffisaient. Égimé décida alors de vérifier la virginité de sa nièce. Avec une froide colère, Saraï se coucha sur son lit et écarta les jambes.

Pendant que sa tante plissait son visage raviné en constatant l'évidence, Saraï songea au désir qu'elle avait eu d'Abram durant leur nuit au bord du fleuve. Elle se souvint de ses paumes enveloppant ses seins et de son membre durci contre ses reins. En ce moment si humiliant, cette pensée fut une caresse apaisante. Dans le grand secret de son cœur et de son esprit, elle remercia Abram d'avoir eu la sagesse de résister à son innocence.

Après quoi, d'un ton glacial qui valait bien celui de son père, leur faisant face afin de les obliger à baisser les paupières, elle déclara aux deux femmes :

— À partir de maintenant, je ne répondrai plus à vos questions. Personne ne doit prononcer le nom de Saraï dans cette maison. Saraï, elle, n'a pas à utiliser sa bouche pour engraisser votre sottise.

Il n'empêche, Sililli et Égimé conservèrent leurs doutes. Afin de préserver ce qui pouvait l'être encore, elles suspendirent des quantités d'amulettes à la porte de la chambre de Saraï, aux bois de son lit et même autour de son cou.

Et les jours passèrent.

Les sanglots de Sililli cessèrent. On apprit à vivre avec Saraï comme avec une personne à demi présente. Il arriva même que l'on lançât des plaisanteries en sa présence, faisant mine de ne pas voir son sourire.

Saraï elle-même s'accoutuma assez bien à cette vie qui lui permettait d'être seule avec ses pensées. Des pensées qui invitaient la présence d'Abram à ses côtés. Comme dans des rêves éveillés, elle pouvait entendre sa voix et même encore percevoir son odeur d'*homme-sans-ville*. Le soir, souvent, avant de s'abandonner au sommeil, il lui arrivait de chanter en silence, pour lui, pour Abram, les paroles qu'elle n'aurait jamais accepté de prononcer pour celui qui voulait devenir son époux :

> *Pose les mains sur moi, taureau sauvage,*
> *Pose les mains sur moi qui me suis baignée,*
> *Sur moi parfumée de myrrhe et de cèdre,*
> *Pose les mains sur ma vulve, berger du puissant troupeau,*
> *Pose les lèvres sur moi, ô fidèle berger,*
> *Je te voudrai un sort agréable,*
> *Je te décréterai un noble destin,*
> *Pose les mains sur moi,*
> *Je caresserai tes reins,*
> *J'accueillerai ton bateau noir...*

Cependant, les dernières semaines l'avaient suffisamment mûrie pour qu'elle ne s'aveugle pas de ces félicités imaginaires. Elle mesurait chaque jour un peu mieux ce que sa rencontre avec le jeune *mar.Tu* avait d'extraordinaire et d'éphémère. Pourtant, quelques questions demeuraient : Pourquoi Abram n'était-il pas à son côté lorsque les soldats l'avaient réveillée ? Lui avait-il dit adieu sans qu'elle le comprenne en lui assurant qu'il se souviendrait toujours de son visage ? Pensait-il encore à elle ? Croyait-il qu'il valait mieux oublier cette fille de la ville royale, une fille qu'il n'aurait jamais dû rencontrer ? Une fille dont il n'avait rien à espérer car jamais, de souvenir d'habitant d'Ur, un barbare amorrite n'avait osé, sinon lors d'un viol, porter la main sur une fille de Puissant.

Quelquefois, échappant à la surveillance de Sililli, elle se rendait à la nuit tombée sur le haut du jardin et regardait longtemps les torches qui illuminaient la ziggurat. Peut-être Abram était-il au même instant sur le bord du fleuve, allongé entre les roseaux, un panier plein de grenouilles et d'écrevisses près de lui, regardant aussi le diadème de feu de l'Escalier du Ciel ? Qui sait, peut-être au même instant songeait-il à elle ?

Ce fut au retour de l'une de ces promenades nocturnes, alors qu'une brume mélancolique et annonciatrice de la saison des pluies se posait sur Ur, que Sililli confia enfin à Saraï le fond de son tourment.

— Tu assures qu'aucun démon ne t'a rejointe dans la nuit que tu as passée seule au bord du fleuve. Mais les gardes qui t'ont retrouvée assurent, eux, que tu dormais sur des peaux de mouton neuves et qu'un grand feu s'était consumé à ton côté. Il y avait aussi des traces de nourriture. Sans compter ce que nous avons tous constaté de nos yeux : tu es revenue ici vêtue d'une robe alors que tu t'étais enfuie dans une belle tunique. Une robe si grossière que je suis certaine qu'elle n'a jamais été tissée à Ur. Même une esclave de cette maison n'en aurait pas voulu !

Sililli ne la questionnait pas vraiment, mais elle souffrait de ne pas connaître la vérité. À l'écouter, Saraï se rendit compte qu'elle aussi souffrait de garder son secret pour elle seule. Alors, d'une voix si basse que Sililli dut la prendre dans ses bras et plaquer son oreille contre sa bouche pour entendre, elle raconta. Elle raconta Abram, sa beauté, sa gentillesse, sa peau brune et fine, son odeur. Et la promesse qu'il avait faite de pas oublier son visage.

Quand elle se tut, elle sentit contre sa joue la joue de Sililli, trempée de larmes. La servante finit par s'écarter et secoua la tête en murmurant :

— Un *mar.Tu* ! Un *mar.Tu* ! Un *mar.Tu* !

Puis elles restèrent silencieuses l'une et l'autre jusqu'à ce que Sililli presse Saraï contre sa poitrine bien ronde, si fort que l'on eût cru qu'elle voulait l'y faire disparaître.

— Oublie-le, oublie-le ou il fera ton malheur plus que tu ne peux l'imaginer! Oublie-le comme s'il était un démon, ma Saraï!

Elles eurent conscience en même temps de la faute : Sililli venait de prononcer son nom. Elles rirent au milieu des larmes. Emportée par son émotion, Sililli répéta :

— Ma Saraï! Ton père m'a promis de me faire mourir par les scorpions si je ne lui obéissais pas. Mais c'est toi que j'aime. C'est toi qui as besoin de moi pour oublier ce *mar.Tu*. Promets-moi que nous n'en parlerons plus jamais.

Un matin, alors que Dame la Lune, pleine et ronde, était encore visible dans le ciel de l'aube, le sang revint entre les cuisses de Saraï. Pour la seconde fois elle entra dans la chambre rouge. Elle y retrouva Égimé qui s'appliqua à ce que chacune des tantes et des servantes présentes respecte à la lettre les volontés d'Ichbi Sum-Usur. Sept jours durant, on eut soin de ne pas partager avec elle le bain des ablutions, de garder une distance inhabituelle lorsqu'elle aidait au tissage et de ne s'adresser à elle que de manière détournée.

En outre, afin qu'elle eût pleinement conscience des châtiments qui menaçaient les femmes indociles, les unes et les autres racontèrent les tristes destins de celles qui ne s'étaient pas pliées aux lois des dieux, des pères et des époux. Celles qui avaient profané leurs devoirs d'épouse, absorbant des herbes de sécheresse pour ne pas enfanter, ou au contraire enfantant après avoir accueilli entre leurs cuisses des hommes qui n'auraient pas dû même effleurer leur chair, des étrangers, parfois, ou même des démons. En vérité, la folie des désirs des femmes était immense, pareille à un vent gelé et calcinant venu tout droit de l'enfer.

— Oui, grinçait Égimé, les femmes, si elles n'y prennent pas garde, sont leur propre ennemi. Le pire moment est la jeunesse, lorsque l'on ne sait discerner les bons des mauvais rêves, ceux qui font battre nos cœurs et mouillent nos sexes et nous emportent dans l'antre d'Ereshkigal aussi sûrement qu'un soldat élamite viole et tue. Ea est grand qui a conçu nos pères puis nos époux pour nous protéger de nos faiblesses.

Saraï écoutait en silence, ne laissant rien paraître.

Ce qu'ignoraient Égimé et les autres, c'était que la nuit, quand chacune dormait dans l'obscurité épaisse de la chambre rouge, Saraï ne rêvait pas. Non, les pensées qui lui venaient, les images qui flottaient dans l'obscurité ne possédaient pas la rouerie de l'illusion mais, au contraire, le poids bien réel du souvenir : elle songeait aux lèvres d'Abram qu'elle n'avait pas eu le courage d'embrasser.

Elle songeait au baiser qu'elle n'avait ni donné ni reçu. L'un comme l'autre, ils étaient demeurés purs. Et si son père avait de bonnes raisons, lui, d'être furieux, Saraï n'avait en rien outragé les dieux. Ils n'avaient aucune raison de se fâcher. Elle le sentait.

Elle le sentait au plus profond de son ventre en faisant ses offrandes à Nintu, sage-femme du Monde.

Elle le sentait au plus profond de sa poitrine en faisant ses prières à Inanna, la Toute-Puissante.

Parfois elle pensait que la punition des dieux pouvait revêtir une forme bien différente de celle qu'imaginaient les femmes de la maison. Être, par exemple, cette douleur qui la tourmentait chaque jour un peu plus, ce manque de n'avoir justement pas reçu sur ses lèvres la douceur des lèvres du *mar.Tu* Abram. Une douleur douce et presque apaisante, dont il fallait protéger le secret, n'était-elle pas une punition ?

Aussi, lorsqu'elle sortit de la chambre rouge, lorsque chacun la vit errer avec mélancolie dans la maison et le jardin, toujours modeste, sans jamais la moindre rébellion, chacun crut que la fille d'Ichbi Sum-Usur était sur la voie de la repentance.

Les semaines passèrent. Deux fois encore Saraï alla dans la chambre rouge. Égimé s'y montra moins distante et ses jeunes tantes, si elles ne croisaient toujours pas son regard, n'hésitèrent plus à bavarder avec elle comme autrefois, et même à la complimenter pour son ouvrage, tant elle savait maintenant carder et filer la laine avec dextérité.

Sililli observa ce changement avec une joie qu'elle ne dissimulait plus. Saraï lui avait d'ailleurs obéi à la lettre : depuis le soir de sa confession, jamais il n'avait été question du *mar.Tu*. Aussi, après bien des lunes de patience, alors qu'une pluie diluvienne d'hiver cloîtrait chacun dans sa chambre, elle déclara soudain :

— Ton père est content de toi. Il t'observe depuis des jours. J'ai vu à son visage qu'il n'est plus fâché. Je suis sûre que bientôt il te pardonnera.

Saraï esquissa à peine un hochement de tête pour signaler qu'elle avait entendu. C'est bien plus tard qu'elle demanda, d'une voix égale :

— Tu crois que mon père pense à me trouver un nouvel époux ?

Dans la pénombre de ce jour éteint par la pluie, le sourire de Sililli jaillit, plus lumineux qu'un arc-en-ciel.

— Tout le monde ici ne veut que ton bien !

Cette fois, elle s'était beaucoup mieux préparée. Une toge comme on en portait pour visiter les grands temples, un panier à offrandes avec des fleurs, une coiffure qui pouvait la faire passer pour une servante. Elle n'avait rien laissé au hasard. Elle avait même suspendu autour de son cou un petit sac de tissage contenant pour trois sicles d'anneaux de cuivre et d'argent, au cas où il lui faudrait négocier l'inattention des gardes. Elle s'en sentait capable, aussi forte et déterminée qu'un soldat devant la ligne hérissée des lances ennemies.

Elle avait quitté sa chambre avant l'aube, alors que Sililli dormait à poings fermés. Elle avait patienté ensuite dans le jardin, tout près des bassins, les franchissant dès que la lumière du jour le permit. Elle se dirigea sans se tromper vers le mur d'enceinte. Les rues étaient presque vides. Il ne pleuvait plus mais la ville sentait encore la poussière humide et les briques des murs étaient plus sombres que d'ordinaire. Les gardes venaient d'ouvrir les portes de la cité royale et les premières charrettes de nourriture en franchissaient l'entrée.

Les soldats la regardèrent venir de loin. Elle s'aperçut bien vite qu'ils la prenaient pour ce qu'elle voulait : la servante d'une bonne maison de la ville basse, de retour des temples après y avoir passé la nuit et qui rapportait des fleurs sacrées. Les yeux encore gonflés par les heures de veille, ils se montrèrent tout heureux de voir une jolie fille de si bonne heure et répondirent à son sourire par un salut familier.

Une fois dans la ville basse, Saraï marcha vite. Elle se perdit une ou deux fois, mais c'était sans importance. Il lui suffisait de reprendre la direction du fleuve.

Il lui sembla parvenir à la lagune de roseaux à l'endroit où elle avait rencontré Abram. Les mêmes maisons misérables à demi détruites, les mêmes terrains sablonneux, tantôt en friche, tantôt plantés de melons et d'herbes odorantes. Pourtant, il lui fallut remonter le fleuve pendant des *ùs* avant d'apercevoir les tentes des *mar.Tu*, à peine plus hautes que les roseaux afin que le vent glisse sur leurs toits incurvés. Des centaines de tentes rondes, tendues d'épaisses toiles brunes ou beiges. Certaines étaient aussi vastes que de vraies maisons, d'autres, tout en longueur, entouraient des enclos de joncs où l'on avait rassemblé le petit bétail.

À la vue de cet immense campement où s'agitait déjà une foule de femmes vêtues de longues robes et d'enfants demi-nus, Saraï s'immobilisa, le cœur battant. Si les dieux réprouvaient ce qu'elle était en train de faire, c'était maintenant que leur colère devait s'abattre sur elle.

Elle reprit sa marche sur le chemin sableux qui conduisait à l'intérieur du campement. À peine eut-elle atteint les premières tentes que les femmes interrompirent leurs tâches. Les enfants, à leur tour, suspendirent leurs jeux. Embarrassée, rougissante, Saraï chercha un sourire qui ne vint pas. Les femmes s'attroupèrent sans un mot au milieu du chemin. Les enfants avancèrent à sa rencontre. Les yeux brillant de curiosité, se pressant autour d'elle, ils scrutèrent ses cheveux, sa ceinture, son panier qu'elle n'avait même pas songé à vider de ses fleurs. Était-ce la première fois qu'ils voyaient une habitante de la ville royale ?

Rassemblant son courage, du ton le plus neutre, Saraï salua avec respect, invoqua la protection d'Ea le Puissant sur tous et toutes, puis demanda où se trouvaient les tentes du clan de Terah, le fabricant d'idoles qui façonnait des statues d'ancêtres.

Les femmes ne parurent pas comprendre. Saraï craignit de n'avoir pas prononcé correctement le nom du père d'Abram. Elle répéta : « Terah, Terah... », cherchant les intonations que les syllabes pouvaient avoir dans la langue amorrite. La plus âgée des femmes lança alors quelques mots dans la langue *mar.Tu*. Deux autres femmes lui répondirent en secouant la tête. La vieille femme observa encore Saraï, ses yeux gris pâle étonnés mais bienveillants, avant d'annoncer :

— Terah n'est plus ici. Lui et tous les siens sont partis.

— Partis ?

La surprise de Saraï fut si grande qu'elle faillit crier. La vieille *mar.Tu* expliqua :

— Il y a deux lunes déjà. C'est l'hiver. Il est temps de conduire les troupeaux des Puissants pour l'impôt.

Elle avait tout prévu, mais pas un instant elle n'avait imaginé qu'Abram et sa famille ne soient plus là.

Elle avait songé à la colère qu'Abram aurait peut-être en la voyant. Ou au bonheur de découvrir son sourire lorsqu'elle apparaîtrait devant lui.

Elle avait pensé aux mots qu'elle lui dirait : « Je suis venue à toi pour que tu poses ta bouche sur la mienne. Mon père va me trouver un nouvel époux. Cette fois je ne pourrai pas le refuser. S'il me demandait mon avis, c'est toi que je choisirai. Mais je sais que jamais un Puissant de la ville royale n'a donné sa fille à un *mar.Tu*. Pourtant, depuis trois lunes, il n'est pas de jour sans que je pense à toi. Je pense à tes lèvres et au baiser que j'ai voulu y prendre la nuit où tu m'as protégée. J'y ai réfléchi. J'ai prié la sainte Inanna, j'ai déposé des offrandes à Nintu et devant les statues de nos ancêtres dans le temple de mon père. J'ai attendu qu'ils me parlent, qu'ils me disent si mes pensées étaient mauvaises. Ils se sont tus. Ils m'ont laissée sortir de la ville sans colère. Maintenant je suis devant toi, car je sais que ton baiser me purifiera de tout. Aussi bien que l'eau glacée de la chambre rouge, mieux qu'une vasque de parfum et les sacrifices des brebis. Donne-moi ce baiser, Abram, et je rentrerai dans la maison de mon père pour devenir l'épouse de celui à qui il me donnera. Je l'accepterai. Quand il viendra dans mon lit, il y aura le souffle de ton baiser sur mes lèvres pour me protéger. »

Elle avait pensé qu'il rirait. Ou se fâcherait. Elle avait pensé que peut-être il ne voudrait pas se satisfaire d'un baiser. Elle était prête pour cela. Rien venant de lui ne pouvait la souiller. Rien de ce qu'il prendrait d'elle et que n'aurait pas son futur époux ne l'amoindrirait.

Mais peut-être qu'il dirait : « Non ! Je ne veux pas que tu repartes. Je ne veux pas qu'un inconnu entre dans ton lit. Viens, je vais te présenter à mes frères et à mon père. Tu seras mon épouse choisie. Nous partirons loin d'Ur. »

À cela aussi elle était prête.

Elle avait imaginé tant de choses !

Mais jamais elle n'avait pensé qu'il puisse avoir quitté le bord du fleuve. Être loin d'elle et inatteignable.

Maintenant, que devait-elle faire ? Maintenant qu'elle courait loin des tentes des *mar.Tu*, à en perdre le souffle pour ne pas pleurer ?

Sililli devait la chercher dans tous les recoins de la maison, le cœur battant, folle de terreur. Cachant à toutes et à tous que le lit de Saraï, à son réveil, était vide. Elle redoutait trop la fureur d'Ichbi Sum-Usur. Elle devait supplier ses dieux de la faire revenir.

Saraï pouvait accomplir la volonté de Sililli. Celle de son père. Elle pouvait revenir et dire : « Je suis allée prier au grand temple pour me purifier. » Sililli la croirait, trop soulagée. On se féliciterait de sa sagesse.

Son père, la prochaine fois qu'elle sortirait de la chambre rouge, lui annoncerait qu'il avait enfin convaincu un homme de la ville royale de la prendre pour épouse. Un Puissant, moins riche et moins beau que celui qu'elle avait humilié, mais à qui la faute ?

Saraï devrait alors baisser la tête, entrer dans le temple, écouter le devin. Son père n'inviterait personne. Il n'y aurait ni chants, ni danses, ni festins. Mais l'époux, plein d'impatience, viendrait dans sa chambre et dans son lit.

Il la toucherait sans que le baiser d'Abram la protège. Sans que les lèvres, les mots et les caresses d'Abram l'assistent tout au long de sa vie d'épouse.

C'est alors qu'elle entendit une phrase. Une phrase sans lèvres pour la prononcer, comme seuls les dieux ou les démons pouvaient en souffler :

« Tu as besoin de quelque chose, déesse ? N'importe quoi, Kani Alk-Nàa te le vend ! »

Saraï cessa de courir, la poitrine en feu, les yeux piquants de larmes.

« Tu as besoin de quelque chose, déesse ? »

La vieille sorcière ! La *kassaptu* qui l'avait apostrophée le jour de sa rencontre avec Abram ! Sa voix résonnait dans la tête de Saraï. Et, comme en écho, elle se souvint des histoires racontées par ses tantes dans la chambre rouge : « Il en est une qui a bu de l'herbe de sécheresse. Elle n'a plus eu de sang pendant trois lunes. Son époux n'a plus jamais voulu la toucher ni entendre parler d'elle. Ni lui ni aucun autre homme. Une femme capable d'arrêter son sang, qui en voudrait ? »

Saraï reprit son souffle. Un sourire aussi gris que le ciel brouilla ses traits. Les dieux ne l'abandonnaient pas. Ils ne la laissaient pas disparaître entre les mains d'un époux comme une chair morte.

**

— De l'herbe de sécheresse? marmonna la *kassaptu.* C'est vraiment cela que tu veux?

Saraï se contenta de hocher la tête. Son cœur battait à grands coups. Il avait été moins difficile de retrouver l'antre de la sorcière que d'y pénétrer. Chacun, dans la ville basse, semblait connaître Kani Alk-Nàa. Néanmoins, avant de trouver le courage de franchir le seuil de l'unique pièce qui lui servait de tanière, Saraï avait arpenté la rue une dizaine de fois.

— Tu es bien jeune pour vouloir de l'herbe de sécheresse, poursuivit Kani Alk-Nàa. C'est dangereux, quand on est aussi jeune que toi.

Saraï résista au désir de répliquer. Elle plaqua un peu plus fort ses mains l'une contre l'autre, afin que la sorcière ne les voie pas trembler.

— Es-tu au moins une épouse?

De nouveau Saraï ne répondit pas. Elle fixa les dizaines de paniers qui s'entassaient dans les recoins de la pièce, dégageant une odeur de poussière et de fruits pourrissants. Un gloussement mouillé attira son regard. La vieille riait, sa petite langue rose frétillant entre ses gencives nues comme une queue de serpent.

— Tu as peur? Tu as peur que Kani Alk-Nàa te jette un sort, fille de Puissant?

Sans un mot Saraï ôta la bourse passée à son cou et en renversa le contenu devant la sorcière.

— Trois sicles, calcula la vieille.

Elle ramassa avidement les anneaux de cuivre et d'argent. Elle ne riait plus.

— Je me fiche que tu sois épouse ou non. Mais il me faut savoir si cela a déjà eu lieu.

Saraï hésita, pas certaine de bien comprendre. La vieille soupira et dit avec agacement :

— Le taureau est venu entre tes cuisses? Tu es une femme-ouverte? Sinon, tu reviendras me voir après que l'homme t'a écarté les cuisses.

— Je suis femme-ouverte, mentit Saraï d'une voix enrouée.

Les yeux de la *kassaptu*, à peine visibles entre les plis de ses paupières, demeurèrent fixes un instant. Saraï craignit qu'elle devine la vérité, mais Kani Alk-Nàa demanda seulement :

— Bien. Et depuis quand le lait de l'homme est-il dans ton ventre ?

— Il y a... presque une lune.

— Mmm. Tu aurais dû venir plus tôt, grogna la vieille en déployant son corps malingre.

Un bref instant elle fouilla dans ses paniers puis tendit à Saraï cinq petits paquets d'herbe enveloppés dans des feuilles de roseau sèches.

— Voici ton herbe de sécheresse.

— C'est pour combien de fois ? demanda Saraï sans oser lever les yeux.

— Combien de fois ton sang va s'arrêter ? Cela dépend des femmes. Deux lunes, peut-être trois, car tu es jeune. Tu verras. Dépose chacun de ces paquets dans un *silà* d'eau bouillante, sans les ouvrir, et laisse les macérer la moitié d'un jour. Ensuite, retire les paquets et bois l'infusion en trois fois, entre le zénith et le crépuscule. Ainsi, tu commences à l'aube et tu as fini le soir. Fais comme je te dis, fille de Puissant, et tout ira bien.

Saraï avait deviné juste. Elle retrouva Sililli terrée dans sa chambre, en larmes, glapissant de reproches, de soulagement, de fureur et de tendresse. Cependant, si grande avait été sa frayeur, elle s'était tue. Nul dans la maison ne savait que Saraï avait disparu depuis le matin.

— J'ai raconté que tu étais malade. Une grosse maladie du ventre, et que je t'avais donné des herbes pour dormir. Qu'il ne fallait pas te déranger pour que les herbes te fassent du bien. Que tous les Puissants du ciel me pardonnent, j'ai proféré des mensonges depuis le matin !

— Mais non. Tes herbes me font toujours beaucoup de bien! Demain ils me verront, je serai debout, et ils diront que Sililli est la plus habile servante des herbes de toute la ville!

Le compliment et la promesse que Saraï se montrerait le lendemain dans toute la maisonnée brouillèrent les larmes de Sililli d'un sourire. Cependant, elle ne tarda pas à reprendre ses plaintes :

— Tu me feras mourir, ma fille! Tu me feras mourir! De la main de ton père, avec tous les scorpions de sa colère! Ou ce seront les dieux qui m'arracheront le cœur pour mes mensonges!

— Ce n'est qu'un tout petit mensonge, se moqua amèrement Saraï. Presque la vérité.

— Ne blasphème pas, je t'en prie! Pas un jour comme aujourd'hui.

Et, d'une voix si basse que l'on percevait à peine ses mots, elle en vint enfin à la question qui la travaillait :

— Tu étais avec lui? Avec le *mar.Tu*?

Saraï hésita à dire la vérité. Mais elle songea aux petits paquets de la *kassaptu* qui grattaient sa peau sous la ceinture de sa tunique. Elle mentit à nouveau. Après tout, que pesait un mensonge de plus?

— Non, je suis allée au grand temple d'Inanna. Je voulais faire des offrandes et demander la protection de la Toute-Puissante afin que mon père fasse un bon choix pour celui dont je serai l'épouse.

— Au grand temple? Tu étais là-bas?

— Il faut me préparer. Je ne veux plus avoir peur.

— Sans me le dire? Sans me prévenir, alors que tu sais que ton père t'a interdit de quitter la maison?

— L'envie m'est venue alors que tu dormais encore. Tout le monde dormait, même mon père. Et je voulais y être seule devant la sainte Inanna.

Sililli hocha la tête en gémissant :

— Tu me feras mourir, ma fille! Tu me feras mourir!

Saraï trouva la force de sourire, de l'enlacer, la serrant contre elle, joue contre joue, jusqu'à ce que Sililli abandonne ses questions avec un soupir résigné.

— Enfin, tu es là, et il faut bien mourir un jour.

Toutefois, elle ne quitta plus Saraï des yeux. Elle se réveillait la nuit pour s'assurer que la fille d'Ichbi Sum-Usur ne s'était pas envolée. Tant et si bien que Saraï ne put préparer l'herbe de sécheresse que peu de temps avant de se rendre une fois de plus à la chambre rouge. Et encore ne put-elle suivre à la lettre les instructions de Kani Alk-Nàa.

Après avoir détourné de la cuisine une cruche d'eau bouillante, elle y trempa les cinq paquets d'herbes et dissimula le tout dans le jardin. Toutefois, la surveillance de Sililli ne lui permit pas de venir boire l'infusion aussi vite qu'elle le voulait. Ce n'est que le lendemain qu'elle parvint à échapper en toute sécurité au regard de sa servante. Elle se glissa dans le jardin, retira les paquets d'herbes infusées de la cruche. Ils étaient devenus blancs et ratatinés. Importait-il vraiment qu'ils aient macéré si longtemps ? Saraï en doutait. Ce qui importait, c'était qu'elle les cache jusqu'au moment où elle pourrait les détruire !

Après avoir respiré les odeurs répugnantes qui empestaient l'antre de la sorcière, Saraï redoutait le goût de la potion. Sa surprise fut grande de trouver l'infusion douce, si sucrée qu'elle semblait contenir du miel. À peine laissait-elle un arrière-goût acide et rafraîchissant. C'était loin d'être désagréable, et même aurait-on pu en boire pour son seul plaisir. Aussi, craignant de n'avoir guère de liberté dans les heures à venir, Saraï décida sans hésiter d'ingurgiter la cruche entière.

Lorsqu'elle revint vers la cour des femmes, pour la première fois depuis des jours elle se sentit apaisée. Enfin, cela était fait. Enfin, l'herbe de sécheresse était dans son ventre. Le sang n'allait pas venir entre ses cuisses.

Elle devinait comment cela allait se passer. Après deux, trois, cinq jours sans que le sang mouille ses linges, Sililli, ses tantes, son père la croiraient malade, car aucun d'eux ne pourrait imaginer qu'elle avait eu le courage de pénétrer dans l'antre d'une *kassaptu*. Il leur faudrait faire quantité d'offrandes à Nintu. Malgré tout, le sang ne coulerait pas durant deux lunes, peut-être trois.

Assez longtemps pour que son père repousse la venue de l'époux.

Si longtemps qu'il lui faudrait même renoncer à offrir sa fille à quiconque.

Assez longtemps pour que le *mar.Tu* Abram soit de retour.

Ce soir-là, profitant d'une brève absence de Sililli, Saraï dissimula prestement les cinq paquets de l'herbe de sécheresse sous sa couche. Puis elle se plaça devant la figure de la déesse Nintu peinte en rouge au pied de son lit. Elle ouvrit les bras, les paumes, renversa le visage face au ciel. Sans que ses lèvres bougent, sans que nul l'entende, elle implora la clémence de Nintu :

Ô Nintu, patronne de la mise au Monde, toi qui reçus la brique sacrée de l'accouchement des mains d'Enki le Puissant, toi qui tiens le ciseau du cordon de naissance,
Considère ta fille Saraï, sois patiente avec elle,
Baisse les yeux sur ma faiblesse,
Regarde le sang qui est dans mon cœur :
Il est froid pour l'époux que je n'ai pas choisi.
L'herbe de sécheresse est comme le nuage dans le ciel,
Il n'empêche pas longtemps le soleil de briller.
Ô Nintu, pardonne à Saraï, fille d'Ichbi Sum-Usur.

Ce ne fut qu'à la fin de la nuit, alors qu'elle dormait profondément, que l'enfer entra dans le ventre de Saraï.

Elle le vit d'abord en rêve. Des flammes dansaient et pénétraient son corps comme un homme. Elle tenta de les repousser. Mais ses mains traversaient le feu sans l'amoindrir. Son propre corps lui apparut. Il gonflait et rougissait tandis que les yeux de la *kassaptu* se plissaient de plaisir et qu'elle lançait d'une voix forte : « Voilà, maintenant, c'est la vérité : tu es une femme-ouverte. » Et le corps de Saraï se fendait, ses entrailles se déchiraient, se calcinaient. Elle les voyait tomber sur le sol, noires et ratatinées. La douleur l'agitait et la tordait. Son ventre, pareil à une calebasse évidée, lui tirait des larmes, des cris. Des cris qui se mêlaient à son nom et qui la réveillèrent.

— Saraï ! Saraï ! Pourquoi cries-tu ainsi ?

Sililli lui tenait les mains, le visage penché sur elle, à peine éclairé par la mèche d'huile, déformé par la peur.

— Tu as mal ? demandait Sililli. Où as-tu mal ?

Saraï ne pouvait répondre. Le feu de son ventre consumait l'air de ses poumons. Elle parvenait à peine à respirer.

— Ce n'est qu'un cauchemar, suppliait Sililli. Il faut te réveiller.

Le feu jetait de la glace dans ses membres. Elle les sentait devenir durs et cassants. Elle ouvrit grande la bouche tant il lui était difficile de respirer. Sililli la saisit à bras-le-corps pour soutenir son buste arqué à se briser. Soudain, au-dedans d'elle tout devint mou, poussiéreux, ainsi qu'une pourriture se transformant en cendres. L'air entra enfin dans ses poumons. Il y balaya la cendre et ce qu'il restait du feu. Elle vit le noir venir. Une obscurité immense et accueillante. Elle fut heureuse d'y disparaître.

Elle n'entendit pas le hurlement de Sililli qui réveilla toute la maison d'Ichbi Sum-Usur.

Jusqu'au retour du jour ils la crurent morte.

Sililli emplit de pleurs la cour des femmes. Ichbi Sum-Usur fit éteindre tous les feux. Cloîtré dans le temple de la maison, il se prosterna devant les statues de ses ancêtres avec une ferveur qui stupéfia son fils aîné. Kiddin découvrit avec une déception mêlée de dégoût les larmes qui coulaient sur les joues de son père. Quand il le vit s'allonger sur le sol et renverser sur sa noble chevelure une coupe de cendres froides, il songea que les dieux possédaient une sagesse sans bornes : ils avaient retiré du monde cette sœur incapable de se plier aux lois et aux devoirs des femmes. Une sœur mal née qui attirait les souillures démoniaques. Mais qui faisait fondre le cœur d'un père trop pusillanime. Eût-elle vécu encore quelques années que lui-même, tout autant que son père, serait devenu la risée d'Ur.

Un peu après l'aube, Égimé poussa un cri :

— Saraï est vivante ! Elle est vivante, elle respire !

Elle le répéta jusqu'à ce qu'Ichbi Sum-Usur se précipite dans la cour des femmes et qu'un silence ébahi s'ensuive.

Remplaçant Sililli incapable d'approcher le cadavre de celle qu'elle considérait comme son enfant, Égimé avait entrepris de laver, purifier et vêtir Saraï pour son voyage dans l'obscurité des morts. Mais un doute avait suspendu ses gestes.

— Elle n'est ni froide ni raide, expliqua-t-elle. Et même, par endroits, sur son ventre elle est encore brûlante. J'ai posé la main sur sa poitrine, j'ai écouté sa bouche : elle respire.

Comme ils se tenaient devant le corps inerte de Saraï sur son beau lit d'épouse, Égimé les prit à témoin. Elle approcha des lèvres craquelées de sa nièce une plume de colombe au fin duvet. Le duvet frissonna. Il ploya avec une lente régularité, dans un sens puis dans l'autre. Cela ne laissait aucun doute. De l'air entrait et sortait du corps de Saraï.

— Elle vit. Elle dort, assena Égimé.

Sililli eut un glapissement de brebis que l'on abat et s'effondra sur le sol. Ichbi Sum-Usur fut secoué d'un long rire nerveux qu'il réprima avec difficulté malgré les regards hargneux de Kiddin. Quand il y parvint, il ordonna que l'on rallume tous les feux, que l'on brûle cent *silà* de copeaux de cèdre et que les jeunes tantes de Saraï se purifient et se rendent au grand temple d'Inanna pour y offrir, en son nom, un demi-troupeau de petit bétail.

À l'heure du zénith, Saraï dormait toujours. Elle dormait encore au crépuscule. Sililli, qui veillait ce sommeil obstiné comme un pot de lait sur les braises, se tourna vers Égimé.

— Ce n'est pas possible. Elle ne dort pas.

— Si. Je sais ce qu'il s'est passé. La punition est enfin venue. Les dieux de celui qui devait devenir son époux ont réclamé justice à Ereshkigal. Celui-ci a envoyé Pazzuzzu, son grand démon, pour la prendre cette nuit. Il l'a entraînée en enfer. Mais Saraï a dû trouver le moyen de l'émouvoir. Tu sais comme elle est. Le démon a fini par la relâcher. Elle est revenue si épuisée qu'il lui faut dormir des heures.

Sililli prit le temps de réfléchir avant de secouer la tête.

— Peut-être est-ce ainsi que les choses se sont passées... Pourtant, Pazzuzzu l'a-t-il relâchée pour qu'elle dorme ?

— C'est bien ce qu'elle fait.

— Non. Je sais ce qu'est dormir. On bouge, on agite les membres. Elle, elle n'a pas frémi depuis ce matin.

— Ça va venir, répliqua Égimé avec une pointe d'agacement. Le sommeil du retour des enfers est différent du sommeil ordinaire.

— Ce n'est pas un sommeil du tout ! s'obstina Sililli. C'est sa maladie qui continue. Voilà ce que je pense.

— Elle dort. Peu importe ce que tu penses.

— Et pourquoi cela ? Moi, Sililli, je suis sa mère de demi. Sa vie est ma vie ! Elle fait partie de moi autant que si elle était sortie de moi.

— Parlons-en ! Nous avons tous pu admirer la sagesse que tu lui as enseignée !

D'un mot à l'autre, les deux femmes se disputèrent bientôt si violemment qu'on dut les séparer. Égimé quitta la chambre de Saraï, emportant avec elle une fureur qu'elle déversa sur tous ceux qui l'approchaient.

Seule devant le mince corps immobile de Saraï, Sililli fut plus que jamais confirmée dans son opinion : Comment pouvait-on dormir alors que deux femmes hurlaient à vos côtés ? Aucun sommeil ne pouvait être à ce point profond.

Taraudée par un terrible pressentiment, elle entreprit de faire une nouvelle toilette à Saraï. Elle en profita aussi pour changer sa couche. Ses doigts butèrent alors contre les cinq petits paquets de feuilles séchées.

Des paquets d'herbes maléfiques comme en faisaient les *kassaptu*! Blanchis et craquelés d'avoir séjourné dans l'eau bouillie!

— Grand Ea! Ô Grand Ea, protège-nous!

Maintenant elle comprenait trop bien pourquoi Saraï s'était absentée toute une journée de la maison. Égimé pouvait s'aveugler tant qu'elle le voulait. Saraï ne dormait pas.

Oh! que non! Mais cela ne valait pas mieux que d'être morte.

Le lendemain, Saraï n'avait toujours pas ouvert les yeux et chacun fut de l'avis de Sililli : elle ne dormait pas.

Pour autant, Sililli, dont la peau était grise et les yeux rouges à cause du manque de sommeil, garda son secret enfoui dans sa poitrine. De ses propres mains elle avait accompli la fin du sacrilège : elle avait brûlé les paquets. Elle ne doutait pas qu'Ichbi Sum-Usur préférerait ignorer jusqu'à la fin de ses jours que sa fille était allée quérir des herbes chez une sorcière. Elle fut assez forte pour engloutir le secret de Saraï si profondément dans son cœur qu'elle parvenait à accomplir ses purifications quotidiennes et ses interminables suppliques à Inanna avec presque autant de foi et de pureté qu'auparavant.

Toutefois, pas plus que les autres, elle ne savait comment ramener Saraï parmi les vivants. Tandis qu'Ichbi Sum-Usur dépensait une fortune en offrandes qu'il déversait sur les autels de tous les dieux et déesses qui pouvaient se soucier du bonheur de la famille, Sililli tenta de ne pas laisser Saraï mourir de faim et de soif avant que l'on puisse vaincre l'œuvre des enfers.

Elle confectionna de la bouillie d'orge et de l'eau de pêches. Avec une patience infinie, munie d'une cuillère de bois, elle déposait la bouillie dans la bouche de Saraï. Parfois, dans une secousse pareille à un hoquet, la gorge l'aspirait. Le plus souvent, elle y demeurait jusqu'à ce que Sililli la retire avec ses doigts.

Égimé, venue l'épier depuis le seuil de la chambre, ne put s'empêcher de lui conseiller d'un ton aigre de s'en tenir à l'eau de pêche.

— Tu vas finir par l'étouffer, avec ta bouillie! À quoi bon nourrir quelqu'un qui dort?

— À ce qu'il rêve longtemps, répliqua Sililli sans se laisser émouvoir.

Au crépuscule, Ichbi Sum-Usur entra dans la chambre de Saraï avec le devin qui avait dressé l'augure de son devenir d'épouse.

Le *barù* se fit expliquer par le menu la manière dont Saraï était entrée dans l'inconscience. Du mieux qu'elle put, Sililli décrivit ses cris et ses souffrances. Le *barù* la questionna sur les jours et les heures qui avaient précédé ce terrible moment. Sililli tut la vérité sans trop craindre d'égarer la science du *barù*. Après tout, le devin possédait ses propres instruments pour démêler le vrai du faux, c'était là sa tâche et ce pourquoi on le payait.

Le devin fit apporter dans la chambre de Saraï des foyers, des copeaux de cyprès, des huiles, des lampes, ses tablettes d'argile finement écrites, des foies, des cœurs et des poumons de mouton, que l'on disposa sur des tables d'osier au pied du lit de Saraï. Après quoi il réclama la solitude et la clôture de la porte.

Il y demeura jusqu'au cœur de la nuit. Il apparut si soudainement sur le seuil de la pièce fortement éclairée qu'il réveilla ceux qui attendaient sur la terrasse. Ichbi Sum-Usur poussa un cri qui acheva de terrifier les femmes. Le *barù* leva les mains pour les calmer et, d'une voix où perçait l'étonnement, il déclara :

— La fille d'Ichbi Sum-Usur a les yeux ouverts. Elle ne dort plus.

Sililli se précipita la première. Le devin avait dit vrai. Saraï s'était même assise sur sa couche, tremblante comme une feuille. Elle eut une ombre de sourire en reconnaissant Sililli, puis se laissa retomber sur le dos.

Sililli lui attrapa les mains, suppliant Ea le Grand Puissant pour qu'elle ne laisse pas, dans la confusion de son réveil, échapper un mot qui puisse la compromettre. Mais Saraï demanda seulement :

— Qu'est-ce qu'il m'est arrivé ?

Sililli serra Saraï contre elle, chuchotant déjà dans son oreille qu'elle savait tout, qu'il fallait surtout se taire, quand la voix du *barù* annonça :

— Je l'ai dit déjà et l'extispicine le confirme. La fille d'Ichbi Sum-Usur plaît à Ishtar. La Puissante de la Guerre la réclame. La fille d'Ichbi Sum-Usur est faite pour le temple. Elle devra renoncer au sang des épouses, ou elle mourra.

Deuxième partie

Le temple d'Ishtar

La Sainte Servante

Ils étaient une centaine, debout dans la grande cour du temple, parfaitement alignés sur quatre rangs. Une centaine d'hommes jeunes, revêtus d'une cape de cuir, la lance et le bouclier à la main. La frise d'or, insigne des officiers, encerclait leur casque de cuir, invisible dans la nuit finissante qui masquait tout autant leurs visages. Autour d'eux veillaient les sculptures immenses d'Enki et d'Ea, celle de Dumuzi, le dieu mort et ressuscité, ancêtre de tous les Puissants Ancêtres d'Ur. Et, luisante de tout son or malgré l'obscurité, celle d'Ishtar, la Dame de la Guerre.

Ils étaient là, immobiles, attendant ce moment depuis le crépuscule.

Les feux de naphte qui éclairaient les murs et les escaliers de la ziggurat s'éteignirent l'un après l'autre. Un bref instant, la nuit fut à nouveau entière, seulement faite de ses étoiles et du lait des dieux. Puis le ciel s'éclaira doucement. La lumière du jour effaça les étoiles. Sur les casques des jeunes officiers, les frises d'or commencèrent à briller. Leurs yeux aussi brillaient, douloureux d'immobilité.

Alors, tout là-haut, les colonnes sacrées, les plaques de lapis-lazuli, les encorbellements de bronze et les reliefs d'argent de la Chambre Sublime captèrent le premier rayon de soleil.

Un soupir vibra dans l'air. Le vacarme des trompes et des tambours des prêtres jaillit. Sur la plate-forme du temple, les

103

chanteuses d'Ishtar, vêtues de toge pourpre, lancèrent leur plainte :

> *Ô Dame illustre,*
> *Étoile de la clameur guerrière,*
> *Reine de tous les lieux habités, toi qui ouvres tes*
> *immenses bras de lumière...*

La gorge râpeuse de ferveur, les jeunes officiers unirent leurs voix à celles des chanteuses :

> *Toi qui fais se battre entre eux les frères affectionnés,*
> *Toi qui fais chanceler les dieux et dont la seule vue*
> *effraie les vivants,*
> *Accorde-nous ta grâce,*
> *Ô bergère des multitudes...*

Les grandes portes du temple s'ouvrirent. Tirés par des attelages de quatre chevaux, deux gros chariots avancèrent dans la cour, encadrant un taureau qu'une dizaine de soldats maintenaient entre leurs lances abaissées. Une perruque d'agate et de cristal reposait entre les cornes de l'animal, un tapis parsemé d'anneaux de cuivre, de grains de bronze et d'ivoire recouvrait ses flancs.

Lentement, au même rythme que le soleil qui maintenant descendait l'Escalier du Ciel, les chariots et le taureau vinrent se placer devant les guerriers.

Elle apparut alors sur la plate-forme sacrée.

Son diadème surmonté de trois fleurs d'or au cœur de cornaline la rendait méconnaissable. Sa toge, blanche, serrée par une ceinture d'or en forme d'épis d'orge entrelacés, soulignait la beauté de sa taille. Un imposant collier aux perles de turquoise, aux boules d'or et de bronze pesait sur sa poitrine. C'est à sa démarche que Kiddin la reconnut.

Il était là, au tout premier rang des jeunes officiers. Et c'était bien elle, oui, aussi belle et stupéfiante qu'on la lui avait décrite : Saraï, la Sainte Servante du Sang !

Sans s'en rendre compte, il frappa de sa lance contre son bouclier. Cent mains l'imitèrent. Le taureau, transi par le vacarme, beugla.

Saraï s'avança entre les chanteuses et les prêtres. Ses pas semblaient posés non sur la plate-forme mais sur le choc sourd des boucliers. Les paumes en avant, elle recueillit le chant qui jaillissait des gorges ardentes :

> *Ô Étoile de la clameur guerrière,*
> *Lueur céleste qui flamboie contre les ennemis,*
> *Ô colérique Ishtar, ruine des arrogants !*

Une supplique de chair et de sang qui cherchait à faire trembler le ciel tandis que le soleil, de son mouvement éternel, atteignait les frondaisons touffues qui ceignaient la ziggurat à mi-hauteur.

Kiddin chercha à capter le regard de sa sœur. Mais entre les épais traits de khôl, les yeux de Saraï demeuraient fixes, ses prunelles sombres, lointaines. Malgré lui, dans une brève image, Kiddin compara cette femme presque inconnue à la gamine rebelle et pernicieuse qui avait failli causer la ruine de leur maison.

Depuis la demi-mort de sa sœur, sept ou huit années s'étaient écoulées, sculptant à la perfection sa taille et son visage. Jusque dans le dessin de la bouche rougie d'ambre, la hauteur des pommettes et la force des épaules, la beauté de Saraï possédait l'autorité, le feu, l'éloignement divin d'Ishtar.

Enfin le soleil atteignit les marches basses de l'Escalier du Ciel. Saraï leva les bras.

D'un coup ce fut le silence. Les prêtres suspendirent les masses sur les tambours. Les servantes cessèrent leur chant. Les guerriers retinrent les coups de leur lance et les plaintes de leur gorge. Dans le silence, chacun d'eux, la tête enflammée, vit que la toge de Saraï avait glissé, libérant son sein gauche, lumineux comme l'orbe de la lune.

Surpris, le taureau releva la tête, faisant cliqueter ses parures, roulant son œil exorbité pour mieux voir la femme en toge blanche glisser jusqu'au rebord de la plate-forme. Comme les guerriers, il tressaillit lorsque la Sainte Servante du Sang lança son appel :

Je t'invoque, Ô Ishtar, princière et puissante,
Toi que je sers dans la nuit comme sous le soleil,
Écoute ma requête,
Moi ta fille choisie,
Écoute la supplique de celle dont tu as retenu le sang,
Prononce la grâce des guerriers de Shu-Sin ton fils...

Saraï se retourna, offrant son dos au taureau et aux guerriers, offrant son visage au regard d'or de la statue d'Ishtar. Pareilles à des miroirs, les fleurs d'or de son diadème s'embrasèrent au soleil.

Toi qui chevauches les grands Pouvoirs,
Qui pulvérises les boucliers,
Prononce la grâce de ces guerriers qui ont patienté
jusqu'à ton réveil,
Écarte les blessures de leur corps,
Les larmes de la mort et la honte de l'échec.

Son appel cessa brutalement. Sa voix se tut et suspendit le temps. Le silence pesa sur les guerriers, aussi lourd que l'ombre de la ziggurat avait pesé sur eux durant la nuit.

Doucement les hanches de Saraï esquissèrent un premier balancement. Ses bras ployèrent. Ses pieds glissèrent.

Les tambours frappèrent.

Une fois encore. Et encore.

À chacun de ses pas frappant une tonalité sourde. Rythmant sa danse. La soutenant. Amplifiant la courbe de ses hanches.

Alors les guerriers frappèrent de leur lance contre les boucliers. Et crièrent : *Ilulama ! Ilulama !*

Pas après pas, dans la volte de sa danse, elle descendit vers le taureau. Le fauve, étonné, baissa le mufle, offrit la pointe de ses cornes. Saraï avança. Avança, les hanches dans la houle des tambours, dans le cri des guerriers.

Le taureau griffa le sol et gémit. Il recula, la fureur dans le poitrail, haletant. La voix de Kiddin trembla. La taille de Saraï sinuait sous les yeux du taureau. L'or de sa ceinture brillait dans les prunelles de la bête. Le désir de bondir secouait le sexe de l'animal. Le poing de Kiddin se crispa sur sa lance. Les mains de Saraï claquèrent. D'un même jet, les dix lances des soldats s'enfoncèrent dans le cou du taureau. Le sang jaillit jusque sur les jeunes officiers. Saraï récita :

> *Ô ma souveraine,*
> *Toi qui tiens le manche sacré,*
> *De ta bouche écumante*
> *Bois le sang du taureau coléreux, mange son cœur furieux*
> *Et soutiens leur combat...*

— Je n'aime pas que tu t'avances si près des cornes, gronda Sililli de sa voix des mauvais jours. Ce n'est pas utile. Je le sais : je l'ai demandé aux prêtres. Ils m'ont tous donné la même réponse : « La Sainte Servante du Sang peut demeurer sur la plate-forme tandis que l'on tue le taureau. »

Sililli avait suivi la cérémonie en silence. Maintenant qu'elle dégrafait les fibules de la toge de Saraï, elle pouvait enfin exprimer son angoisse.

— Je ne risque rien, répliqua Saraï. Ma souveraine me protège.

Une vilaine moue ourla les lèvres de Sililli.

— Un de ces jours tu auras affaire à une bête plus furieuse que les autres. Un seul coup de tête, et elle te coupera en deux.

— Pourquoi Ishtar le voudrait-elle ? Aucune prêtresse de ce temple ne lui est plus dévouée que moi. J'ai fait le compte : depuis que la guerre avec les *Gutis* a repris, j'ai offert quatre-vingt-sept fois le sang pour les officiers.

— Oh! je sais! Je sais que tu es savante en calcul comme en beaucoup d'autres choses! Mais cela n'empêche pas. Tu t'approches de plus en plus près du taureau. Il n'aime pas cela. Et moi non plus.

— Moi, cela me plaît! s'amusa Saraï en achevant de se dénuder.

La sueur luisait sur sa peau pâle. Du bout des doigts, elle en essuya quelques gouttes entre ses seins et ajouta :

— Sinon, ce serait ennuyeux. Et tous ces beaux guerriers n'éprouveraient pas tant de ferveur!

Elle rit, entra dans le bain parfumé en accentuant par moquerie le mouvement lascif de ses hanches. Sililli promit encore quelques malheurs et alla reposer le diadème d'or, le collier, la ceinture et la toge sur la statue d'Inanna qui trônait au centre de la vaste pièce.

Elles étaient dans l'une des innombrables chambres du *giparù*, l'immense résidence des prêtresses d'Inanna, jouxtant la ziggurat à l'intérieur de l'enceinte sacrée du temple. Les murs en étaient tendus de tapis, la lumière du jour y pénétrait par de grandes fenêtres arquées, des foyers y dispensaient les plus doux parfums. De l'eau, toujours pure, s'écoulait en chantant dans une suite de bassins recouverts de briques vernissées. Parfois les Saintes Servantes s'y retrouvaient ensemble pour se purifier. D'autres fois la Grande Prêtresse d'Inanna, la sœur du roi Shu-Sin, invitait l'une ou l'autre à l'y rejoindre pour bavarder en paix et se reposer des longues prières. Mais lorsque Saraï affrontait le taureau et offrait le sang aux guerriers, elle avait le privilège de s'y purifier seule.

Elle ferma les yeux, s'abandonna à la volupté dans l'eau à peine plus chaude que son corps. La dispute avec Sililli n'était pas neuve. Avec les années, Sililli ne devenait pas seulement plus ronde et plus lente. Son humeur aussi s'alourdissait, la rendait craintive là même où Saraï se sentait forte et puissante. Après tout, qu'avait à redouter la Sainte Servante du Sang la plus respectée de tout le temple?

— Tu n'as pas de raison de t'inquiéter pour moi, Sililli, dit Saraï d'une voix calme.

Elle entendit le glissement des sandales sur les briques du sol. Les doigts de Sililli, assouplis par l'onguent parfumé, se refermèrent sur ses épaules et commencèrent leur délicieux massage.

— Tu sais bien qu'il y a toujours des raisons de s'inquiéter, bougonna Sililli. Et puis il y a d'autres choses qui ne me plaisent pas dans ta manière de danser.

— S'il te plaît, ne me gâche pas le meilleur moment de la journée.

— Est-il bien utile que tu montres ton sein à ces jeunes hommes fougueux ? Crois-tu que cela les laisse indifférents ? Tu es bien assez belle pour les enflammer toute vêtue ! Point n'est besoin de faire bander leur arc plus que le taureau avant même qu'ils partent à la guerre.

Saraï n'eut pas le temps de répondre. La cloche de bronze tinta à l'entrée de la pièce et deux jeunes servantes surgirent. Dans un parfait ensemble, elles inclinèrent le buste pour annoncer d'une même voix :

— Sainte Servante, un Puissant officier souhaite que tu poses ton regard sur lui. Il a reçu ta bénédiction ce matin et veut t'en remercier.

— Tu vois, marmonna aigrement Sililli.

— Qui est-il ?

— Le fils aîné du Puissant Ichbi Sum-Usur.

Les doigts de Sililli se durcirent sur les épaules de Saraï qui rouvrit les yeux, étonnée :

— Kiddin ? Il était là ce matin ? Ma foi, qu'il attende dans la petite cour, s'il en a la patience. Je l'y rejoindrai quand je serai prête.

Il se tenait droit au milieu de la cour, sans lance ni bouclier, mais avec sa cape et son casque à feston d'or. Il lui tournait le dos, observant les servantes qui, devant les cuisines, disposaient sur des palanquins de jonc les plats innombrables du repas des idoles. Cela faisait très longtemps que le frère et la sœur ne s'étaient retrouvés face à face. Ses épaules s'étaient élargies. Saraï ne doutait pas qu'il soit devenu l'un des plus redoutables lutteurs ainsi qu'un guerrier prometteur. Quand il se tourna pour l'accueillir, sous la chevelure et la barbe abondantes, le visage et le sourire étaient ceux qu'elle avait toujours connus. Kiddin s'inclina avec tout le respect dont il était capable :

— Qu'Ea te soit gracieux, Puissante Sainte Servante !

D'une seule traite, et sans attendre son salut en retour, avec quantité de mots fleuris, il dit combien il avait ressenti la présence d'Ishtar grâce à l'invocation de la Sainte Servante du Sang, combien il se sentait protégé et encouragé, lui qui bientôt irait conduire les lances des soldats d'Ur contre les envahisseurs des montagnes.

— Et nous tous qui étions présents ce matin, nous emporterons en souvenir ton courage devant le taureau. Si nous devions faiblir dans les combats, nous nous rappellerions ta taille entre ses cornes. Nous aussi, nous mépriserons les pointes de nos ennemis.

Saraï sourit. Kiddin l'orgueilleux, le sourcilleux, le beau Kiddin, qui lustrait son corps tout autant que son rang, faisait là un immense effort pour lui plaire et même, à sa manière, se montrer humble. D'un ton qui contenait plus de distance que d'affection, elle répondit :

— Bonjour, grand frère. Je suis heureuse que l'invocation t'ait été bénéfique.

— Elle l'a été, Sainte Servante, sois en sûre.

Kiddin se redressa. Le regard qui parcourut Saraï des pieds à la tête n'avait plus rien d'humble. Ni de fraternel. C'était plutôt l'un de ces regards qui hérissaient Sililli. Un regard de jeune fauve, incendié par la beauté de Saraï et alourdi par le désir.

La main du jeune officier plongea sous sa cape de cuir. Lorsqu'il la retira, un collier de boules d'or, de cornalines et d'anneaux d'argent pendait à ses doigts.

— Accepte ce présent. Qu'il puisse souligner ta beauté, la plus grande que mes yeux aient jamais contemplée.

Le rire de Saraï sonna si fort dans la cour que les servantes se retournèrent.

— Des mercis, des mots doux, un collier... Je n'en crois ni mes yeux ni mes oreilles ! Que t'arrive-t-il, Kiddin ? La perspective du combat te parfumerait-elle le caractère, très cher frère ?

Les lèvres de Kiddin se retroussèrent, telles des babines sur des crocs.

— Nous ne sommes plus des enfants ! Le temps des chamailleries est révolu. Voici maintenant de nombreuses lunes que tu fais briller le nom de notre père dans ce temple, et je t'en sais gré. Peut-être ai-je été injuste à ton égard. Qui aurait pu deviner que la main d'Inanna présidait à tes caprices ? Tu as raison, cependant : j'ai le devoir d'être humble devant toi. Mes mots et mon présent sont sincères. Et ma fierté est grande : comme tous dans notre maison, j'ai appris la nouvelle, Sainte Servante du Sang.

À nouveau, il fléchit le buste avec respect, la main tendue pour que Saraï saisisse le collier qu'elle n'avait toujours pas effleuré. Elle se contenta de froncer le sourcil pour demander.

— La nouvelle ?

— Oh !... Tu ne sais pas encore ? Le fait est que notre père n'en a eu connaissance qu'hier. Notre Puissant souverain t'a désignée. Tu seras son épouse sacrée dans la Chambre Sublime au prochain mois des semailles.

La surprise coupa le souffle de Saraï. Kiddin s'enhardit. Il avança d'un pas, déposa le collier dans les mains de sa sœur. La voix pleine d'excitation il murmura :

— Ne sois pas étonnée. Nous espérions ce choix depuis longtemps. Qui peut, mieux que toi, prétendre à cet honneur ? Il n'est pas de prêtresse dans tous les temples d'Ur, d'Eridou ou même de Larsa, en qui le sang des épouses ne coule depuis si longtemps. Sept années ! Sans parler de ta beauté... Jamais Inanna n'a été si présente et si puissante en une prêtresse. Aujourd'hui que la guerre s'annonce, nulle autre que toi ne peut mieux remplacer la Dame de la Guerre dans la couche sacrée du roi.

Saraï voulut dégager ses mains, mais Kiddin les retint.

— L'honneur que tu fais à notre maison est immense. Et moi, je n'aspire qu'à devenir ton égal. Lorsque tu te seras unie à lui, le Puissant Shu-Sin me confiera l'une de ses quatre armées. Je mériterai cette distinction, moi aussi. Grâce à ta bénédiction de ce matin, dès mes premiers combats, je me battrai comme un lion. Songe, ma sœur, à ce que représentera bientôt notre lignage dans Ur! Toi, la Prêtresse de la Chambre Sublime, et moi, le Taureau des armées.

— Nous n'en sommes pas là, répliqua froidement Saraï. Le choix du roi n'est pas encore certain. Méfie-toi des rumeurs. Dans le temple, les paroles volent plus vite que les mouches!

— Oh! que non! Tu peux être certaine de ce que je te dis. D'ailleurs, je suis ici pour te transmettre le désir de mon père : il souhaite ta présence dans notre maison. Il a embelli de neuf notre temple afin qu'il soit digne de la Sainte Servante du Sang. Il souhaite que tu accomplisses les premières offrandes aux nouvelles statues de nos ancêtres.

Kiddin perçut l'hésitation de Saraï. Sans effort, il retrouva un ton ancien qui n'avait plus rien de tendre ni d'humble :

— Nul ne comprendrait que tu refuses. Depuis que tu vis dans ce temple je ne me souviens pas que tes pieds aient foulé notre cour plus de trois fois. Si tu ne venais pas saluer nos ancêtres, ce serait un affront pour nous, les morts et les vivants.

Quelques jours plus tard, Saraï pénétrait dans la maison d'Ichbi Sum-Usur, suivie de Sililli et des servantes qui l'avaient escortée. Toute la maisonnée était réunie dans la cour de réception. Son père et son frère se tenaient devant les tantes, oncles et cousins, les servantes, les jardiniers, les esclaves. Les membres de la famille avaient revêtu des toges d'apparat, ourlées de glands et de broderies, des perruques et des bijoux.

S'avançant sur les nattes et les tapis recouverts de pétales, Saraï mesura à quel point Kiddin avait raison. Cela faisait si longtemps qu'elle n'avait franchi les portes de ce palais qu'elle en reconnaissait à peine les murs. Ichbi Sum-Usur avait fait décorer les salles communes encadrant la cour de massives colonnes sur lesquelles le soleil formait des ombres géométriques. Chacune d'elles supportait de splendides bas-reliefs de briques vernissées où la vie des dieux était inscrite en une dizaine de scènes. Les couleurs, les formes et la subtilité des modelés étaient remarquables : on aurait cru que les Puissants du ciel allaient sauter dans la cour, aussi vivants que des humains.

Ichbi Sum-Usur, lui aussi, avait pris du relief. Des bourrelets repoussaient sa toge à la taille et un double menton gorgé de satisfaction achevait la courbe de ses bajoues. Une lourde perruque huilée remplaçait sa chevelure naturelle. La joie de revoir sa fille bien-aimée était sincère. Avec douceur et une déférence qu'elle ne lui connaissait pas, il plia le buste devant Saraï, offrant ses paumes au ciel, en une marque de respect qu'elle ne lui avait vu accorder qu'aux plus puissants. Ses yeux se voilèrent d'émotion.

— Sainte Servante du Sang, sois la bienvenue dans ma maison. Qu'Enlil, Ea et la Dame de la Lune en soient remerciés.

Tandis que leur père prononçait ces mots, Kiddin inclina le buste profondément ainsi que le reste de la maisonnée. En l'honneur de son nouveau rang, la hache symbolique des officiers du roi était glissée dans sa ceinture. Lorsqu'il se redressa, un sourire aussi blanc que le sel sous le soleil illuminait sa sombre barbe.

Saraï s'approcha de son père. Elle saisit ses mains entre les siennes, les porta à son front et s'inclina à son tour.

— Mon père ! Ici je ne suis que Saraï, ta fille. Autrefois c'est ainsi que tu m'appelais : « Ma fille bien-aimée ».

Elle ne put continuer. Arrachant dans un sursaut ses mains aux siennes, Ichbi Sum-Usur s'écarta.

— Non, non, Sainte Servante ! Cela ne se peut ! Aujourd'hui Ea seul est ton père et Inanna ta douce mère.

Moi, Ichbi Sum-Usur, je ne suis que le modeste vivant qui t'a conduite dans cette vie pour qu'ils puissent te désigner.

Saraï ouvrit la bouche pour protester, mais Kiddin la devança :

— Mon père a raison !

Il ajouta, d'une voix assez forte pour que tous puissent entendre :

— La fille et la sœur que nous connaissions sont mortes il y a plus de sept années, au cours de ces journées où Ishtar lui a fait connaître le ciel des Puissants, ces journées où elle a dormi d'un sommeil qui n'était pas humain. Celle qui a rouvert les yeux est pour toujours notre bien-aimée Sainte Servante du Sang. Ce serait offusquer les Puissants du ciel que de la nommer autrement.

La poitrine de Saraï s'emplit d'un froid aussi glacial que le vent d'hiver. Elle fut sur le point de rappeler à Kiddin les termes qu'il avait lui-même employés quand il était venu lui demander audience au *giparù*. N'avait-il pas prononcé ces mots qu'il interdisait maintenant à tous : « Saraï », « ma sœur », « ma très chère sœur » ?

Cependant, elle retint sa protestation. Si Kiddin manquait de sincérité, il n'en allait pas de même de son père et de tous ceux présents dans cette cour. Ceux-là la contemplaient avec un respect intense et craintif.

Oui, pour eux elle était la chair de la Déesse de la Guerre ! L'enfant capricieuse, la rebelle qu'il fallait surveiller avait disparu. Les dieux l'avaient désignée. La tristesse serra sa gorge. De sa vie, jamais elle ne s'était sentie aussi seule.

Avec résignation, jusqu'à ce que le soleil atteigne le zénith, elle fit ce que l'on attendait d'elle. Le temple était décoré de neuf, des autels de bois précieux y étaient dressés, recouverts de pétales, prêts à accueillir de nouvelles statues des ancêtres. Elle prononça les prières et chanta les louanges des défunts, brûla les parfums, reçut des offrandes et en retourna. Tout cela avec une indifférence machinale qui passa pour le détachement ordinaire d'une prêtresse habituée à ces cérémonies. De temps à autre, elle devinait le contentement de son père et de la maisonnée. Elle s'obligea à y trouver une manière de satisfaction.

Lorsque enfin le soleil fut au zénith, ils revinrent dans la grande cour. Les tables et les coussins d'un banquet y avaient été dressés. La tradition voulait que chacun des membres de la famille s'installe pour un repas auquel les statues des ancêtres seraient conviées comme des parents après un long voyage. Tant qu'elles n'auraient pas pris place parmi les vivants, ne se seraient pas servies en abondance des mets les plus riches, nul ne serait autorisé à boire ou à toucher la moindre nourriture.

Chacun s'assit selon son rang. Des servantes disposèrent un siège pour Saraï au centre d'une petite estrade, entre Ichbi Sum-Usur et les tantes. Dès qu'elle fut assise, une étrange immobilité saisit chacun. Personne ne dit mot. La maison se pétrifia comme si elle était peuplée de statues. Seul le vol des oiseaux, en faisant glisser ici et là des ombres vives, rappelait que la vie continuait.

Un frisson parcourut la nuque et les épaules de Saraï. Ses doigts tremblèrent, elle les referma discrètement sur ses paumes. Une onde douloureuse, pareille à de la peur, serpenta dans ses reins.

Ses yeux soudain ne voyaient plus les visages tendus de ses parents installés aux tables du banquet. Ils voyaient cette estrade qu'on avait dressée ici même, en un jour lointain. Elle n'entendait plus le pesant silence de l'attente des ancêtres. Elle entendait le vacarme des chants des époux. À ses pieds, peut-être à l'endroit où elle était assise aujourd'hui, elle voyait le bassin d'eau parfumée. Elle se regardait, nue devant son père et celui qui la voulait pour épouse. Elle crut ressentir à nouveau sur sa peau le contact de l'eau huileuse tandis qu'elle y pénétrait, le désespoir au cœur.

Il y avait si longtemps! Si longtemps qu'elle n'avait plus songé à tout cela! Si longtemps qu'elle ne rêvait plus d'un *mar. Tu* qui viendrait l'emporter loin d'Ur par la seule puissance d'un baiser!

115

Un long grincement, pareil à une plainte, la fit sursauter. La grande porte de la maison s'ouvrait enfin. Portés sur des palanquins de jonc, peints de frais et resplendissants, les cinq ancêtres d'Ichbi Sum-Usur apparurent.

De la taille d'un homme, ils étaient accroupis sur des coussins pourpres, noir et blanc. Les boucles de leur perruque se balançaient sur leurs épaules, leurs toges présentaient un plissé parfait. Leurs visages sévères portaient les rides de l'âge et leurs regards, d'ivoire et de lapis-lazuli, paraissaient percer l'âme des vivants aussi sûrement que des flèches. Chacun d'eux tenait d'une main une gerbe dorée d'orge, de blé ou d'épeautre, de l'autre, une faucille ou des tablettes d'écriture.

On avait rarement vu statues d'ancêtres si parfaitement réalisées. Un murmure impressionnant parcourut la cour. L'immobilité trop longtemps maintenue se brisa telle une gangue. Les mains et les bras se levèrent, jaillirent avec ferveur les chants d'accueil.

> *Ô Pères de nos pères,*
> *Semence de la terre humide,*
> *Sperme de nos destins,*
> *Ô nos pères bien-aimés...*

Ichbi Sum-Usur et Kiddin se dressèrent, le visage rouge, le regard étincelant, les mains tendues. Les esclaves approchèrent les palanquins jusqu'à l'estrade. Ils déposèrent avec précaution les statues entre les brûle-parfums. Et Saraï, derrière eux, aperçut son visage et reconnut ses lèvres.

Tout se déroula avec une lenteur qui ne relevait pas des lois naturelles. En réalité cela ne dura que le temps d'un éclair.

Deux hommes pénétrèrent dans la cour, quelques pas derrière les ancêtres. Quand les statues furent déposées, ils s'immobilisèrent. L'un était âgé, l'autre dans la puissance de la jeunesse. Ils portaient la robe grège, en lin épais, des *mar.Tu*. C'est cela qui attira l'attention de Saraï. Le plus âgé avait un visage parsemé de rides. La peau de ses mains était blanchie par le pétrissage de la terre. Leurs postures étaient révérencieuses, un peu inquiètes, même. Le buste raide, les sourcils froncés, le plus jeune jetait autour de lui des coups d'œil plus étonnés qu'admiratifs. Ses yeux se posèrent sur les bas-reliefs ruisselants de soleil. Puis se tournèrent vers l'estrade. Des yeux bruns, transparents. Ils s'arrêtèrent sur Kiddin, sur Ichbi Sum-Usur. C'était lui.

Il paraissait ne pas oser croiser son regard, admirant seulement sa toge, sa silhouette. Elle ne se rendit pas compte qu'elle avançait doucement sur l'estrade. Une voix au-dedans d'elle répéta : « C'est lui, je le reconnais. »

Il était plus grand, ses épaules étaient plus larges, son cou plus épais. Sa barbe, finement bouclée, un peu brillante sous le soleil, découvrait sa bouche. La voix dit : « Je reconnais ses lèvres, c'est bien lui. »

Il leva les yeux jusqu'aux siens, intrigué, ne la reconnaissant pas, cependant incapable de détourner le regard.

La voix au-dedans d'elle répéta : « Ce sont ses lèvres. Elles n'ont pas changé et moi, je ne les oublierai jamais. Mais lui, comment pourrait-il me reconnaître ? »

Les chants et la musique se muèrent en un vacarme douloureux. Elle songea qu'elle l'appelait, à travers tout ce bruit : « Abram ! Abram ! Abram, je suis Saraï... »

Il tressaillit. Le vieil homme l'observa avec crainte.

Alors une main se referma sur le bras de Saraï.

— Que fais-tu ?

Kiddin la tira en arrière sans ménagement. Elle se rendit compte qu'elle était tout au bord de l'estrade. Ses pieds touchaient presque l'une des statues. Dans la cour, les visages se tournaient vers elle, alarmés.

Elle continua de dévisager Abram. Elle devina un sourire sur ses lèvres. Il la reconnaissait. Elle en était certaine.

— Qu'est-ce qu'il te prend ? grondait Kiddin.

— Comment oses-tu porter la main sur la Sainte Servante, mon fils ? s'inquiéta Ichbi Sum-Usur.

— Qui sont ces deux *mar. Tu,* là, dans la cour ? Que font-ils ici ? demanda Kiddin sans répondre.

— Ce sont le potier et son fils. Ils ont moulé les statues. Du si bon travail que je les ai autorisés à accompagner nos ancêtres jusqu'au temple.

Saraï n'écoutait qu'à peine. Peut-être n'avait-elle pas prononcé le nom d'Abram à haute voix. Pourtant, il l'avait entendu.

— Qu'ils quittent la cour ! ordonna Kiddin en désignant les étrangers.

— Mon fils !

— Fais ce que je te demande, mon père. Que ces *mar. Tu* quittent notre maison sur-le-champ !

Abram comprit le geste de Kiddin. Il saisit le bras de son père pour l'entraîner vers la porte. Alors qu'ils allaient disparaître, à haute et intelligible voix Saraï prononça son nom : « Abram ».

Cette fois Kiddin et Ichbi Sum-Usur l'entendirent. Mais son père, emporté par la puissance de la cérémonie, les chants et la musique, tendait déjà à sa fille les premières écuelles des offrandes.

Avant de les saisir, Saraï considéra Kiddin encore vibrant de fureur. D'une voix calme, elle déclara :

— Ne t'avise jamais de porter la main à nouveau sur moi, fils d'Ichbi Sum-Usur, ou le sang du taureau pourrait bien devenir le tien.

Sililli, aussi plaintive que si le toit du temple lui était tombé sur les épaules, débitait ses sornettes : « Tu es folle, Kiddin ne te pardonnera jamais cet affront... Le *mar. Tu* est de retour et les malheurs arrivent déjà... Je croyais que tu avais changé, que tu avais oublié ! Pourquoi les dieux ne t'ont-ils pas ôté les souvenirs ? »

Rien de ce qui s'était passé dans la cour d'Ichbi Sum-Usur ne lui avait échappé. Néanmoins, jusqu'à leur retour au temple, elle avait su garder la bouche close. Ce n'est que lorsque Saraï lui avait demandé son aide que le torrent de plaintes et de terreurs s'était déversé.

Patiemment, Saraï lui prit les mains et, sans élever la voix, répéta sa demande : que Sililli trouve les tentes des *mar.Tu*, remercie le potier Terah pour la beauté des statues.

— Dis-lui que je regrette la brutalité de Kiddin et l'affront qu'il leur a fait. Dis-lui que moi, la Sainte Servante du Sang, en compensation, j'invite son fils Abram à partager mon repas de l'aube, après-demain.

Sililli roula des yeux.

— Tu ne peux le faire venir ! C'est un blasphème de faire entrer un *mar.Tu* ici ! Tu vas souiller le temple ! Que se passera-t-il si les autres l'apprennent ? Je le sais : la Grande Prêtresse le dira au roi. Et ç'en sera fini, il ne voudra plus de toi dans la Chambre Sublime.

— Cesse tes sottises et fais marcher ta cervelle ! s'exaspéra Saraï. Il est très normal qu'un potier vienne au temple. Il en est tous les jours qui apportent leurs ouvrages.

— Mais pas ici, dans le *giparù*. Pas pour partager le repas d'une prêtresse. Kiddin a raison, tu vas nous conduire tout droit au malheur.

Saraï s'écarta, glaciale, le visage dur et hautain comme elle l'avait parfois devant le taureau.

— Très bien. Je me débrouillerai sans toi.

D'un geste, elle ordonna à Sililli de la laisser seule. Mais Sililli ne bougea pas. Ses doigts boudinés essuyèrent les larmes qui perlaient à ses paupières. D'une voix à peine audible, tremblante et lasse, elle demanda :

— Que vas-tu lui dire, à ton *mar.Tu* ? Que le sang ne coule plus entre tes cuisses depuis sept années ? Même les *mar.Tu* veulent des femmes au ventre plein.

Saraï rougit comme si la servante l'avait giflée. Mais Sililli n'avait pas l'intention de se taire :

— Tu n'as pas encore compris ? Sainte Servante du Sang, voilà ce que tu es. Et tu le resteras pour toujours. Ici, on te veut telle que tu es. Ici, on te respecte et on t'envie. Les guerriers t'aiment car ils espèrent que, grâce à toi, ils ne saigneront pas au combat. Mais hors de ce temple, Saraï, tu n'es qu'une femme au ventre sec.

— Tu n'as pas le droit de me parler ainsi.

— Je le prends. Je le peux. Je suis celle qui s'est tue pour toi pendant toutes ces années. Je suis celle qui a brûlé les herbes de la sorcière. Une fois déjà, les dieux t'ont pardonné. N'exige pas trop d'eux.

La douleur déformait les traits de la servante. La colère de Saraï s'effaça aussi brusquement qu'elle était venue. Dans un élan oublié depuis longtemps, elle s'accroupit près de Sililli, l'enlaça et posa sa joue sur son épaule.

— Je ne demande qu'à le voir et à l'entendre une seule fois, chuchota-t-elle. Une seule fois. Pour savoir si lui aussi a pensé à moi durant toutes ces années.

— Et après ?

— Après, tout sera comme avant.

Saraï crut qu'il ne viendrait pas. Sililli n'avait rapporté aucune réponse à son message :

— Il m'a regardée comme si j'étais une vieille folle. Ce qui signifie que lui au moins est sensé. Il a simplement attendu que je parte. Son père m'a remercié, et c'est tout.

Il était convenu que Sililli l'attendrait à la nuit tombante à la porte ouverte dans le mur d'enceinte, à l'arrière du *giparù*. C'était un passage étroit et sans faste qu'empruntaient d'ordinaire ceux qui conduisaient les bêtes, les chariots de grain et toutes les fournitures nécessaires aux offrandes. Aux premières heures du jour, nul ne remarquerait un *mar.Tu* parmi la foule affairée des serviteurs et des esclaves.

Discrètement, dans la nuit et avec l'aide réticente de Sililli, Saraï avait disposé des lampes, des coussins et des plateaux de nourriture dans l'une des pièces aveugles où l'on entreposait les toges et les parures de rechange à l'approche de la grande cérémonie des semailles. On y accédait par un étroit couloir ouvert dans l'énorme mur entourant le *giparù* et que seules les servantes utilisaient. Une fois qu'Abram serait là, il suffirait à Sililli de se poster dans le couloir, ainsi personne ne pourrait les surprendre.

Mais maintenant, alors qu'elle patientait entre ces murs borgnes, Saraï doutait. Dans le long silence de son attente, il lui fallait bien reconnaître que Sililli disait la vérité sur bien des points. Des vérités cruelles qu'elle tentait d'ignorer comme on veut ignorer une douleur lancinante et sans remède.

Pourtant, aujourd'hui comme autrefois, alors qu'elle n'était encore qu'une jeune fille convaincue qu'un baiser d'Abram la purifierait pour le reste de sa vie d'épouse, elle espérait de leur rencontre une manière de miracle.

Non, elle n'avait pas menti à Sililli. Peut-être lui suffirait-il d'apprendre que, durant toutes ces années, lui non plus ne l'avait pas oubliée.

Mais s'il ne venait pas ?

Elle repoussa cette question. Elle devait être patiente. Peut-être le temps passait-il plus lentement qu'il lui semblait et que dehors le soleil n'était qu'à peine levé.

Le frottement des sandales la fit sursauter. Il était là, debout dans la lumière mobile des lampes à huile.

Il y eut un bref moment d'embarras. Puis il s'inclina avec cérémonie. Ses premiers mots furent pour s'excuser de ne pas savoir comment on devait saluer une Sainte Servante du Sang dévouée aux offrandes d'Ishtar.

Sa voix n'avait pas changé. Il avait toujours son accent de *mar.Tu*. Elle répondit :

— Avec beaucoup de respect et encore plus de crainte.

Ils rirent tous les deux. Un rire comme Saraï n'en avait pas eu depuis longtemps, pareil à de l'eau fraîche et qui dissipa un peu de leur gêne.

Ils prirent place sur les coussins, une table basse entre eux. À l'exception des cheveux et de la barbe qu'il avait plus fournis, il n'avait guère changé. Sa bouche était toujours aussi belle, aussi parfaite. Ses pommettes peut-être plus saillantes. Un visage d'homme décidé et qui déjà avait affronté des épreuves.

Saraï versa de l'infusion de thym et de romarin dans des gobelets de cuivre et dit :

— J'ai craint que tu n'oses pas venir.

— Mon père et mes frères ne le voulaient pas. Ils sont effrayés à l'idée que ma présence ici soit un blasphème. Ils ont peur de ton père et de ton frère. C'est ainsi chez nous, les *mar.Tu* : nous craignons beaucoup de choses.

Elle se souvenait de son ton plein d'assurance. S'y ajoutait maintenant une moquerie paisible, la distance d'un homme qui pesait la force des pensées avant de les faire siennes. Il but une gorgée et ajouta :

— J'ai quitté nos tentes au milieu de la nuit, sans qu'ils me voient. J'ai pris des poteries dans le four de mon père afin que l'on croie que je les apportais au temple. Je les ai données à ta servante. Mon offrande à ta déesse !

Saraï sentit son cœur battre plus vite. Ces mots étaient comme la première lueur d'une promesse : lui aussi trichait et mentait pour elle.

— La dernière fois, au bord du fleuve, il t'avait aussi fallu te cacher pour emporter de la nourriture et des peaux.

Abram hocha la tête avec un petit sourire.

— Oui... Il y a si longtemps...

— Mais tu ne l'as pas oublié.

— Non.

L'embarras revint d'un coup. L'un et l'autre mangèrent des dattes et des gâteaux au miel. Abram montrait un appétit tout à fait sincère. Saraï éprouva un plaisir étrange, neuf et troublant, à le voir accomplir ces gestes simples. Au-dessus du col de la tunique, à la naissance du cou, la peau d'Abram lui parut d'une finesse extrême. Elle eut envie d'y poser les doigts.

Elle dit :

— Ce matin-là, les soldats m'ont retrouvée et m'ont reconduite dans la maison de mon père.

Elle laissa fuser un petit rire.

— Il était très en colère. Cependant, quelques lunes plus tard, j'ai pu m'échapper à nouveau. Je suis allée jusqu'à vos tentes. Je voulais... te remercier pour ton aide. Mais on m'a appris que ta famille n'était plus là.

— Nous étions partis vers le nord, et nous y sommes restés.

Abram raconta comment, après avoir conduit les troupeaux dans l'immense centre de l'impôt royal, à Puzri-Dagan, Terah avait décidé de s'installer à Nippur pour vendre ses poteries.

— Là-bas, il y a des temples partout. Les Puissants veulent de nouvelles statues de leurs ancêtres chaque année, s'amusa Abram.

Tandis que l'atelier de son père prospérait, lui et ses frères, Harân et Nahor, avaient fait croître des troupeaux de petits bétails pour le compte des grandes familles de Nippur. En trois ou quatre ans, leur prospérité, due tout autant à l'élevage qu'aux poteries de son père, avait suffisamment crû pour qu'ils puissent prétendre posséder leurs propres troupeaux. Le nombre de bêtes augmenta tant qu'après chaque échéance de l'impôt à Puzrish-Dagan ils déplaçaient les troupeaux d'une ville à l'autre, d'Urum à Adab, longeant les pentes des montagnes où l'herbe était grasse et abondante.

— Mon père Terah est devenu le chef de notre tribu. Une grande tribu : plus de cinq cents tentes... Mais, l'hiver dernier, la guerre a repris avec les gens de la montagne. Les *Gutis* se sont approchés d'Adab. Ils ont pillé les maisons et les entrepôts, volé les troupeaux. C'est toujours ainsi : qu'une guerre éclate entre les villes et l'on commence par voler nos bêtes et par violer nos femmes. Nul ne nous vient en aide. Nous ne sommes pas faits pour la guerre : mon père a décidé de revenir à Ur.

À nouveau il eut ce sourire amusé qui lui plissait les yeux :

— Les Puissants d'Ur sont très heureux de notre retour. Ils aiment beaucoup les poteries du *mar.Tu* Terah, comme ton père !

— Elles sont belles. Moi aussi, je les aime.

Abram avala une datte en riant et agita la main comme si ses mots n'étaient que fumée. Le sourire dansant encore dans ses yeux, il demanda :

— Et toi, pendant tout ce temps tu es devenue la plus belle des femmes et pourtant aucun Puissant d'Ur ne t'a prise pour épouse ?

Saraï sentit sa gorge s'assécher et le sang brûler ses joues. Ainsi était Abram. Il la prenait au dépourvu, répondait aux questions avant qu'on les lui pose et allait droit au but. Elle avait songé aux phrases qu'elle lui dirait. Maintenant, elles paraissaient toutes empester le mensonge.

Les paroles de Sililli résonnèrent dans sa tête : « Même les *mar.Tu* veulent des femmes au ventre plein ! » Le sien était vide, et l'était depuis si longtemps qu'elle doutait de revoir le sang couler entre ses jambes. Mais pouvait-elle expliquer à Abram qu'elle avait bu les drogues d'une *kassaptu* parce qu'elle était désespérée de n'avoir pas reçu un baiser de lui ? Qu'elle n'était encore une enfant furieuse et incapable de mesurer la portée de son geste ?

Elle finit par bafouiller :

— Non, nul ne peut épouser une servante d'Ishtar.

Le visage d'Abram se glaça. Évitant son regard, en quelques mots, Saraï lui raconta sa « maladie » peu après leur rencontre, comment le devin avait compris la signification de son séjour dans les enfers et l'avait conduite ainsi à devenir une fille du temple.

Il l'écouta sans ciller tandis qu'elle expliquait, avec une certaine fierté, comment pendant cinq longues années elle avait appris le savoir des prêtresses, l'écriture sur les tablettes, les poèmes et les chants, la danse, la préparation des offrandes et enfin la soumission du taureau.

— Le taureau ? s'étonna-t-il.

Ce fut sa seule interruption.

— Oui, c'est cela, être Sainte Servante du Sang : c'est saluer le taureau avant que l'on offre son sang à la Déesse de la Guerre.

Elle expliqua comment le sang du taureau qui coulait devant les guerriers partant au combat les protégeait d'une blessure et de la mort. Les dieux, leur soif étanchée, insufflaient un peu de leur toute-puissance dans les bras des humains qui leur avaient destiné cette offrande. Elle omit de dire que la prêtresse était vierge de toutes menstrues, sèche comme la poussière sous les pieds d'un vainqueur.

Lorsqu'elle se tut, Abram demeura un moment pensif. Puis il hocha la tête et demanda :

— Vous versez le sang du taureau pour plaire à vos dieux afin qu'ils vous soutiennent ? Et si les guerriers que vous affrontez font de même ? Comment vos dieux peuvent-ils choisir de soutenir l'un ou l'autre camp ? Peut-être soutiennent-ils les deux ennemis, et n'y a-t-il ni vainqueur ni vaincu ? Peut-être ne soutiennent-ils personne ? Alors seul le plus fort ou le plus rusé gagne ? Pendant que les dieux digèrent vos offrandes...

L'ironie était revenue dans sa voix, plus froide et plus dure. Saraï l'interrompit avec tendresse :

— Non ! Tu ne comprends pas : les dieux des Puissants d'Ur ne sont les dieux de personne d'autre ! Nul autre que nous ne peut les invoquer !

— Et tu crois, toi, que tes dieux t'ont emmenée dans les enfers ? Qu'ils t'ont ainsi désignée pour que tu danses devant les guerriers jusqu'à la mort d'un taureau que mes frères et moi auront patiemment élevé ?

Saraï hésita. La sagacité d'Abram l'impressionnait. De fait, comment croire elle-même à l'affirmation du devin et des prêtres alors qu'elle savait la vraie cause de sa maladie ? Sililli, toujours prête à voir la présence des dieux en toute chose, était elle aussi plus que circonspecte sur ce sujet.

Elle répondit :

— Je ne sais pas. Parfois, je pense que j'ai seulement été malade. Mais les prêtres affirment que ce sont les dieux qui

125

décident de nos maladies et de nos guérisons. Et c'était... C'était une maladie peu ordinaire. Qui peut savoir ce que veulent les dieux ?

— Oui. Qui peut savoir ?

Abram eut une moue sceptique. Il mangea et but à nouveau, pensif et silencieux. Le regardant faire, Saraï songea qu'elle aimait chacun de ses gestes. Elle aimait ses doigts lorsqu'ils enveloppaient le gobelet de cuivre, sa poitrine lorsqu'il respirait, le jeu des muscles de ses épaules sous la tunique. Le désir qu'il la touche, qu'il la caresse et l'effleure ainsi qu'il le faisait des objets et de la nourriture, le désir du baiser demeuré enfoui pendant des années dans ses rêves lui revint brutalement.

Soudain, Abram dit :

— Qui peut savoir si ces dieux existent ? Ceux des Puissants d'Ur comme ceux de toutes les villes que j'ai visitées. Cela fait tant et tant de dieux ! Presque autant qu'il y a d'hommes sur la terre. Où sont-ils ? Quelle preuve a-t-on de leur présence ? Comment savoir s'ils aident les humains ou s'ils les menacent, puisqu'en chaque chose on dit qu'ils agissent. On attribue une raison à chacun de leurs actes comme à leur silence. Une pierre tombe sur un âne et le tue : les dieux le veulent. Pourquoi ? Si nul ne le sait, eux le savent, ou leurs prêtres. Une femme meurt en couches, son enfant meurt en naissant ? Les dieux le veulent. Pourtant cette femme est pure comme l'eau de source, son enfant à peine né. Où est la justice ? La bonté des dieux ? Pourquoi cette souffrance ? Les prêtres soutiendront que l'époux ou le père de l'époux, l'oncle ou je ne sais qui, a un jour manqué de saluer un Puissant. Ou a eu une mauvaise pensée. Ou a mangé du mouton alors que la lune était cachée... Et voilà, la raison de la colère du dieu est établie !

Sa voix avait enflé et résonnait dans la petite pièce. Prenant tout à coup conscience de sa brutalité, il s'interrompit avec un grand rire :

— Pardonne ces paroles en ce lieu, Sainte Servante ! Peut-être la foudre d'Ishtar m'abattra-t-elle quand je sortirai d'ici...

Il laissa filer un silence, comme s'il voulait qu'Ishtar elle-même entende son rire et réponde. Peut-être aussi pour donner à Saraï le temps de s'offusquer, de protester, qui sait de le chasser. Elle demeura impassible. Abram se pencha alors en avant, sérieux à nouveau.

— La ville d'Urum est construite au bord d'un fleuve aussi large que l'Euphrate et que l'on appelle le Tigre tant il sait être violent. Là-bas, j'ai rencontré un vieil homme qui en a remonté les rives jusqu'à sa source, loin dans les montagnes du nord. Il cherchait des pierres précieuses. Il n'a rapporté que du cuivre et des diorites. Mais il a rencontré de l'autre côté des montagnes des peuples qui n'étaient pas des barbares et qui croyaient en un seul dieu. Un dieu qui n'aurait eu qu'une tâche et qu'une volonté : enfanter le monde pour l'offrir aux hommes.

Saraï maintint son regard dans le sien, doutant de comprendre ce qu'il voulait lui dire avec ce conte. Un doux sourire assouplit les lèvres d'Abram :

— Un dieu qui aime assez les humains pour ne pas obliger ses prêtresses à danser entre les cornes des taureaux. Et qui leur permet de prendre un époux.

Une onde de feu traversa le ventre de Saraï. Elle s'inclina, la nuque et les épaules raides :

— Jamais je n'ai pu oublier ton visage ni notre nuit passée au bord du fleuve, Abram. Tu as été dans mes pensées et dans mes rêves, pourtant je croyais ne plus jamais te revoir. Je ne connaissais de toi que ton nom, Abram. Mais dès notre nuit au bord du fleuve j'ai voulu que tes lèvres se posent sur les miennes et me protègent pour le restant de ma vie. Rien de cela n'a changé. J'ignore la volonté des dieux. Je n'ai pas réfléchi comme toi à leurs injustices et à leurs pouvoirs. Parfois, il me semble sentir leur présence, parfois non. Mais je sais que j'ai failli mourir parce que je n'ai jamais reçu ton baiser.

Abram, d'une voix changée, douloureuse, répondit :

— Un *mar.Tu* n'embrasse pas la fille d'un Puissant d'Ur... Harân, mon frère cadet, a trouvé une épouse à Adad. Un fils lui

127

est né. Il est rare chez nous qu'un cadet soit époux et père avant son aîné. Il ne se passe guère de jour sans que mon père s'inquiète de ma solitude.

Saraï parvint à sourire :

— Je ne suis plus la fille d'Ichbi Sum-Usur. Il me l'a confirmé. Je ne suis plus la sœur de mon frère. Je ne suis qu'une servante d'Ishtar.

— Un *mar.Tu* n'embrasse pas une servante d'Ishtar que nul n'a le droit d'épouser.

La bouche et la voix de Saraï tremblèrent :

— Dans trois lunes, lors de la grande fête des semailles, notre roi Shu-Sin ouvrira mes cuisses, là-haut, dans la Chambre Sublime. Il couchera avec moi comme un époux, comme la Dame de la Lune s'est unie à Dumuzi le Puissant. Et moi, j'ai toujours besoin de ton baiser pour me protéger.

La stupeur figea Abram avant que la colère ne le mette debout, tremblant.

— Vous êtes fous ! s'exclama-t-il. Vous autres, Puissants des villes, vous êtes fous !

Il saisit les épaules de Saraï, pétrifiée.

— Comme oses-tu faire une chose pareille ?

Elle n'eut pas le temps de répondre. Sililli appelait :

— Saraï, Saraï !

Elle surgit sur le seuil de la pièce, les regarda d'un air ébahi. Abram lâcha Saraï et fit un pas en arrière. Sililli l'attrapa par la manche de sa tunique :

— Vite, vite, il ne faut pas rester ici. Kiddin est dans la grande cour de réception. Il demande à être reçu par la Sainte Servante du Sang, il parle aux prêtres.

Abram se dégagea sèchement de l'emprise de Sililli.

— De toute façon, il était temps que je m'en aille.

— Non, attends ! protesta Saraï. Il n'est pas question que je reçoive mon frère. Il n'a rien à faire ici.

— Les jeunes servantes te cherchent partout ! s'écria Sililli. Si elles ne te trouvent pas, on va se douter de quelque chose. Tu dois te montrer.

128

— Moi non plus, je n'ai pas ma place ici, fit Abram.

— Abram...

— Je remercie la Sainte Servante de son hospitalité et lui souhaite d'être puissante dans ce temple.

Son salut fut aussi sec, cruel et amer que son ton. Il tourna le dos et fut dans le couloir avant que Saraï ne réagisse. Sililli, le visage navré, murmura :

— Je te l'avais dit. Il ne fallait pas. Les dieux ne le veulent pas.

Le châle de la vie

Ainsi était l'homme qu'elle aimait.

Débordant de pensées, de fougue et de révolte ! Un homme courageux, combatif et beau. Qui l'aimait sans le dire avec des mots, mais qui le montrait avec jalousie et fureur.

Et désormais sans plus d'espoir.

Dans les jours qui suivirent, Saraï ne cessa de penser à Abram. Elle ne trouvait pas le sommeil. Alors que l'on annonçait les troupes des barbares des montagnes de plus en plus proches de la ville et que le temple, du matin au soir, bruissait des invocations et des chants, s'embrumait des fumées des parfums et regorgeait d'offrandes, elle accomplissait ses devoirs de Sainte Servante sans émotion. Prétextant le besoin d'une purification extraordinaire pour plaire à Ishtar, elle demeurait seule le plus possible. Elle ordonna à Sililli de taire ses jérémiades et ses conseils de vieille femme craintive.

— Le *mar.Tu* est reparti sous sa tente. Nous ne nous reverrons plus. Si tu sais te taire, demain, je ne me souviendrai plus même de son nom.

Qu'elle la crût ou non, Sililli se le tint pour dit. Cependant, d'avoir prononcé ces mots avait ouvert le cœur de Saraï au désespoir. Rien n'était plus juste : Abram avait refusé de lui donner ce baiser qu'elle attendait. Elle n'avait plus rien à espérer de lui. Il avait condamné tout à la fois les lois d'Ur, les dieux et le bonheur qu'ils pouvaient prendre l'un de l'autre, même en secret. Le mieux était de l'oublier. Cela devrait être facile : il y avait si peu à oublier. Une rencontre lointaine sur les bords du fleuve, quelques mots, un peu de présence dans une chambre borgne.

Il ne lui restait plus qu'à servir Ishtar selon les règles qu'on lui avait enseignées, sinon avec dévotion. Il lui restait à attendre que le Puissant Shu-Sin dresse son sexe entre ses cuisses dans la Chambre Sublime. Sans la pensée d'Abram pour la protéger. Sans le souvenir de son baiser pour repousser la peur et le dégoût.

Abram avait raison de la condamner pour ce qu'elle allait accepter : la volonté d'hommes qui prétendaient qu'elle n'était plus une femme, une fille ou une sœur, mais un ventre sacré sans autre destin que la soumission.

Seulement Abram ignorait ce qui faisait d'elle une servante de la Dame de la Guerre : un ventre sec. Et cette vérité énoncée par Sililli : même un *mar.Tu* voudrait une épouse au ventre fécond !

Si les dieux avaient le pouvoir de punir les humains, la punition de Saraï s'accomplissait depuis longtemps.

Dans la plus grande obscurité, sans pouvoir dormir, comme si elle allait d'un instant à l'autre basculer pour la seconde fois de sa vie dans la fosse des enfers, Saraï demeurait les yeux grands ouverts.

C'est ainsi que la troisième nuit de ce supplice, elle entendit un frottement léger. Puis d'autres. Une faible lumière passa devant sa porte, s'éloigna dans le couloir.

Sans un bruit, prenant garde à ne pas réveiller Sililli, Saraï s'enveloppa d'une toge laineuse et se glissa dans le couloir, juste assez pour voir la lumière disparaître sur la droite en direction de la grande cour.

Elle connaissait assez cette partie du *giparù* pour se diriger dans le noir. Les mains en avant, palpant les briques des cloisons, il ne lui fallut qu'un instant pour parvenir sous les colonnades de la grande cour. Là, des torches éclairaient en permanence l'entrée des cuisines et la porte menant à l'Esplanade Sublime. Au-dessus du temple, comme chaque nuit, les perles des feux de naphte illuminaient les escaliers et les terrasses de la ziggurat.

D'abord elle ne vit ni n'entendit rien.

Puis deux ombres parurent bouger dans l'angle de la cour opposé aux cuisines. Saraï songea à appeler des gardes. Les *Gutis* pouvaient-ils être déjà si près d'Ur qu'ils envoyaient leurs espions jusque dans le temple ?

L'une des ombres se dressa. Elle hésita. S'il s'agissait des barbares, ils auraient le temps de la massacrer avant l'arrivée des gardes. La peur lui piqua les reins.

Les deux ombres hésitaient elles aussi, prêtes à s'enfuir. Saraï entendit un chuchotement. C'était son nom que l'on prononçait : Saraï !

Elle s'avança avec précaution. L'ombre agita la main. Un nouveau chuchotement. Son cœur battit plus fort : elle reconnaissait la voix.

— Abram ? Abram, c'est toi ?

L'une des deux ombres dévoila une lanterne de poterie qu'il tenait masquée derrière lui et l'éleva jusqu'au visage de son compagnon.

— Abram, que fais-tu ici ? souffla Saraï, stupéfaite.

Il lui saisit les mains. À ce simple contact, un frisson pareil à la fièvre parcourut la nuque de Saraï.

— Voici mon frère Harân, dit-il. Je suis venu te chercher, si tu le veux.

— Me chercher ?

— Les *Gutis* n'arrivent pas là où les Puissants d'Ur les attendent. Ils sont plus rusés que cela. Ils ont embarqué sur les bateaux des Huhnurs, avec qui ils ont fait alliance. Demain, ils seront sur le fleuve et débarqueront dans la ville basse.

— Puissant Ea !

L'exclamation tira un sourire à Harân. Il était un peu moins grand qu'Abram, plus rond de visage et de corps, avec des yeux rieurs.

— Tu as raison de l'invoquer, Sainte Servante. Les Puissants d'Ur vont avoir besoin de son aide.

Abram fronça le sourcil pour faire taire son frère. Il serra plus fort les mains de Saraï et, parlant bas et vite, lui expliqua que leur père et toute la tribu avaient démonté les tentes. Afin de mettre les troupeaux hors de portée des *Gutis*, ils avaient quitté les parages de la ville depuis deux jours déjà, en direction du nord.

— Harân a accepté de rebrousser chemin avec moi...

— Parce que Abram m'a assuré savoir entrer dans ton temple et s'y diriger, murmura Harân en élargissant son sourire. Y entrer, nous l'avons pu. Mais nous diriger dans ce labyrinthe, c'est autre chose ! Si tu n'étais venue à nous...

— Harân ! protesta Abram. Nous n'avons pas le temps d'écouter tes moqueries. Veux-tu me suivre, Saraï ?

— Te suivre ? Mais...

— Veux-tu devenir mon épouse ? Vivre avec moi sous la tente des *mar.Tu*. Abandonner le luxe du temple, tes dieux et ton pouvoir ?

— Et affronter la mauvaise humeur de notre père, ne put s'empêcher d'ajouter Harân. L'union de son aîné avec une fille de Puissant l'effraie.

Abram eut un hochement de tête agacé.

— Harân dit la vérité. Au début, tu ne seras peut-être pas la bienvenue pour tous.

Harân esquissa une courbette :

— Mais quand ils découvriront ta beauté, ils feront comme moi. Ils comprendront mieux l'obstination d'Abram. Et ils seront jaloux de son bonheur.

Saraï l'écoutait à peine. En un éclair, toutes les pensées contradictoires qui l'avaient tourmentée ces derniers jours l'assaillirent. Le bonheur, la crainte d'un blasphème, la joie pure d'entendre la demande d'Abram, le tourment du secret qui ne franchissait pas sa gorge, tout se mélangeait.

— Abram...

— Attention, quelqu'un vient! souffla Harân.

Un homme avançait d'un pas vif dans la cour, une lance dans une main, une torche dans l'autre, la cape de cuir battant ses jambes et le casque luisant sur son front.

— Il nous a vus! grogna Abram.

— Cachez-vous, murmura Saraï. Ce n'est qu'un garde. Je vais lui ordonner de quitter la cour.

Mais à peine s'était-elle approchée que Saraï vit luire les feuilles d'or sur le casque. La torche s'abaissa quelque peu, éclairant mieux le visage de l'officier :

— Kiddin!

— Oui, Sainte Servante. C'est moi qui garde les portes du *giparù* depuis trois nuits. Je savais que ton regard sur le *mar.Tu*, l'autre jour, ne serait pas sans effet. Comment ai-je pu croire que tu avais changé? Se passe-t-il un seul jour de ta vie sans que les démons s'agitent dans ton cœur?

— Je n'ai pas à écouter tes insultes, fils d'Ichbi Sum-Usur. Tu n'es plus mon frère, souviens-toi. Et tu n'as rien à faire ici.

Le rire de Kiddin vibra, plein de morgue.

— Que vas-tu faire, Sainte Servante? Appeler la garde à l'aide? les prêtres? Tu veux leur montrer qui tu as introduit dans le temple, jusque dans la cour sacrée de la Grande Prêtresse?

— Calme ta colère, puissant officier, dit la voix d'Harân dans le dos de Saraï. Nous allons partir. Dans un instant, la nuit et ce temple ne se souviendront plus de notre passage. Inutile de réveiller les bonnes gens qui dorment.

Comme par magie, un long bâton était apparu dans sa main. Abram, lui, serrait un fouet de berger à longue lanière de cuir contre sa cuisse. Il s'approcha de Saraï, tranquillement, dédaignant Kiddin aussi bien que s'il n'existait pas.

— As-tu décidé, Saraï? demanda-t-il.

Elle sourit.

— Oui. Je n'attendais que tes paroles. Je te suivrai aussi loin que tu voudras de moi.

134

— Ah! c'était donc cela! gronda Kiddin. Alors que les ennemis d'Ur approchent de la ville, la Sainte Servante du Sang trahit Ishtar! Comment oses-tu?

Kiddin pointa son arme sur eux, les yeux exorbités de rage.

— Je vais vous massacrer, tous les trois. Votre sang purifiera cette cour que vous souillez...

Il leva le bras droit, la lance dirigée vers la poitrine d'Abram. D'un bond, Harân fut à sa hauteur, abattant son bâton sur la hampe. Abram saisit le poignet de Saraï et la tira en arrière. Kiddin lança sa torche sur la poitrine d'Harân, qui para le coup, prenant appui sur son bâton.

Avec un grognement de joie, Kiddin fit tournoyer son arme. La lourde hampe frappa Harân à hauteur des côtes, l'obligeant à mettre un genou au sol. Au même instant Saraï vit le bras droit d'Abram s'élever et la langue de cuir se déployer dans l'ombre. Tout sembla se passer en même temps. Le bronze étincelant de la lance déchira la chair d'Harân. La lanière du fouet siffla et claqua. Kiddin porta les mains à son visage. Le cri d'Harân se fondit dans celui de l'officier. La tunique d'Harân était rouge, le sang coulait entre les doigts de Kiddin.

Abram se précipita pour relever son frère. La pointe avait ouvert sur sa poitrine une blessure noire et longue comme la main.

— Ce n'est pas profond, geignit Harân. Ça va aller.

Kiddin était à genoux, le souffle rauque. Sa main droite cherchait à saisir de nouveau son arme. Saraï la repoussa d'un coup de pied. La lanière du fouet avait déchiré le visage de Kiddin de bas en haut, lui emportant œil et paupière. Saraï n'en ressentit ni compassion ni satisfaction. D'une voix dure elle dit :

— Inutile de mourir pour moi, fils d'Ichbi Sum-Usur. Meurs plutôt pour tes dieux, ta ville et ton lignage. Moi, il y a déjà longtemps que je ne suis plus des vôtres.

Derrière elle Abram déchirait le haut de sa tunique pour panser la blessure d'Harân. Kiddin se remit debout, la barbe rougie de sang, son œil valide agrandi par la haine. Saraï, d'une façon fugace, songea à l'œil des taureaux devant qui elle dansait. Elle leva une main.

— Écoute-moi, je vais te faire un don plus important que ma mort et celles des *mar.Tu*. Les *Gutis* vous tendent un piège. Ils n'arriveront pas de l'est, où sont postées les troupes du Shu-Sin, mais sur des bateaux huhnurs qui accosteront demain dans la ville basse. Va prévenir les Puissants. Tu pourras montrer fièrement ta blessure : c'est le prix de la nouvelle que tu apportes. Tu seras un héros. Et si vous êtes assez courageux, vous sauverez la ville.

Sans s'attarder à écouter les malédictions que Kiddin déversait sur elle, Saraï conduisit Abram et Harân vers l'entrée de l'étroit couloir qui contournait le *giparù* de l'intérieur.

— Dépêchons-nous. Nous avons fait assez de bruit pour réveiller le temple.

La mèche d'une lampe troua soudain l'obscurité.

— Saraï! chuchota Sililli. Que fais-tu? Et qui sont...

Elle se tut, la bouche ouverte, en découvrant Abram et Harân, la poitrine bardée d'un linge rouge.

— Grand Ea!

Saraï posa doucement les doigts sur sa bouche.

— Je pars, Sililli. Je pars avec Abram. Je quitte le temple et la ville. J'épouse Abram le *mar.Tu*.

Sililli repoussa la main de Saraï. Sa bouche tremblait, silencieuse pour une fois.

— Vite, les pressa Abram. Il nous faut passer la porte du sud avant que les gardes ne nous en empêchent.

— Et que je ne sois plus en état de courir, souffla Harân.

— Tu pars, tu quittes, tu épouses... fit Sililli d'une voix presque enfantine. Et moi? Qu'est-ce que je vais devenir? Y as-tu seulement pensé? Leur colère va retomber sur moi!

Saraï caressa d'un geste plus tendre la joue de Sililli.

— Tu peux me suivre.

— Mais décide-toi vite, ordonna Abram.

Sililli prit cependant le temps de l'observer comme si elle ne l'avait jamais vu. Puis son regard se posa sur la poitrine d'Harân où le sang maintenant suintait à travers l'étoffe.

— Vivre sous les tentes des *mar.Tu*! Ô Puissant Ea, protège-moi! soupira-t-elle.

— Sois prudente. Sous les tentes des *mar.Tu*, il est fort possible qu'Ea ne puisse rien pour toi, grimaça Harân.

— Oh! ça, je m'en doute! répliqua Sililli. Mais toi, mon garçon, tu ferais mieux de garder ton souffle et ton sang si tu veux pouvoir fuir.

À l'adresse de Saraï et d'Abram, elle ajouta :

— Filez vers la petite porte. Je vais passer prendre des linges et des herbes pour le panser plus efficacement lorsque nous serons hors du temple.

Ils quittèrent Ur, cachés dans le chargement d'une barque dont Abram avait grassement payé les rameurs. Après avoir remonté le courant du fleuve pendant une dizaine d'*ús*, ils se firent débarquer sur la rive opposée. Là, un chariot léger, aux ridelles de jonc et de nattes, attelé de deux mules, les attendait.

Dès que ce fut possible, Abram, craignant les contrôles royaux, quitta la grande route qui remontait vers Nippur. Attelées tour à tour, les mules s'engagèrent dans les sentiers des troupeaux qu'elles connaissaient bien. Ils ne prirent aucun repos. Abram et Saraï parfois descendaient du chariot pour alléger son poids. La main dans la main, sans un mot, ils marchaient côte à côte.

Saraï songea alors que ses épousailles commençaient. Ils ne s'étaient pas encore embrassés, cependant elle n'osait pas provoquer ce baiser. Il viendrait à son heure.

Elle se souvint de leur rencontre au bord de l'Euphrate, lorsque Abram lui avait saisi la main pour la conduire sous la dune où il avait allumé un feu. Il avait dit alors, la moquerie dans la voix : « Ce n'est pas tous les jours que les filles des Puissants d'Ur se perdent dans les joncs au bord du fleuve. Je pourrais te conduire sous la tente de mon père. Mais il croirait que je lui amène une épouse, et mes frères seraient jaloux. »

À présent il s'agissait bien de cela : Abram l'emmenait sous la tente de son père. Demain il serait son époux. La nuit interrompue de leur rencontre enfin se poursuivait.

Ils parvinrent au campement dans le milieu du jour suivant.

La tribu de Terah était devenue si nombreuse que le rassemblement des tentes faisait songer à une petite ville.

D'abord, on accorda moins d'attention à Saraï qu'à Harân. Les herbes et les soins de Sililli avaient limité la fièvre, mais pas la souffrance. Cependant, après que l'on eut enduit sa plaie, après avoir bu le vin épicé qui allait le faire dormir, il désigna Saraï, en retrait. Dans un sourire pâle, il annonça :

— Voici l'épouse de mon frère Abram et réjouissez-vous de son obstination. Ce n'est pas qu'elle soit née parmi les Puissants d'Ur qui nous honore, nous, les bergers-sans-ville, mais sa beauté et son courage. Croyez-moi, c'est une promesse d'avenir qui nous vient avec elle.

Saraï baissa la tête sous le compliment. Le regard d'Abram s'embruma de reconnaissance envers son frère.

Elle en comprit encore mieux le poids lorsque Abram la conduisit devant Terah. De près, il avait l'air plus vieux qu'elle ne l'avait imaginé dans la cour d'Ichbi Sum-Usur. Ses yeux étaient clairs et froids. Ses lèvres fines accentuaient la dureté de son expression. Néanmoins, malgré les rides, la chevelure et la barbe blanchissantes, il se dégageait de lui une puissance devant laquelle même Abram ployait la nuque.

Il observa Saraï sans tendresse. De toute évidence, la beauté et le courage de la femme choisie par son fils ne le charmaient guère. Après un silence qu'il fit durer plus que nécessaire, il déclara :

— Mon fils a décidé que ce serait toi. Il n'est pas d'usage qu'une fille de Puissant mélange son sang au nôtre, mais je respecterai la volonté d'Abram. Chez nous, chacun est libre de ses choix comme il est responsable du poids de ses erreurs. Sois la bienvenue.

Sans plus d'effort d'amabilité il entra sous sa tente.

Saraï se mordit les lèvres. Abram dit tout bas :

— N'en veux pas à mon père. Il n'aime que ce qu'il connaît. Il changera d'avis en te connaissant mieux.

Abram se trompait. Ce n'était pas la mauvaise humeur de Terah qui soudain glaçait le bonheur de Saraï, mais la pensée de ce sang que le vieux *mar.Tu* craignait de voir mélangé au sien. Alors qu'en vérité son ventre ne contenait pas la moindre goutte de ce pouvoir de vie.

Maintenant moins que jamais, elle se sentait capable de dévoiler son secret. Peut-être, peut-être l'amour d'Abram posséderait-il le pouvoir d'effacer la sécheresse déposée en elle ?

Abram la conduisit sous la tente des femmes. Les enfants accoururent, piaillant et riant. Les jeunes femmes scrutèrent Saraï sans cacher leur curiosité et, pour certaines, une évidente jalousie. Mais les plus âgées la fêtèrent sans embarras. L'une d'elles, minuscule, la peau fine et lisse malgré son âge, entraîna Saraï sous la grande tente des mères. Les autres suivirent.

Pour la première fois Saraï vit la lumière chaude que diffusaient les toiles des tentes. Elle découvrit l'odeur suave des peaux et des tapis qui en recouvraient le sol, les coffres en bois peint, les bijoux qui pendaient aux mâts.

La vieille femme ouvrit un coffre. Elle y prit un tissu de lin fin, aux mailles ajourées, brodé de laines de couleur, incrusté d'éclats d'argent. S'approchant de Saraï, elle tendit le tissu en souriant.

— Bienvenue, Saraï, future d'Abram. Mon nom est Tsilla. La mère d'Abram est morte depuis longtemps et, quand il l'a fallu, je l'ai remplacée. Chez nous, l'époux et l'épouse s'unissent avec plus de simplicité que là d'où tu viens. On mange de l'agneau devant la tente de l'époux, on boit de la bière et du vin en écoutant la flûte et parfois quelques chansons de bon augure. L'épouse porte une simple robe et ce grand châle qui la recouvre entièrement. Il est vieux et précieux : il a recouvert plus de cent femmes. Il a entendu leurs soupirs et leurs craintes, leur bonheur ou leur déception. Nous, les femmes, nous l'appelons le châle de la vie.

Elle se tut. Tout autour, les femmes observaient Saraï avec une sévérité amicale qui lui rappela les visages des jeunes servantes quand elles la préparaient à affronter le taureau. Elle sourit, les yeux brillants de bonheur. Tsilla hocha la tête et sourit en retour.

— C'est bien, approuva-t-elle. Il faut porter le châle de la vie avec ces yeux-là ! Lorsque tu seras sous la tente, seule avec ton époux, avant qu'il ne soulève le châle, tu n'auras qu'une chose à faire. Tu devras tourner autour de lui, à la distance d'un bras, trois fois dans un sens, puis trois fois dans l'autre. Pour le reste, Abram t'enseignera...

Un gloussement fusa, le rire enfla sous la tente, roula d'une bouche à l'autre, jusqu'à celle de Saraï.

Il en fut ainsi que l'avait dit Tsilla.

Saraï entra sous la tente recouverte du châle de la vie. Son cœur battait jusqu'à ses lèvres. À travers les mailles lâches, dans les lumières des lampes, elle voyait le visage plein de désir d'Abram.

Les cuisses et le ventre douloureux de son propre désir elle tourna autour de lui. Trois fois dans un sens, trois fois dans l'autre. Puis s'immobilisa. Elle entendait le souffle d'Abram malgré les rires et la musique de la flûte à l'extérieur.

Il s'approcha et dit son nom :

— Saraï, ma bien-aimée.

Il s'approcha encore et à travers le châle posa un baiser sur ses lèvres. Saraï se mit à trembler.

Abram saisit le rebord du châle, le souleva sans qu'elle fît un geste. Ils se regardèrent pendant que sa main se levait jusqu'à la tempe de Saraï, que ses doigts glissaient le long de sa joue, sur sa nuque. Elle cessa de trembler. Il sourit.

Il fit glisser sa robe, la mit nue. Il recula comme s'il craignait de la toucher. Une plainte passa sa bouche. Sa tunique tomba d'un coup. Et lui aussi fut nu, le sexe brandi.

Saraï leva la main pour poser ses doigts sur la peau si fine à la naissance du cou. Le sang y battait si fort que ses doigts tressaillirent. Abram haletait, frissonnant sous la caresse. Saraï sentit son sexe frapper à petits coups contre son ventre. Alors ses genoux plièrent. Abram s'allongea avec elle sur les tapis, ses lèvres sur les siennes, partageant le même souffle, la même plainte de bonheur. Et ce baiser qui enfin la protégerait jusqu'au dernier de ses jours.

Troisième partie

Harran

Les larmes de Saraï

Longeant l'Euphrate, la tribu de Terah remonta vers sa source en suivant la route du commerce avec les barbares du nord. Ils avançaient lentement afin que les troupeaux paissent avec régularité, sans s'épuiser. Chaque nuit, le bonheur de Saraï et d'Abram fut aussi brillant que le feu des étoiles. Saraï se plia à la simplicité et aux obligations de la vie des *mar.Tu* avec une aisance qui stupéfia Terah lui-même. En moins d'une saison, celle qui avait été fille de Puissant et Sainte Servante d'Ishtar, toujours entourée d'esclaves et de serviteurs prêts à exaucer ses moindres caprices, mangeant et buvant ce que d'autres mains préparaient pour elle, abandonna les toges aux ourlets d'or, les bijoux somptueux, les maquillages et les coiffures savantes sans montrer le moindre regret. Avec autant de naturel que les femmes nées sous les tentes, elle revêtit une modeste tunique, noua une tresse de laine rouge et bleue dans ses cheveux et dormit sous la tente. Avec la même facilité, elle apprit à broyer les céréales, cuire la viande et les pains ou préparer la bière. La seule chose qu'elle conserva de son ancienne vie fut son adresse, acquise auprès de ses tantes, à carder et à filer finement la laine pour la teinter de poudre, à la grande admiration des autres femmes du campement.

Bientôt ils quittèrent le royaume d'Akkad et de Sumer, avec ses villes puissantes et riches mais si méprisantes pour les *mar.Tu*. À l'approche des montagnes du nord, ils croisèrent des marchands d'Ur. Saraï apprit la mort de Kiddin, massacré par les *Gutis* alors qu'il défendait les murs de la ville. Elle songea à la peine de son père, Ichbi Sum-Usur, qui rêvait de la gloire de son fils. Elle songea aux rues d'Ur, à la maison de son enfance envahie peut-être par les barbares. Mais sa tristesse ne dura pas. Son enfance était déjà si loin et le regard d'Abram la protégeait de tout!

Elle découvrit la neige, le froid, les jours entiers sous les peaux de mouton, où elle oubliait la glace du dehors en faisant l'amour avec Abram jusqu'à ruisseler de sueur. Jamais son époux ne s'étonnait que sa semence n'arrondisse pas le ventre de son épouse. Jamais il ne montrait d'impatience à avoir un fils ou une fille. Rien ne parvenait à amoindrir le bonheur qu'ils éprouvaient à l'aube de chaque jour en se découvrant côte à côte.

Le malheur arriva d'un coup, un après-midi gris et glacé. Afin de raccourcir leur marche, et malgré les avertissements de son père, Harân voulut traverser une rivière à un gué incertain. Un chariot transportait son fils Loth et son épouse Havila, ainsi que de lourds paniers de grain. Le froid était si intense que la glace recouvrait les pierres émergées. Les roues glissèrent sur un rocher, s'effondrant dans un trou. Aussi robuste que fut le chariot, il ne put résister à la puissance du courant et commença à se disloquer. Les mules affolées luttèrent en vain contre le poids qui leur brisait les reins. Loth et sa mère hurlèrent de terreur tandis qu'Harân et Abram se précipitaient dans l'eau.

Abram, le visage déjà bleu de froid, parvint à saisir la main de Loth. Des hommes firent la chaîne pour les hisser hors de l'eau. Mais la blessure d'Harân, infligée par Kiddin lors de leur lutte dans le grand temple, se rouvrit sur un éclat de roue brisée. Ne pouvant empêcher Havila de se noyer sous le chariot renversé, Harân se laissa emporter par le courant furieux, en se vidant de son sang.

Il fallut deux jours de marche le long de la rivière pour retrouver son corps. Le soir de l'enterrement de Harân et de Havila, alors que les pleurs et les chants cessaient enfin, Terah et Abram demandèrent à Saraï de s'occuper de Loth comme s'il était son fils.

Étrangement, ce fut après ce drame que Tsilla commença à s'inquiéter de ce que le ventre de Saraï ne grossissait pas. On s'étonna aussi de ne jamais voir Saraï laver le linge souillé par ses règles. Afin d'écarter la suspicion, Sililli tâcha des draps avec le sang des bêtes qu'elle subtilisait lors de l'abattage. Elle fit en cachette des monceaux d'offrandes à ses dieux. Elle apporta des herbes et demanda à Saraï de tourner autour des arbres les nuits de pleine lune, de s'enduire les cuisses de pollen, de manger du serpent ou de dormir avec, contre son sexe, une bourse contenant du sperme de taureau. Il n'y avait guère de lune sans que la bonne Sililli n'invente un nouvel espoir. Mais Saraï refusa bien vite de se livrer à ces inutiles magies, autant par répugnance que par crainte d'être découverte par Tsilla ou l'une des femmes du camp.

Cependant, si le désir d'Abram ne s'amoindrissait pas, s'ils dormaient dans la même couche plus souvent que bien des couples, Saraï, comme tous, mesurait un peu plus chaque jour la dureté qui croissait dans le cœur de son époux.

Lorsqu'ils parvinrent à Harran, Terah, judicieusement, décida d'y arrêter leur marche. Ici, les troupeaux pouvaient paître à satiété et des convois traversaient la ville en permanence, transportant le bois du nord vers les puissantes cités du royaume d'Ur. Tout cela enrichissait à foison les commerçants d'Harran, qui ne tardèrent pas à apprécier les statuettes de Terah. De ses doigts agiles, il moulait mille corps et visages d'idoles selon les caprices de ses clients. Pas une statue ne ressemblait à une autre, pas un dieu qui fût semblable.

Les commandes affluèrent si bien qu'il fut décidé qu'Abram travaillerait aux côtés de son père. Mais à la lune suivante, engendrant une violente dispute, Abram refusa de déposer des offrandes devant les dieux de Terah ou sur l'autel d'aucun autre. De ce jour, l'aigreur entre le père et le fils ne cessa de croître. Terah évita de parler avec sa bru. L'humeur de la tribu tout entière changea. Saraï surprit de plus en plus souvent des regards lourds et insistants. Elle baissait les paupières car, en vérité, elle aussi pensait que l'humeur mauvaise d'Abram venait de son ventre plat.

Aujourd'hui, il arrivait qu'elle se dresse en pleine nuit sur sa couche, écoutant le souffle d'Abram à son côté. Que se passerait-il si elle le réveillait et lui disait la vérité ? Comprendrait-il sa terreur d'enfant ? Comprendrait-il à quel point elle l'avait aimé, déjà, pour s'en remettre aux sortilèges de la *kassaptu* ? Les mots pouvaient-ils remplacer le vide de son ventre ?

Elle en doutait si fort qu'elle se contentait de lui caresser la nuque, s'allongeant à nouveau près de lui, les yeux grands ouverts et le silence lui gelant la poitrine.

La boule de laine serrée dans une toile de lin s'éleva dans le ciel. Les enfants hurlèrent de joie. Quand elle retomba au sol, ils se précipitèrent dans une mêlée furieuse. Comme chaque fois, Loth fut le premier à s'extraire de l'amas de jambes et de bras, la balle entre les mains. Saraï, qui les surveillait, les sourcils froncés, se détendit. Elle reprit sa tâche, étalant les pièces nouvellement tissées et lavées sur des rochers chauffés par le soleil.

Un instant encore les garçons coururent en criant dans les champs d'herbe épaisse qui longeaient le campement. Puis leur jeu les entraîna plus bas, près de la rivière, de l'atelier et du four de Terah. Ils disparurent derrière le mur de brique d'où s'échappait en permanence de la fumée. Saraï songea à les rappeler, mais il était bien trop tard pour qu'ils l'entendent et elle n'avait aucune envie de leur courir après.

Elle jeta un regard aux femmes qui s'activaient autour d'elle, lavant les tissages neufs ou les pressant avec des pierres pour les essorer et les assouplir. L'une d'elles lui sourit et agita la main en direction de la rivière :

— Laisse-les faire, Saraï. S'ils dérangent Terah, il saura bien les éloigner !

— Il mettra leur balle dans son four et nous serons bonnes pour leur en fabriquer une nouvelle ! lança une autre.

Elles reprirent leur travail, frappant les toiles et les tapis au rythme des chansons qu'elles fredonnaient. Soudain, les cris des enfants se firent plus aigus, suivis d'un silence suspect. Toutes les femmes relevèrent la tête. Se massant les reins, l'une d'elles soupira :

— Ils se sont encore battus !

Loth apparut à l'angle de l'atelier de Terah, seul. Se tenant le visage entre les mains, vacillant comme un ivrogne, il commença à remonter la pente. Saraï releva le bas de sa tunique et courut à sa rencontre. À mi-hauteur de la pente, juste avant qu'elle le rejoigne, Loth tomba à genoux dans l'herbe. Le sang perlait entre ses doigts et coulait jusque dans son cou. Saraï lui écarta les mains : une vilaine coupure allait de sa tempe jusqu'à la masse touffue de ses cheveux. De la poudre de brique s'était incrustée dans la plaie. En vérité une plaie sans profondeur ni gravité mais qui saignait abondamment.

— Tu as failli te fendre la tête ! s'exclama Saraï. Ça fait très mal ?

— Pas trop, répondit Loth d'une voix blanche.

Il faisait des efforts pour ne pas pleurer mais tremblait comme une feuille.

— Ils m'ont poussé sur les tas de poteries cassées derrière l'atelier de grand-père.

Maintenant, le sang inondait sa joue et glissait sous sa tunique. Saraï défit prestement sa ceinture pour lui en entourer la tête. Au-dessus d'eux une femme demanda :

— Tu as besoin d'aide ?

— Non, cria en retour Saraï. Ce n'est pas bien grave. Juste une coupure. Sililli doit avoir des herbes.

Du bas de sa tunique elle essuya le visage de Loth du mieux qu'elle pouvait. Sous ses caresses, il ne put retenir ses larmes mais sa bouche frémissait de fierté et de colère.

— Ils étaient tous contre moi ! Pas un pour être de mon côté !

Saraï posa ses lèvres sur sa joue et murmura :

— C'est parce que tu es le plus fort. S'ils ne se mettaient pas tous ensemble pour te battre, ils ne gagneraient jamais.

149

Loth l'observa en reniflant, l'œil noir et sérieux. Le sang rougissait de plus en plus le bandage et lui donnait l'apparence d'un petit guerrier de retour du combat.

— Je suis fière de toi, affirma Saraï.

Loth grimaça un sourire. Il glissa ses bras sous la tunique qu'elle tenait toujours relevée et se serra de toutes ses forces contre ses cuisses dénudées.

— Allons sous la tente, dit-elle en se détachant avec douceur.

Sililli, bien sûr, poussa des hauts cris en les voyant arriver. Cependant, un peu plus tard, Loth, lavé et changé, arborait un gros bandage retenant un emplâtre de glaise et d'herbe pilées.

— Ne retourne pas te battre, mon garçon! ordonna Sililli en pointant un doigt autoritaire sur sa poitrine. Le bandage doit rester en place jusqu'à demain. Sinon, je te laisse saigner comme le petit goret que tu es!

Loth haussa les épaules et répliqua avec aplomb :

— C'est pas grave, Saraï me soignera, elle.

Enlaçant Saraï tandis que Sililli jouait l'offusquée, il ajouta :

— J'aime bien quand tu me soignes. Tu es aussi douce avec moi qu'avec mon oncle Abram.

Saraï rit doucement, émue, et piqua de menus baisers le cou du jeune garçon avant de le repousser.

— Écoutez-moi ça, ce petit homme gourmand! fit Sililli en lui appliquant une tape sur les fesses.

Loth sautilla jusqu'à l'ouverture de la tente. Sur le seuil, dans la pleine lumière, il se retourna pour lancer :

— C'est quand tu me soignes, que je sais que tu es vraiment comme ma mère.

Saraï, les yeux brusquement embués, lui fit signe de disparaître. Elle se mit à ranger nerveusement les sacs d'herbe et les pots d'emplâtre. Le regard de Sililli pesait sur son dos. Tandis qu'elle ramassait les linges ensanglantés par la blessure de Loth, Sililli se décida à parler :

— Tsilla m'a encore posé la question ce matin. Elle a demandé : « Il n'y a toujours rien dans le ventre de Saraï ? » J'ai répondu que non, comme d'habitude. Elle m'a demandé si Abram et toi vous dormiez souvent dans la même tente. J'ai dit : « Trop souvent à mon goût. Il ne se passe pas trois nuits sans qu'ils me réveillent du vacarme de leur plaisir ! » Ça l'a fait rire et avec elle les commères qui laissaient traîner toutes grandes leurs oreilles.

Saraï hocha la tête, en s'essuyant les joues d'un revers de la main. Sililli se rapprocha, lui reprit les linges ensanglantés des mains et ajouta, un ton plus bas :

— Tsilla a ri pour que les autres rient. Parce qu'elle t'aime bien. Tu lui as plu dès le premier jour, quand elle t'a tendu le voile de l'épouse. Elle a ri parce qu'elle aime Abram autant que moi je t'aime. Mais elle n'est pas dupe. Elle a compris. Elle sait.

L'œil à nouveau sec, Saraï domina le tremblement de sa voix :

— Comment peux-tu en être sûre ? Elle te l'a dit ?

— Oh ! non. Ce n'est pas la peine. Des vieilles comme Tsilla et moi, on n'a pas besoin de tout se dire, on se comprend. Elle pose la question tous les mois depuis que nous sommes arrivés à Harran. Même pour le sang des draps, je suis certaine qu'elle sait.

Saraï se détourna.

— Je dois retourner avec les autres, je n'ai pas fini mon travail.

Sililli la retint par le bras, décidée à ne rien lui épargner.

— Tsilla sait, mais elle bonne et douce. Elle connaît toutes les épreuves de la vie. Les autres, celles avec qui tu bats les tissages, n'ont pas cette clémence. Je lis dans leurs yeux comme un scribe lit sur une tablette de glaise. Elles pensent : Saraï est belle, la plus belle d'entre nous. Il n'est pas un homme, un mari ou un fils qui ne rêve d'avoir la fille d'Ur dans son lit et de connaître le bonheur d'Abram quand il la caresse. Oui, la jalousie brille dans leurs yeux et empoisonne leur poitrine. Mais le temps passe. Le ventre de la fille d'Ur, celle qu'Abram a choisie comme épouse contre l'avis de son père, celle qui a fait le désespoir de toutes les vierges de la tribu, ce ventre-là est toujours plat. Et je les vois qui retrouvent le sourire. Elles aussi commencent à comprendre que Saraï n'aura pas d'enfant. La beauté, oui, mais aussi la stérilité du sable du désert.

— Je sais tout cela, grinça Saraï avec fureur. Garde tes gémissements pour toi. Je n'ai besoin de personne pour voir et entendre.

— En ce cas, poursuivit Sililli, imperturbable, peut-être t'es-tu rendu compte que le caractère d'Abram a changé ? Puissant Ea, ton époux est devenu aussi sombre et renfermé qu'une cave ! Il ne joue plus avec Loth, qu'il adore pourtant comme s'il était son vrai père. Il a plus mauvais caractère que la pire de mules. Il n'est pas de lune sans qu'il se dispute avec les uns ou les autres. À commencer par son père, Terah. Ces deux-là, depuis le début du printemps, s'exaspèrent pour un rien.

Saraï repoussa la main de Sililli et avança jusqu'au soleil, hors de la tente. Sililli l'y suivit, les linges souillés toujours serrés contre sa robuste poitrine.

— Saraï, écoute-moi. Tu sais que je ne vis que pour ton bonheur. Ai-je encore besoin de te le prouver ?

Saraï demeura sans bouger. Le campement s'animait, l'heure du repas approchait. Elle songea aux pains fourrés de viande et d'herbes qu'elle avait fait cuire elle-même pour Abram, sans l'aide d'aucune servante. Une recette qu'elle avait inventée et dont elle voulait lui faire la surprise. Au lieu d'écouter les jérémiades de Sililli qui lui brisaient le cœur, elle ferait mieux d'accomplir son devoir d'épouse : aller chercher les pains, rejoindre Abram et lui donner son repas. Mais Sililli ne pouvait plus se taire.

— Voici la vérité, Saraï, ma fille : chacun craint pour la tribu. Chacun pense qu'Abram n'a pas choisi une bonne épouse. Chacun pense : « Harân, le fils de Terah, est mort, Abram bientôt deviendra le chef de la tribu. » Mais qu'est-ce

qu'un chef si son épouse ne lui donne pas de fils et de filles ?
Alors on se disputera la conduite de la famille. Alors ils se
retourneront tous contre toi.

Saraï resta silencieuse un moment encore, puis hocha la
tête :

— Je vais aller voir Abram et tout lui dire. Ce que pensent
les autres, je m'en moque. Mais ce qui n'est pas bien, c'est que
je n'ai pas encore eu le courage de lui avouer la vérité.

— Songe aux conséquences... Il te répudiera. Ou prendra
une concubine. Tu ne seras plus rien. Même s'il choisit une servante, quand elle aura sa semence et son enfant dans le ventre,
ce sera elle la mère. Toi, tu ne seras plus rien. C'est ainsi que les
choses se passent. Le mieux serait que tu défasses ce que tu as
fait. Je peux trouver des herbes, on peut essayer de faire revenir
ton sang.

— Combien de sortes d'herbes m'as-tu déjà fait prendre ?
Et sans autre effet que de me faire courir les buissons ?

— On peut essayer encore. On m'a parlé d'une *kassaptu*
puissante qui habite au bord de la ville...

— Non. Je ne veux plus de magie. Et tu te trompes.
Abram n'est pas comme les autres hommes. Il aime la vérité. Je
lui dirai pourquoi mon ventre est sec. Par amour pour lui,
depuis le premier regard entre nous. Il comprendra.

— Ce serait bien la première fois qu'un homme comprendrait la peine d'une femme ! Qu'Inanna, notre Puissante Mère
la Lune, puisse t'entendre.

Le cœur lourd, Saraï alla remplir un panier de ses pains,
d'une gourde d'eau fraîche et d'une autre de bière. Elle ajouta
des raisins et des pêches, recouvrit l'ensemble d'un fin tissu de
lin tissé par ses soins. Depuis qu'elle vivait parmi les *mar.Tu*,
c'était un des gestes qu'elle avait appris à aimer. En cet instant,
pourtant, le simple fait de suspendre le panier à son bras lui
serra la gorge.

Songeant aux regards posés sur elle, elle se redressa, quitta le campement d'un pas assuré, répondant aux sourires et aux appels comme elle en avait l'habitude.

De loin, elle vit un groupe d'enfants rassemblés autour de Loth. Malgré sa détresse, une pensée attendrie et moqueuse lui vint. Nul doute que Loth avait réussi à imposer le respect aux autres garçons. Nul doute non plus qu'elle éprouvait pour le neveu d'Abram la tendresse et la fierté orgueilleuse qu'une mère ressent pour son fils bien-aimé.

Elle descendit vers la rivière jusqu'à l'atelier de Terah. Depuis leur arrivée à Harran, Abram y travaillait avec son père. Le feu grondait dans le four cylindrique deux fois haut comme un homme. Les aides de Terah y jetaient de grosses bûches par une lucarne où l'on voyait les flammes danser. Bien qu'ils ne fussent vêtus que d'un pagne, la chaleur était telle que leurs torses ruisselaient de sueur.

Saraï hésita à s'avancer : Terah n'aimait guère que les femmes pénètrent dans l'appentis où il conservait les statues des dieux pour les polir et les peindre avant de les emporter chez ses clients. Elle héla l'un des aides, demanda qu'on appelle Abram. L'aide lui appris qu'Abram n'était pas là. Il avait quitté l'atelier tôt ce matin et personne ne l'avait revu depuis.

Saraï songea aussitôt à une nouvelle dispute avec Terah.
— Sais-tu où il est parti ?

L'aide posa la question à ses compagnons. Ils désignèrent un sentier qui traversait la rivière et remontait la pente opposée jusqu'à un haut plateau où l'on faisait paître les troupeaux. Elle remercia et, sans hésiter, elle s'y engagea à son tour.

Elle traversa la rivière où l'on avait jeté des troncs d'arbre en guise de pont, certaine que le regard de Terah la suivait depuis la porte de l'appentis. Elle pressa le pas, anxieuse de rejoindre son époux.

Tout en montant le sentier jusqu'au plateau, elle tenta de former les phrases qu'il lui faudrait prononcer devant Abram. Cela faisait presque vingt lunes qu'elle était son épouse. Vingt lunes qu'elle avait fui le grand temple d'Ur. Des lunes de bonheurs et des lunes de malheurs. Pourtant, elle n'avait jamais trouvé le courage d'avouer la vérité à Abram. Maintenant, elle le devait. Elle ne pouvait plus reculer.

Elle marchait vite et parvint en haut de la pente essoufflée, le cœur battant si fort que ses oreilles en bourdonnaient. Aussi loin qu'elle pouvait voir, le plateau était vide. Aucun troupeau. Pas un homme.

Elle s'avança jusqu'au grand sycomore qui trônait, solitaire, au rebord du plateau. Son ombre était vaste et fraîche. Abram venait souvent s'y reposer et songer, parfois même y dormir lorsque les nuits étaient trop chaudes.

Mais personne n'était adossé au tronc strié, plus vieux que bien des générations d'hommes. Abram n'était visible nulle part.

Saraï entra dans l'ombre du sycomore, posa son panier et scruta encore le plateau. La brise y ployait l'herbe. Très loin au nord et à l'est, les plateaux enneigés paraissaient aussi transparents que des pétales dans le ciel bleu. D'ici, tout semblait immense et infini.

Elle se laissa glisser sur les genoux puis s'assit, les épaules et la tête reposant contre l'écorce rugueuse. D'un coup, elle se sentit terriblement lasse. Aussi désemparée qu'une enfant abandonnée. Elle voulait se lover dans la puissance des bras d'Abram, dans la chaleur de sa voix et la douceur de ses lèvres pour lui dire ce qui était si important !

Mais Abram n'était pas là.

En cet instant, cette absence lui parut absolue. Comme si, où que soit Abram, il était immensément loin d'elle.

Les larmes qu'elle avait si longtemps retenues jaillirent de ses yeux comme une source débordante. Elles ruisselaient sur ses joues, glissaient entre ses lèvres, inondaient son cou. Nul ne pouvait la voir, et Saraï pleura autant que son corps le voulait.

Ensuite, lorsque ses yeux furent à nouveau secs et son cœur plus calme, la confiance en Abram lui revint. Tôt ou tard il allait apparaître. Elle pouvait l'attendre. Se reposer. Prendre des forces pour que sa parole fût forte et juste.

Malgré elle, une très vieille prière à Inanna monta à ses lèvres :

> *Inanna, sainte Lune, sainte Mère,*
> *Reine du ciel,*
> *Ouvre mon cœur, ouvre mon ventre, ouvre ma parole.*
> *Prends mes pensées pour offrandes.*

Le dieu d'Abram

Des cris et des bruits s'élevaient du village de tentes. Le four de Terah, pareil à un brûle-parfum embaumant la terre à perte de vue, diffusait par sa fumée l'odeur mêlée des chênes, des cèdres, des sycomores et des térébinthes. Longeant l'atelier, le chemin qui sortait du campement serpentait entre les collines opulentes et rejoignait la grande route menant à Harran. Depuis le rebord du plateau, Saraï pouvait en deviner les riches maisons. Les ombres s'allongeaient, de plus en plus longues. Abram n'avait toujours pas reparu. Engourdie par la fraîcheur de l'ombre et la paix immense du plateau, Saraï avait failli s'endormir.

Elle eut faim et soif, mangea l'un des pains préparés pour Abram et but l'eau dont la gourde avait conservé la fraîcheur.

Elle attendit encore, luttant contre l'inquiétude. Il était rare qu'Abram s'absente ainsi sans un mot pour elle ou pour Loth.

Dans le camp, maintenant, on avait dû remarquer son absence.

Et si Abram ne rentrait pas avant la nuit? Si elle devait retourner seule à la tente?

Soudain, elle sentit quelque chose. Sa présence.

Peut-être même le bruit de ses pas.

Elle se mit debout, scruta le plateau d'un horizon à l'autre. Et elle le vit. Étonnée par elle-même : comment avait-elle pu pressentir son arrivée?

Il était si loin encore. Une silhouette seulement, là-bas, qui avançait dans les herbes hautes !

Mais elle le reconnaissait. Elle n'avait pas besoin de voir son visage pour savoir que c'était lui.

Il marchait vite, à grands pas. Une bouffée de joie effaça les craintes et les doutes de Saraï. Elle eut envie de l'appeler mais leva seulement les bras pour lui faire signe.

Abram répondit. Elle se mit à courir.

Quand ils furent assez près l'un de l'autre, elle se rendit compte qu'il riait. Son visage était radieux, illuminé par la joie. Un visage qu'elle ne lui avait pas vu depuis des lunes !

Il ouvrit les bras et s'immobilisa pour l'accueillir contre sa poitrine.

— Saraï, ma bien-aimée !

Ils s'enlacèrent comme des amants séparés par un long voyage.

Sous sa joue, dans ses cheveux, Saraï entendit encore le rire d'Abram. Puis ses mots, rapides et essoufflés :

— Il m'a parlé ! Il m'a appelé : « Abram ! Abram ! » J'ai répondu : « Me voici ! » Et puis le silence. Alors j'ai marché loin, au-delà du plateau. Je croyais que je ne L'entendrais plus. Mais Il m'a encore appelé : « Abram ! Et moi : – Oui, je suis là ! »

Il rit encore.

Saraï s'écarta, les sourcils froncés par l'incompréhension, une question sur les lèvres. Alors Abram saisit son visage entre ses paumes. Un geste identique à celui qu'il avait eu la toute première fois, au bord du fleuve, à Ur, la nuit de leur rencontre. Cette fois, il posa ses lèvres sur les siennes. Un long baiser, plein de fougue, de puissance et de désir. Un baiser de pur bonheur.

Quand ils se séparèrent, Saraï demanda en riant :

— Mais qui ? Qui t'a appelé ? De qui parles-tu ?

— De Lui !

La main d'Abram se dressa, désigna l'horizon, les montagnes et les vallées. La terre comme le ciel.

— Lui ? insista Saraï sans comprendre.

— Lui, le Dieu unique! Mon Dieu!

Sarah aurait aimé l'interroger encore. Qui lui avait parlé, au juste? À quel dieu ressemblait ce dieu unique? Et quel était son nom? Mais les mains d'Abram tremblaient. Il tremblait tout entier, lui, Abram, l'homme le plus robuste de la tribu de Terah! Alors Saraï serra ses doigts autour des siens.

— Il m'a dit : « Va! Va, sors de ce pays... » Nous allons partir, Saraï. Dès demain.

— Partir? Pour où? Abram...

— Non, pas maintenant! Plus tard, les questions. Viens, je dois parler à mon père. Je dois leur parler à tous.

Sa main dans la sienne, il entraîna Saraï vers le sentier qui rejoignait la rivière et l'atelier de Terah.

Saraï comprit qu'elle ne pourrait pas révéler sa vérité à Abram. Pas aujourd'hui. Et pas demain. Il n'avait pas besoin de l'entendre. Et ils se trompaient tous, Terah, Tsilla, Sililli et elle-même. La colère et l'humeur amère d'Abram, ces derniers temps, ne venaient pas de son ventre plat.

Abram se campa devant l'atelier. À le voir, chacun sut que ce qu'il avait à dire était important. Un aide alla chercher Terah qui faisait ses offrandes du soir à ses ancêtres. Avec lui, d'autres hommes et des femmes descendirent au bord de la rivière. Les enfants cessèrent de jouer et s'approchèrent à leur tour.

Loth, le front toujours enturbanné, vint prendre la main de Saraï, un peu en retrait. Il leva les yeux vers elle. Elle y lut l'inquiétude que l'on discernait sur tous les visages. Tous pensaient qu'Abram avait décidé d'affronter son père pour prendre la tête de la tribu. C'est pourquoi ils furent stupéfaits lorsqu'il commença à parler.

— Père, aujourd'hui le Dieu Très-Haut m'a appelé. J'étais ici, avec vous tous, préparant le four, lorsque j'ai senti un cri dans l'air. Mais avec le bruit que nous faisions en brisant le bois, je n'entendais pas. Je suis monté sur le plateau. J'ai marché. Et soudain, j'ai entendu : « *Abram !* » On appelait mon nom. Il était dans l'air tout autour de moi, crié par une voix puissante que je ne connaissais pas. « *Abram !* » Une seconde fois mon nom. J'ai dit : « Je suis là ! C'est moi, Abram. » Il n'y eut pas de réponse. Alors j'ai marché. Je suis descendu vers la vallée qui rejoint Harran par le nord, et tout à coup la voix a été partout. Dans l'air, les nuages, l'herbe et les arbres, jusque dans le profond de la terre. Sur la peau de mon visage. Elle lançait mon nom : « *Abram !* » J'ai su qui parlait. J'ai crié à nouveau : « Je suis là ! C'est moi, Abram ! » La voix a demandé : « *Sais-tu qui je suis ?* » J'ai répondu : « Je le crois. » Il a dit : « *Abram. Quitte ce pays, quitte la maison de ton père, marche vers le pays que je te ferai découvrir. Je ferai de toi une grande nation, je rendrai grand ton nom. Je bénirai ceux qui te béniront, ceux qui t'insultent, je les maudis. Ainsi, par toi, seront bénies toutes les familles de la terre.* » Voilà Ses paroles, père. Je suis revenu devant toi pour te les dire, car je veux que tu saches pourquoi je vais te quitter.

Abram se tut. Le silence s'appesantit. L'inquiétude remplaça la surprise sur les visages. Ainsi le fils voulait s'éloigner du père en reniant ses ancêtres ? Tous guettaient la réaction de Terah. Le vieil homme semblait fatigué bien que la colère brillât entre ses paupières. Il passa la main dans l'épaisseur de sa barbe et demanda :

— Tu dis : « Voilà Ses paroles. » De qui parles-tu, mon fils ?

— Du Dieu unique, Créateur du Ciel et de la Terre, qui est le dieu d'Abram.

— Comment s'appelle-t-il ?

Abram ne put retenir un rire sans orgueil, sincèrement amusé. Il secoua la tête.

— Il n'a pas dit Son nom, père.

— Pourquoi ?

— Il n'a pas besoin de nom pour s'adresser à moi et pour que je Le reconnaisse. Il n'a rien de commun avec ces dieux dont nous modelons les visages ridicules pour les vendre aux Puissants d'une ville et aux commerçants d'une autre.

Un murmure désapprobateur roula de bouche en bouche. Terah leva une main.

— Ton dieu est sans visage?

— Pas de visage et pas de corps.

— Alors, comment le vois-tu?

— Je ne Le vois pas. Nul humain, nul animal vivant sur cette terre ne peut Le voir. Il ne brille pas, Il n'a ni toge d'or ni diadème. Pas de griffes, d'ailes, de mufle de lion ou de taureau. Il ne possède pas la chair d'un homme ni les formes d'une femme. Il n'a aucun corps. On ne Le voit pas.

— Comment sais-tu tout cela si tu ne rencontres pas ton dieu? Si tu ne le vois pas?

— Il m'a parlé.

— Et comment peut-il te parler s'il n'a ni visage ni bouche?

— Parce qu'Il n'a besoin d'aucun visage pour parler. Parce qu'Il est Lui.

Des rires moqueurs fusèrent derrière Terah. Loth se serra plus fort contre Saraï. Les femmes n'hésitaient plus à s'approcher et à écouter. Terah rit à son tour. D'une voix plus forte, il lança :

— Voilà ce qu'il nous arrive : mon fil Abram a vu son dieu aujourd'hui, mais son dieu n'a ni chair ni corps! Il est invisible!

— C'est ainsi qu'est le Dieu unique à l'origine de ce qui vit, ce qui meurt et ce qui est éternel, lança Abram à son tour, sans relever la moquerie.

— Tu as entendu les paroles d'un rêve, ou un démon s'est amusé avec toi, déclara un vieil homme qui s'était avancé au côté de Terah.

— Les démons n'existent pas, répliqua patiemment Abram. Il y a le mal et le bien, le juste et l'injuste. C'est nous qui faisons le mal et le bien. C'est toi et moi, nous, les hommes, qui sommes justes ou injustes.

Cette fois, il y eut de la colère dans les protestations. Tous s'écrièrent ensemble :

— Un dieu qu'on ne voit pas n'existe pas !

— Un dieu qui ne brille pas est impuissant !

— À quoi sert ton dieu s'il n'empêche ni le mal ni l'injustice ?

— Et s'il ne nous donne pas la pluie et ne nous protège pas de la foudre ?

— Qui fait germer l'orge ?

— Qui nous fait mourir ? Qui nous rend malade ?

— Sans Nintu, comment feraient les femmes pour enfanter ?

— Tu déraisonnes, Abram. Tu insultes tes ancêtres.

— Nos dieux aussi, tu les insultes !

— Ils t'entendent, et moi aussi je les entends. Déjà leur colère gronde, je le sens.

— Ils vont se venger sur nous de tes paroles.

— Qu'ils nous pardonnent ! Qu'ils nous pardonnent d'être là à t'écouter !

— C'est toute la tribu de ton père que tu mets en danger, Abram.

— Terah, demande à ton fils de se purifier !

— Condamne ton fils, Terah, ou le malheur va tous nous recouvrir...

Abram hurla en étendant les bras.

— Écoutez-moi !

Saraï crut que lui aussi était gagné par la colère. Mais elle vit ses lèvres, ses yeux. Elle sut qu'il demeurait calme et sûr de lui. Il s'avança, et, plus que son cri, ce furent ce calme et la dureté de son visage qui rétablirent le silence.

— Vous voulez une preuve que le Dieu unique existe ? Qu'Il m'a parlé et appelé par mon nom ? Je suis cette preuve, moi, Abram, celui qu'Il a appelé aujourd'hui. Demain à l'aube, comme Il me l'a demandé, avec Saraï, mon épouse, Loth, le fils de mon frère Harân, mon troupeau et mes serviteurs, je marcherai vers l'ouest. Vers le pays qu'Il va me faire découvrir.

Le silence retomba, comme si chacun cherchait à percer l'énigme de ces paroles. Puis des ricanements jaillirent ici et là. Une femme s'exclama :

— Voilà une belle preuve! L'homme qui n'est même pas père s'en va. Grand bien lui fasse!

Saraï vit les lèvres d'Abram s'amincir. La main de Loth dans la sienne frissonnait et brûlait. Abram s'avança encore. On recula devant lui, chacun prenant garde à se tenir à bonne distance.

— Alors, je vais vous en donner une autre, de preuve! gronda-t-il.

Sous les regards stupéfaits, il bondit dans l'atelier de Terah et en ressortit les bras chargés de deux grandes statues, parfaitement achevées, peintes et vêtues. Saraï comprit immédiatement ce qu'il allait faire. Le froid de la peur se glissa dans ses reins et sa bouche s'assécha. Tout autour de Saraï retentit un cri d'horreur quand Abram jeta les poteries en l'air. Elles retombèrent aux pieds de Terah. Il y eut un claquement sec, un bruit de fouet et de pluie sèche. Au sol, les idoles n'étaient plus que débris épars.

— Vos dieux sont-ils puissants? s'écria Abram. Qu'ils me tuent! Là, maintenant. Que la foudre me calcine! Que le ciel m'écrase! Car je viens de briser le visage et les corps de ceux que vous appelez Inanna et Ea!

Saraï, comme les autres, ne put retenir un gémissement. Mais Abram, le doigt pointé vers le ciel, criait encore :

— Vous les vénérez, vous vous inclinez devant eux soir et matin. Il n'est rien que vous fassiez sans qu'ils posent leur regard sur vous. Les poteries qui sortent des mains de mon père sont leur chair, leur corps, leur sublime présence.

Les plaintes et les gémissements croissaient. On eût cru qu'une armée venait de tailler à travers les corps. La voix d'Abram surmonta les cris :

— Je viens de briser ce qui vous est sacré. Sur moi la punition! Qu'Inanna et Ea m'abattent!

Il se mit à tourner sur lui-même, le bras toujours dressé, le visage offert au ciel. Pétrissant le mince corps de Loth contre elle, Saraï s'entendit murmurer : « Abram! Abram! » Mais Abram tournoyait et demandait :

— Où sont-ils, ceux que vous craignez tant ? Je ne les vois pas. Je ne les entends pas. Je ne vois que de la poterie brisée. Je ne vois que de la poussière. Je ne vois que la glaise tirée de la rivière par mes propres mains !

Il se pencha, ramassa la tête du dieu Ea dont le nez était brisé et la jeta contre une pierre, où elle explosa.

— Pourquoi Ea n'éteint-il pas le soleil ? Pourquoi n'ouvre-t-il pas la terre sous mes pieds ? Je brise son visage et rien ne se passe...

Des hommes étaient tombés à genoux, la nuque ployée, les mains sur la tête. Ils hurlaient comme si on leur avait ouvert le ventre. D'autres, les yeux écarquillés, récitaient des prières sans reprendre leur souffle. Des femmes pleuraient, s'enfuyaient, déchirant leurs tuniques aux broussailles, tirant leur enfant par le bras. Certaines demeuraient la bouche ouverte, scrutant le ciel. Le vieux corps de Terah vibrait telle une branche dans la tourmente. Loth dévisageait Saraï, les yeux agrandis, mais celle-ci ne quittait pas Abram du regard. Il était d'un calme d'épouvante. Il se tourna vers elle et lui sourit avec une tendresse et une paix qui lui brûlèrent le cœur.

Et rien ne se passa.

Un silence étrange revint.

Dans le ciel chaud du crépuscule les oiseaux glissaient toujours. Les nuages demeuraient hauts et petits. La rivière roulait son murmure.

Abram s'avança vers le four pour y saisir un long rondin de bois.

— Peut-être n'est-ce pas assez ? Peut-être me faut-il détruire toutes ces poteries, ne pas en laisser une debout, avant que vos dieux si puissants se manifestent ?

Déjà il marchait vers l'entrée de l'atelier, le bras brandi. La voix de Terah cria :

— Abram !

Celui-ci se retourna.

— Ne détruis pas mon travail, mon fils.

Abram abaissa son bâton. Le père et le fils s'affrontèrent,

visage contre visage. Pour la première fois depuis très long-temps, ils semblaient n'être plus séparés.

Le vieux Terah s'inclina. Il ramassa un débris de poterie. La bouche, le nez, un œil d'Inanna. Il glissa son doigt sur les lèvres de terre cuite puis serra le débris contre sa poitrine.

— Peut-être les dieux te puniront-ils demain, ou dans quelques lunes, fit-il d'une voix basse et tremblante qui obligea chacun à se taire. Peut-être tout à l'heure, peut-être jamais. Qui peut savoir ce qu'ils décident ?

Abram sourit et jeta le rondin au sol. Terah s'approcha tout près de lui, comme s'il voulait le toucher.

— Ton dieu te dit : « Va. Il te dit : Pars, tu ne dois rien à ton père, Terah le potier. » Il te dit que tu dois désormais placer en lui la confiance qu'un fils accorde à son père. Alors, si c'est aussi ta volonté, va. Obéis à ton dieu. Prends ta part de petits bétails et éloigne-toi de nos tentes. Cela sera bien. Pour moi, dès cet instant, je n'ai plus de fils qui s'appelle Abram.

Cette nuit-là fut courte tant il y eut à faire pour préparer les coffres, démonter les tentes, rassembler le bétail, les mules et les chariots à la lumière des torches. Tandis que s'affairaient ceux des serviteurs, hommes et femmes, qui acceptaient de prendre la route avec Abram et Saraï, le camp tout entier semblait tourmenté. Des ombres allaient et venaient, des lampes se déplaçaient, et l'on entendait par instants des cris d'enfants, des pleurs ou les braiments des bêtes dérangées dans leur repos.

Alors que l'aube n'était plus très loin, Saraï s'écarta des chariots que l'on venait de remplir. Elle alla s'asseoir sur une pierre, se massant les reins pour se reposer. La lune en croissant se couchait entre de petits nuages et, çà et là, les étoiles brillaient, fraîches comme de l'eau de source.

Saraï sourit : le ciel ne s'était pas effondré, le feu n'avait rien ravagé, l'eau n'avait pas englouti le monde, comme tous le craignaient après qu'Abram eut brisé les saintes idoles.

Des mains se posèrent sur ses épaules. Elle en reconnut aussitôt le poids et la pression. Elle se laissa aller en arrière, appuyant son dos et ses épaules contre le ventre d'Abram. Il demanda doucement :

— Tu ne L'as pas entendu comme je L'ai entendu ?

— Non. Ton dieu ne m'a pas parlé.

— Tu étais sur le plateau, cependant. Tu aurais pu L'entendre, toi aussi.

— Non. Je t'attendais.

— Ne viens-tu avec moi que pour accomplir ton devoir d'épouse ?

— Je vais avec toi parce que tu es Abram et que je suis Saraï.

— Pourtant, il y a peu, tu étais encore la Sainte Servante d'Ishtar.

— Ishtar aurait dû me foudroyer de l'avoir abandonnée. Voilà des lunes et des lunes que je ne dépose plus d'offrandes sur son autel. Inanna ne m'a pas foudroyée. Pas plus qu'Ea ne t'a tué.

Abram rit, et son rire fit tressauter la tête de Saraï. Il lui caressa la joue.

— Crois-tu que Celui qui m'a parlé existe ?

— Je ne sais pas. Mais j'ai confiance en toi. Je sais, moi aussi, que le jour viendra où tu conduiras un grand peuple.

Abram se tut comme s'il réfléchissait à ce qu'elle venait de dire. Saraï craignit soudain qu'il demande : « Comment pourrais-je engendrer un grand peuple avec ton ventre vide ? » Mais il s'inclina pour l'embrasser sur la tempe et murmura :

— Je suis fier de toi. Je ne voudrais aucune autre épouse que Saraï, la fille d'Ur.

Lorsque le ciel blanchit, ils étaient fourbus mais prêts au départ. Sililli grognait, l'humeur querelleuse, assurant que partir sans les chants et les adieux de ceux qui demeuraient dans le campement allait leur porter malheur. N'était-ce pas ainsi que l'on se séparait quand on avait commis une faute ou un crime ? Terah lui-même n'allait pas saluer son fils. Tsilla, comme toutes les femmes d'expérience, affirmait que c'était une chose unique et malheureuse !

Agacée, Saraï finit par lui dire qu'elle n'était pas tenue de la suivre.

— Je comprends que tu veuilles rester.

— Ah, oui ! s'offusqua Sililli. Et que ferais-tu sans moi et ma sagesse, ma pauvre fille ? Toi qui fais toujours le contraire de ce qu'il faut ! À qui raconterais-tu ce que tu ne peux confier à personne ? Bien sûr que je dois partir avec toi. Même si l'on prétend que là où nous emmène ton époux, il n'y a que les barbares et le désert, puis que le monde des hommes cesse pour s'enfoncer dans la mer.

Saraï ne put s'empêcher de rire. Sililli bougonna :

— Mon âge au moins servira à quelque chose : je mourrai avant de voir ces horreurs. Mais tu peux en avertir ton époux : moi, je ne marcherai pas. Je serai assise dans un chariot.

— D'accord pour le chariot, dit Saraï.

Alors qu'Abram s'apprêtait à donner l'ordre du départ, Loth avait disparu. Abram allait le chercher quand il accourut, tout essoufflé :

— Abram, Saraï, venez voir, venez voir !

Les tirant par la main, il leur fit traverser le camp qui paraissait très calme, comme si chacun s'était enfin résolu à dormir. Pourtant, lorsqu'ils parvinrent sur le chemin surplombant l'atelier de Terah, ils découvrirent une longue file de chariots. Les pentes des collines qui enserraient la route étaient blanches des troupeaux que l'on y avait rassemblés. Et cent, peut-être deux cents visages se tournèrent vers Abram. Hommes, femmes, enfants, vieux et jeunes. Plus du quart de la tribu de Terah.

Ils étaient là, patients, qui l'attendaient.

Un homme du nom d'Arpakashad s'avança. Il était de la même taille qu'Abram mais un peu plus âgé, et connu pour ses qualités de berger. Il déclara :

— Abram, cette nuit nous avons réfléchi à tes paroles. Et nous avons vu que ni Ea, ni Inanna, ni aucun des dieux que nous avons craints jusqu'à ce jour ne t'ont châtié. Nous avons confiance en toi. Si tu l'acceptes, nous te suivrons.

— Mon père dit que ses dieux me puniront peut-être plus tard, répondit Abram avec émotion. Ne les craignez-vous pas ?

Arpakashad sourit :

— Nous craignons une chose, puis une autre. Il serait bon de cesser d'avoir peur.

— Ainsi, vous croyez que le Dieu qui m'a parlé existe ? insista Abram.

— Nous avons confiance en toi, répéta Arpakashad.

Abram jeta un regard vers Saraï. Ses yeux brillaient de fierté.

— Alors venez avec Saraï et Abram. Et vous serez le commencement de la nation que le Dieu Unique m'a promise.

Quatrième partie

Canaan

Les paroles d'Abram

D'abord ils marchèrent tous les jours, de l'aube au crépuscule. Ils quittèrent les montagnes d'Harran, rejoignirent les rives de l'Euphrate qu'ils longèrent en direction du sud comme s'ils revenaient au royaume d'Akkad et de Sumer.

Pendant trois ou quatre lunes ils marchèrent ainsi. Les agneaux, les femmes et les enfants se relayaient dans les chariots. Ils apprirent à confectionner des sandales aux semelles plus épaisses, mieux cousues, des outres plus grandes et des tuniques plus longues, capables de protéger de la chaleur des jours aussi bien que du froid des nuits, plus secs et plus violents. Quand ils parvenaient en vue d'une ville ou du campement d'une autre tribu, des gens venaient à leur rencontre et les appelaient les « passeurs », les Hébreux.

Personne ne se plaignit de ces longues et épuisantes journées. Personne ne demanda à Abram pourquoi il prenait ce chemin plutôt qu'un autre. Seule Saraï vit l'inquiétude qui parfois saisissait son époux aux premières heures du jour, avant qu'ils se remettent en marche.

Un matin, Abram sentit peser sur lui le regard de Saraï. Alors que le soleil n'avait pas encore levé l'ombre de la nuit, à l'est, il examinait l'horizon, les sourcils froncés, l'anxiété lui crispant la bouche. Il sourit à Saraï, mais sans que ce sourire lui défronce les sourcils. Elle vint contre lui. De ses doigts elle lui caressa le front avant de poser sa paume fraîche sur sa nuque.

— Il ne me parle plus, admit Abram. Depuis notre départ d'Harran, pas un mot, pas un ordre. Je n'entends plus Sa voix.

Saraï continua doucement sa caresse. Abram reprit :

— Je vais là où je crois qu'il faut aller, vers le pays qu'Il m'a promis. Mais si je me trompais ? Si nous faisions tous ces pas pour rien ?

Saraï ajouta un baiser à sa caresse et répondit :

— Je te fais confiance. Nous te faisons confiance. Pourquoi ton dieu ne te ferait-Il pas confiance Lui aussi ?

Ils n'en reparlèrent plus jamais. Cependant, quelques jours plus tard, Abram décida de suivre une route en direction du couchant. Ils laissèrent derrière eux les pâturages gras qui bordaient l'Euphrate pour pénétrer sur des terres sableuses à l'herbe rêche et éparse. Arpakashad vint voir Abram et lui demanda de laisser reposer les troupeaux.

— Nous allons bientôt entrer dans le désert et nul ne sait combien de temps s'écoulera avant que nous retrouvions des terres vertes. Il vaut mieux laisser les bêtes engraisser et reprendre des forces. À nous aussi, un peu de repos fera du bien.

— Es-tu inquiet ? interrogea Abram.

Arpakashad sourit.

— Non. Nul n'est inquiet, Abram. Ni impatient. Il n'y a que toi à être soucieux. Nous te suivons. Ta route est la nôtre. Mais pourquoi se presser puisqu'elle semble devoir être longue ?

Abram rit et déclara qu'Arpakashad avait raison. Il était temps d'établir un campement pour une lune ou deux.

De ce jour, leur marche redevint celle qu'elle était lorsque Terah conduisait la tribu. Il leur fallut plus de quatre saisons pour traverser, d'oasis en oasis, le désert de Tadmor et entrer dans le pays de Damas, où ils découvrirent des arbres et des fruits inconnus, des villes qu'ils contournaient avec prudence, ne s'installant que dans les pâturages les plus pauvres afin de ne pas attirer la colère des habitants.

Chacun s'habitua si bien à cette vie errante que certains en oublièrent presque qu'elle devait cesser un jour. Parfois, lors d'une halte, un membre de la tribu faisait alliance avec une femme ou un homme rencontrés autour des puits ou en commerçant. Abram lui accordait le droit de devenir époux. Des enfants naissaient, de plus en plus nombreux. Il n'en était qu'une dont le ventre demeurait obstinément vide : Saraï, l'épouse d'Abram. Désormais, cependant, nul regard ne pesait plus sur elle. Même Sililli s'abstenait de la harceler de conseils et avait cessé de lui communiquer les bavardages des femmes de la tribu. Il semblait être admis que si Abram lui-même patientait pour que le ventre de Saraï devienne fécond, eux aussi devaient être patients. Loth, le neveu d'Abram, leur tiendrait lieu de fils. Il n'y avait que Saraï elle-même à ne plus supporter le vide de ses entrailles.

Un jour, elle entra dans la tente commune des femmes tandis qu'une jeune épousée accouchait de son premier enfant. C'était une fille plus jeune qu'elle à la peau très pâle, aux grands yeux noirs et aux seins opulents. Elle s'appelait Lehklaï. Depuis des lunes Saraï voyait son ventre puis son corps s'arrondir : ses hanches, ses fesses, ses seins, ses épaules et même ses joues et ses lèvres. Chaque jour elle l'avait guettée avec envie. Il y avait bien d'autres femmes enceintes dans la tribu d'Abram, mais, pour Saraï, Lehklaï était de loin la plus belle. Sans le montrer, elle l'enviait, l'aimait et la détestait avec une violence qui parfois lui ôtait le sommeil. Aussi, bien qu'elle évitât d'ordinaire la tente commune lorsque les femmes y donnaient naissance, elle y avait pénétré pour assister à l'accouchement de Lehklaï.

Dès le début, elle sentit que rien ne se passait comme il le fallait. Lehklaï gémissait, les cheveux collés au visage par la sueur, la bouche béante et les lèvres sèches, ses grands yeux trop fixes comme si la douleur l'absorbait tout entière. Le jour complet se déroula ainsi. Les sages-femmes prodiguaient des bonnes paroles à Lehklaï tout en enduisant son ventre et ses cuisses d'huile douce et mentholée. Leurs mots et leurs gestes étaient habituels, cependant, Saraï vit l'inquiétude grandir sur leurs traits. Lehklaï geignait, perdait son souffle, puis geignait encore, les yeux toujours fixes et comme tournée vers l'intérieur.

Dans l'après-midi, elle ne répondait plus lorsqu'on s'adressait à elle. Finalement, les sages-femmes demandèrent à Saraï et Sililli de les aider à masser Lehklaï, car il semblait que le sang refusait de circuler normalement en elle. Pourtant, lorsque Saraï glissa ses paumes sur le ventre, les reins et les seins aux aréoles sombres, ils étaient brûlants.

Sans plus attendre, les sages-femmes déposèrent les briques de l'accouchement sur le sol de la tente. Soutenant Lehklaï, elles tentèrent d'attirer le bébé dans la vie. Ce fut une lutte terrible, longue et meurtrière. Les sages-femmes plongèrent leur main dans le ventre de la parturiente et parvinrent à en retirer un bébé minuscule, une fille à la bouche déjà faite pour pleurer et rire. Lorsque le soleil frôla l'horizon, Saraï et Sililli sortirent de la tente, tremblantes, la tête et la poitrine encore martelées par les hurlements de Lehklaï que la mort seule avait interrompus.

Silencieuse, Sililli et Saraï se regardèrent. Sur le visage vieilli de la servante, Saraï lut ce que la bouche taisait : « Toi, au moins, tu ne mourras pas ainsi. »

Saraï prit le temps d'observer le soleil, goutte de sang qu'absorbait l'extrémité du monde. La lune, pleine et étincelante, dominait la nuit qui approchait. Il faisait très chaud. Une chaleur épaisse que la brise du soir ne parvenait pas à alléger. Saraï secoua la tête et murmura juste assez fort pour que Sililli l'entende :

— Tu as tort. La mort de Lehklaï ne m'effraie pas. J'ai envié Lehklaï lorsqu'elle était pleine de vie, si belle et si grosse. Je l'envie encore.

Ce soir-là, Saraï se décida à faire ce qu'elle s'était toujours interdit depuis qu'Abram était devenu son époux. Elle ouvrit l'un des coffres de sa tente pour en retirer un sac contenant une poignée de copeaux de cèdre et une statuette de bois peinte à l'effigie de Nintu. Malgré le dédain de Saraï, Sililli n'avait jamais voulu s'en séparer.

Elle glissa quelques tisons dans un pot ajouré et clos par un couvercle de cuir puis, prenant garde à ne pas être vue, elle quitta le campement. Elle marcha à la lumière de la lune jusqu'au revers d'une colline. Quand elle fut certaine d'être à l'abri, elle alluma un petit feu entre quelques pierres.

Agenouillée, l'esprit vide, Saraï attendit que le feu devienne braise pour y jeter les copeaux de cèdre. Lorsque la fumée fut assez épaisse, elle tira de sa ceinture un mince couteau d'ivoire offert par Abram. D'un coup sec, elle s'entailla le creux de la paume gauche, puis de la droite. Elle saisit alors la statuette de bois et la fit rouler entre ses mains, l'enduisant de son sang en murmurant :

Ô Nintu, maîtresse des menstrues,
Nintu, toi qui décides de la vie dans le ventre des femmes,
Nintu, patronne bien-aimée de la mise au Monde, accueille la plainte de ta fille Saraï,
Ô Nintu, patronne de la mise au Monde, toi qui reçus la brique sacrée de l'accouchement des mains d'Enki le Puissant, toi qui tiens le ciseau du cordon de naissance,
Nintu, écoute-moi, écoute la douleur de ta fille,
Ne la laisse pas dans le vide.

Elle se tut, la gorge râpeuse à cause de la fumée de cèdre, les yeux piquants. Puis elle se releva, le visage tourné vers la lune. La statuette contre son ventre, elle reprit sa lamentation :

Ô, Nintu, sœur d'Enlil le Premier, assure-toi que la vulve de Saraï soit fertile et douce comme la datte de Dilum.
Ô Nintu, toi qui décides de la vie dans le ventre des femmes,
Permet que Saraï enfante, pardonne son silence et son dédain,
Qu'en la présence de ton pouvoir puissant les sortilèges et les maléfices se dissolvent,
Qu'ils s'effacent comme un rêve,
Qu'ils abandonnent mon corps comme une peau de serpent,
Ô Nintu, recueille le sang de Saraï comme la rosée dans le sillon.

Assure-toi que le miel de la semence de mon époux Abram devienne la vie.

Sept fois encore elle répéta sa prière avant que le sang cesse de couler de ses coupures. Elle écrasa alors les braises avec une grosse pierre et rejoignit le campement.

Avec prudence, elle se dirigea vers la tente d'Abram. Les lampes y étaient éteintes. Par bonheur, Abram n'était pas engagé dans l'un de ses interminables bavardages avec Arpakashad et quelques vieux de la tribu qui pouvaient le maintenir éveillé jusqu'à l'aube.

La toile fermant l'entrée de la tente avait été repliée pour faire circuler l'air. Saraï la fit retomber sans bruit. À travers le tissu, la lumière de la lune dispensait une pénombre laiteuse qui lui permit de se diriger entre les piliers et les coffres. Abram était là, nu sur l'amas de tapis et de peaux qui lui servait de couche. Son souffle, régulier et lent, était celui d'un sommeil profond et sans rêve.

Délicatement, Saraï glissa la statuette de Nintu entre les épaisseurs, sous les pieds d'Abram. Elle ôta sa tunique et s'agenouilla à côté de son époux. Elle saisit son sexe entre ses paumes et le caressa avec douceur. Sans qu'Abram se réveille, il s'allongea et durcit lentement entre ses doigts. La poitrine et le ventre d'Abram commencèrent à frémir. Saraï glissa ses longs cheveux bouclés sur le torse de son époux, le frôlant de la pointe de ses seins, posant ses lèvres sur son cou, sa tempe, trouvant sa bouche. Abram ouvrit les yeux comme un homme qui ne sait s'il rêve encore. Il murmura :

— Saraï ?

Elle ne répondit que par d'autres caresses, offrant ses reins à ses mains et ses seins à sa bouche. Ils se virent comme des ombres. Deux fauves grognant de désir autant qu'une femme et un homme. Abram chuchotait encore son nom : Saraï, Saraï !, comme si elle allait lui échapper, se dissoudre entre ses bras alors même qu'elle le prenait en elle, l'enveloppait au plus profond de son ventre. Ils s'empoignèrent comme des affamés, sans qu'une seule parcelle de leurs corps échappe à la voracité de leur désir. L'un et l'autre eurent conscience de faire l'amour différemment des fois précédentes, avec moins de retenue et plus de fureur. Saraï recevait les ondes de plaisir d'Abram dans chaque partie de son corps, comme si soudain elle devenait aussi vaste qu'un pays entier, aussi légère et liquide qu'un ciel et une mer imbriqués dans l'horizon. Puis son propre plaisir, par vagues, lui durcit le ventre et les reins, lui coupant le souffle et la rendant à elle-même. Abram la retourna sur la couche. Enlaçant sa nuque comme si elle se suspendait à un énorme oiseau prenant son envol, Saraï offrit sa bouche et sa poitrine au souffle d'Abram, et laissa la houle de l'homme l'envahir.

Plus tard, poitrine et hanches encore douloureuses de plaisir, Saraï chuchota :

— Je suis une femme stérile, Abram. Cela fait des années que le sang ne coule plus entre mes cuisses. Ta semence se perd dans mon ventre comme si tu l'abandonnais dans la poussière.

— Je le sais, répondit Abram avec la même douceur. Nous le savons tous, et depuis longtemps.

— Je t'ai trompé, insista Saraï. Sèche et incapable d'enfanter, je l'étais déjà quand tu es venu me chercher dans le temple d'Ur. Je n'ai pas osé te l'avouer. Le bonheur d'être emporté par toi était trop grand, rien d'autre ne comptait.

— Cela aussi, je le savais. Une Sainte Servante d'Ishtar est une femme sans menstrues. Qui peut ignorer cela, à Ur ?

Saraï se redressa sur un coude pour dévisager son époux. La pâleur de la lune rendait le visage d'Abram aussi net et lisse qu'un masque d'argent. Plus beau que jamais. Une beauté calme, si tendre qu'elle en eut la gorge nouée. Les doigts tremblants, elle en caressa les sourcils, en effleura les pommettes jusqu'à la naissance de la barbe.

— Mais pourquoi ? Pourquoi me prendre pour épouse, si tu savais ? Une femme au ventre vide !

Les lèvres d'Abram se posèrent sur son sein, en baisèrent l'orbe chaud et le mamelon soyeux.

— Tu es Saraï. Je ne veux pas d'autre épouse que Saraï.

Elle secoua la tête, pleine de questions, d'incompréhension.

— Ton dieu t'a promis un peuple, une nation. Comment deviendras-tu un peuple et une nation si ton épouse ne te donne pas même un fils ?

Abram sourit, moqueur.

— Le Dieu unique ne m'a pas dit : « Tu as choisi une mauvaise épouse. » Abram est un époux heureux.

Saraï s'assit sur le lit, l'observa en silence, incapable de se satisfaire de ces mots qui auraient dû l'emplir de paix. Au contraire, le plaisir s'était maintenant retiré tout entier du souvenir de sa chair pour ne laisser que tristesse.

Pourquoi ne parvenait-elle pas à se réjouir des paroles d'Abram ? N'exprimaient-elles pas tout l'amour et toute la bonté qu'elle pouvait espérer ?

Non, il lui semblait qu'Abram ne mesurait pas toute l'étendue de sa faute, le poids qu'elle portait et faisait peser, pour toujours peut-être, non seulement sur eux deux mais aussi sur ceux qui les accompagnaient.

— Je t'ai aimé en tombant sur toi au bord du fleuve alors que je fuyais l'époux choisi par mon père, commença-t-elle d'une voix presque inaudible. Je voulais un baiser de toi.

Enfin, elle lui raconta pourquoi elle avait acheté des herbes de sécheresse dans l'antre de la *kassaptu*. Comment elle avait failli en mourir et comment, bien qu'il ait quitté la ville d'Ur avec son père, elle n'avait jamais cessé d'attendre un baiser de lui.

— J'étais à peine une femme. Ma faute, je l'ai commise autant dans l'ignorance de la jeunesse que par besoin de toi. Aujourd'hui, ce besoin n'a pas cessé, mais moi je te deviens inutile. Toi, il te faut une mère pour tes enfants, une épouse féconde qui te permette d'accomplir ce que ton dieu attend de toi, répéta-t-elle.

Abram secoua la tête. Il lui saisit les mains et les pressa contre sa poitrine.

— Tu te trompes : j'ai besoin de Saraï. Ton obstination est mon bonheur. Celui qui me parle, Celui qui m'appelle et me guide sait qui tu es. Tout autant que moi. Lui aussi aime que tu sois à mon côté. Tu es dans Sa bénédiction, je le sais.

Il embrassa ses paumes avec fougue. Et releva soudainement la tête. Sous ses lèvres, il venait de deviner les fraîches entailles qu'elle s'était infligées par dévotion à Nintu. Saraï vit la colère lui raidir la nuque.

— Qu'as-tu fait ? s'exclama-t-il.

Elle quitta la couche et retira la statuette de Nintu de sous les peaux de mouton. Nue et dressée devant lui, la statuette entre les mains, pleine de franchise et de crainte, elle expliqua :

— Une femme stérile avalerait de la terre, de la fange et même des monstres ou des démons si cela pouvait ramener la vie dans ses entrailles. Aujourd'hui la jeune Lehklaï est morte en enfantant sa fille. Malgré tout mon amour pour toi, Abram, je ne souhaite pas une autre mort.

Abram se mit debout devant elle, le sexe encore long de leur plaisir. Dans la pénombre opalescente de la lune on aurait dit que ses traits s'effaçaient, qu'il n'avait plus de visage. Sa poitrine se soulevait et s'abaissait au rythme rapide de sa respiration.

— Ce soir, j'ai caressé Nintu avec mon sang, balbutia Saraï en montrant la statuette. Ta semence est dans mon ventre. On dit que lorsqu'elle s'y dépose avec le plus grand plaisir de l'homme et de la femme, elle est plus puissante, plus agile...

Elle se tut et crut qu'Abram allait crier, peut-être même la frapper. Il tendit la main. Sa voix fut sans violence :

— Donne-moi cette poupée.

D'une main tremblante, Saraï tendit la statuette. Abram referma le poing autour du visage de Nintu. D'un pilier, il décrocha une courte épée de bronze à lame courbe. Une arme lourde et solide avec laquelle Saraï l'avait vu trancher la tête d'un bélier. Nu, sans prendre la peine de se vêtir d'un pagne, il sortit devant la tente. Sur le sol, en quelques coups, il déchiqueta l'idole et, avec un grognement de fauve, en éparpilla les éclats au loin.

Quand il revint sous la tente, Saraï avait enfilé sa tunique. Le corps raidi par l'humiliation et la peine, elle se tenait bien droite. Les yeux secs et la bouche close. Mais, malgré la lourde chaleur, on eût cru qu'elle grelottait de froid.

Abram s'approcha, saisit ses mains et les leva jusqu'à sa bouche. Il en arrêta le tremblement en pressant les doigts contre ses lèvres. Puis en baisa les paumes, glissa sa langue sur les plaies avec la douceur d'une mère qui baise l'écorchure de son enfant pour effacer la douleur. Attirant Saraï contre lui, il murmura :

— Ceux d'Ur voulaient que tu affrontes le taureau jusqu'à ce qu'il t'éventre, au prétexte que le sang ne coule pas entre tes cuisses. Mon père Terah et tous ceux qui sont demeurés avec lui te jugeaient mal, car nous faisions l'amour sans autre effet que notre plaisir. Je sais les questions qu'a posées Tsilla, lune après lune. Je sais les regards qui t'ont accablée. Et moi, je t'ai laissée seule avec les hontes et les questions. Je n'avais pas de mots pour apaiser ta peine. Comment leur dire, à tous, que le bonheur d'avoir Saraï pour épouse ne se voilait d'aucune ombre ? Que l'amour de mon épouse grandissait autour de moi aussi bien que les fils ou les filles qu'elle eût pu me donner ? Tous, ils invoquaient leurs dieux, des fautes et des rancœurs. Tous, ils ne voyaient dans ton ventre que des maléfices. Et moi, qui ne voyais que leur crédulité et leur soumission, je t'ai laissée seule avec le poids de ta peine.

Il se tut. Saraï retint son souffle. Les paroles d'Abram, les paroles qu'elle attendait depuis si longtemps, venaient enfin. Elles ruisselaient en elle, brûlantes et douces comme un miel d'hiver.

— Aujourd'hui, n'emporte pas leurs peurs et leurs superstitions avec toi. Aie confiance en ma patience, comme j'ai confiance en toi. Tu crois que le dieu d'Abram n'est pas encore le tien. Tu es certaine de ne L'avoir ni entendu ni senti. Pourtant, qui sait si les herbes de sécheresse n'ont pas été la parole qu'Il t'a adressée, à toi, Saraï, fille de Puissant d'Ur, afin de te détourner de leurs vaines adorations ? Qui sait si ce n'est pas le chemin qu'Il t'a offert afin que nous puissions devenir mari et femme ? À Harran, Il m'a dit : « Quitte la maison de ton père. » Il ne m'a pas dit : « Éloigne-toi de ton épouse Saraï qui ne peut pas transformer ta semence en enfant. » Ce qu'Il ne veut pas, Il le dit. Ce qu'Il veut, Il le dit. Il me dit : « Tu es bénédiction. Je bénis ceux qui te bénissent. » Qui me bénit davantage, jour après nuit, que mon épouse Saraï ? Il m'a promis un peuple, Il me le donnera. Comme Il nous donnera le pays qu'Il m'a promis. Saraï, mon amour, ne te blesse plus avec le couteau de la honte, car tu n'es fautive de rien et ta douleur est la mienne.

Abram fit glisser la tunique de Sarah, la fit retomber au sol. Il baisa son épaule et dit :

— Viens dormir près de moi. Cette nuit et toutes les nuits, jusqu'à ce que le Dieu unique nous désigne le pays où nous nous établirons.

Salem

Cela arriva moins d'une lune plus tard.

Depuis quelques jours, les collines où ils se déplaçaient semblaient plus rondes et plus vertes. La poussière ne recouvrait ni les feuilles des arbres ni les prairies. Il n'était pas besoin de chercher des puits ou de se contenter d'eau croupie pour abreuver les bêtes. Des ruisseaux couraient d'une vallée à l'autre, parfois assez profonds pour que l'on puisse s'y plonger en entier. Les insectes étaient nombreux, comme ils le sont seulement sur les terres opulentes. Un matin, il se mit à pleuvoir. Abram décida qu'ils ne marcheraient pas ce jour-là afin que la pluie lave la laine des bêtes et les toiles des tentes. Quand elle cessa, un peu avant le soir, le soleil reparut entre les nuages. Et tous furent stupéfaits par la beauté du monde qui les entourait.

Hélas, bien qu'ils n'aient rencontré personne depuis plusieurs jours, chacun pouvait se rendre compte que cette terre n'était pas abandonnée. Des murs en bordaient les pâturages, des chemins portaient la trace de troupeaux. Aussi, ce fut un soir silencieux où chacun, près des feux, préféra se taire et rêver au bonheur qu'il y aurait à ce que le dieu d'Abram les conduise dans pays pareil.

Le lendemain, dans la blancheur de l'aube, Saraï se réveilla en sursaut. La place d'Abram, à son côté, était tiède mais vide. La portière de la tente se balançait encore.

182

Elle se leva en silence et fut au-dehors assez vite pour voir son époux s'éloigner d'un pas pressé. Sans réfléchir, elle le suivit.

Abram se mit à courir. Sans ralentir, il traversa un ruisseau, faisant gicler l'eau autour de lui. Il s'engouffra dans un grand bosquet qui couronnait une petite butte. Saraï s'engagea sous les arbres à sa suite. Elle ne le voyait plus, mais elle entendait devant elle les branches mortes qui craquaient sous ses pas pressés. Alors qu'elle allait ressortir du bosquet, elle s'immobilisa. Le souffle court, elle se dissimula derrière le tronc d'un chêne vert. À cent pas devant elle, au sommet de la butte, debout dans l'herbe haute qui lui battait les cuisses, Abram se tenait immobile. Il lui tournait le dos, le visage un peu relevé et les bras à demi dressés comme s'il s'apprêtait à saisir quelque chose à pleine main.

Sauf qu'il n'avait devant lui que l'air du matin à peine agité par la brise.

Elle demeura aussi immobile que lui. Guettant un mouvement, un son.

Ne discernant pas un bruit, pas un geste.

Elle recevait la brise sur son visage. Les herbes ployaient et se relevaient. De minuscules papillons jaune et bleu tournoyaient au-dessus des graminées aux fleurs naissantes. Les oiseaux pépiaient dans les frondaisons. Quelques-uns prirent leur envol. Se posèrent sur d'autres branches. Aucune lumière ne venait du sol ou du ciel hormis celle du soleil s'élevant au-dessus de l'horizon et dorant de gros nuages boursouflés. Il n'y avait rien à voir. Juste l'ordinaire activité d'un matin du monde.

Pourtant, elle en était certaine : Abram rencontrait son dieu.

Abram écoutait la voix de son dieu invisible.

Comment un dieu pouvait-il à ce point ne montrer aucun signe de lui ? Pas de visage, pas d'éclat ? Saraï ne le comprenait pas.

Et si Abram parlait avec son dieu, elle ne l'entendait pas.

Elle ne voyait qu'un homme debout dans l'herbe, entouré d'insectes et d'oiseaux indifférents, le visage levé vers le ciel comme s'il avait perdu la raison.

Cela dura un temps qui lui parut bien long mais qui peut-être ne l'était guère. Puis, d'un coup, les bras d'Abram se levèrent. Un cri vibra.

Les oiseaux cessèrent leur vacarme.

Mais les insectes et les herbes continuèrent à tourbillonner, ployer et se relever.

Abram cria encore.

Saraï perçut deux syllabes. Un mot inconnu.

Elle eut peur et s'enfuit. Aussi silencieusement que possible. Le visage en feu, comme si elle avait vu quelque chose qu'elle n'aurait pas dû voir.

***
***

Plus tard, à Sililli qui broyait le blé dur et à Loth qui l'écoutait bouche bée, elle dit :

— Pourtant, il n'y avait vraiment rien à voir. Rien ne bougeait, je peux l'assurer. Abram non plus ne bougeait pas. S'il parlait, sa voix était inaudible. Et ce qu'il voyait était invisible à mes yeux.

Sililli secoua la tête, muette et peu convaincue.

— Mais Abram a prononcé le nom de son dieu, fit Loth avec ravissement, prêt à entendre l'histoire une nouvelle fois.

— Moi, je n'ai pas compris qu'il s'agissait d'un nom, approuva Saraï. Quand il a crié, je n'ai entendu que deux sons. Comme ceux qu'Arpakashad tire de sa corne de bélier pour rassembler les troupeaux. C'est Abram, ensuite, qui m'a dit : « Le Dieu unique m'a parlé. Il m'a donné son nom. Il s'appelle Yhwh. »

— Yhwh ! lança Loth en riant. Yhwh ! Facile, on ne risque pas de l'oublier. Et c'est vrai, on dirait un bruit de trompe : Yhwh !

— Un dieu qu'on ne voit même pas, qui ne parle et ne donne son nom qu'à un seul homme ! Et encore, quand ça lui chante, bougonna Sililli. À quoi peut-il être bon, un dieu pareil, on se le demande !

— À nous trouver un beau pays, riche et plein d'eau! répliqua Loth, péremptoire. Tu n'écoutes pas ce que Saraï dit. Le dieu d'Abram n'a pas seulement donné son nom : il a dit que cette terre était désormais la nôtre. La plus belle terre que nous ayons vue depuis que nous sommes partis d'Harran. Mais toi, Sililli, tu es trop vieille pour apprécier les champs d'herbe bien grasse. Plus personne ne veut s'y rouler avec toi...

— Oh! là, gamin! gronda Sililli en balançant un vigoureux coup de pilon de bois sur les fesses de Loth. Ferme un peu ton grand clapet. Je suis peut-être trop vieille pour ce à quoi tu penses, mais toi, tu es encore bien trop morveux pour y songer aussi!

— C'est bien ce que je disais, rigola Loth sans s'émouvoir. Trop vieille pour voir la beauté d'un pays et trop vieille pour voir celle d'un garçon qui devient un vrai homme!

— Écoutez-moi ça! s'esclaffa Sililli, ébahie par l'audace de Loth.

Loth avait pris la pose devant les deux femmes, les mains sur ses hanches souples, un mince sourire provocateur des yeux aux lèvres, jouant à l'homme. Cependant, masquant leur surprise, Saraï et Sililli durent convenir qu'il avait raison. Ces dernières lunes, elles n'avaient porté qu'un regard machinal sur Loth, continuant de ne voir en lui qu'un grand garçon plein d'énergie, d'orgueil et de sensibilité. Cependant, en peu de temps, comme il arrivait souvent chez les adolescents, l'homme avait poussé en lui de partout. Il avait grandi au point de les dépasser d'une tête. Ses épaules s'élargissaient, souples et musclées sous la tunique, un duvet soyeux ombrait ses joues et sa bouche, et la lumière qui dansait dans son regard n'était plus celle de l'innocence. C'est ainsi qu'il sourit à Saraï, lui faisant monter le rouge aux joues, en murmurant de sa voix un peu rauque :

— De voir tous les jours la beauté de ma tante, cela vous rend impatient de devenir un homme.

Sililli poussa un glapissement, fit l'offusquée et chassa Loth, qui alla s'asseoir un peu plus loin en maugréant. Ce ne fut que lorsqu'il leur tourna le dos que Saraï et Sililli échangèrent un regard amusé.

— Il n'est pas le seul à penser ainsi, reconnut Sililli à voix basse. Ta beauté commence à échauffer tous ces jeunes béliers désœuvrés. Il serait temps qu'Abram décide une halte véritable. Qu'il construise notre ville. Ces jeunes boucs auraient enfin de quoi dépenser leur énergie.

Saraï demeura silencieuse un instant. Elle jeta du grain dans le mortier, le regarda éclater sous les coups de pilon de Sililli.

— Peut-être sommes-nous vraiment arrivés au terme du voyage ? Abram assure que son dieu nous donne cette terre. Pour nous tous aujourd'hui, nous tous demain, avec ceux qui ne sont pas encore nés.

Sililli hocha la tête, sceptique. Mais comme Saraï se taisait à nouveau, elle releva le front. Il n'était pas besoin de mots pour qu'elles songent à la même chose.

— Qui sait ? fit Sililli avec tendresse. Peut-être qu'il dit vrai.

— Abram tremblait de joie quand il est revenu dans la tente. Il s'est jeté sur moi pour me couvrir de baisers. Il m'embrassait le ventre et répétait les paroles de son dieu : « Je donne ce pays à ta semence ! » Comme je lui disais que le pays de mes collines et de mes vallons n'était guère opulent malgré l'ardeur de ses labours, il s'est presque fâché. « Tu ne comprends pas ! Si Yhwh parle ainsi, cela signifie qu'Il pense à toi, mon épouse, celle qui reçoit ma semence ! Sois patiente, le Dieu unique te montrera bientôt Sa puissance. »

Sililli agita ses doigts blancs de farine.

— Mmm. Qui sait ? répéta-t-elle.

— Mais lui, Abram, patient, il ne l'est guère, s'amusa Saraï. Je peux te le dire, il n'est pas de nuit ni de matin sans qu'il s'assure que son dieu pourra faire fructifier sa semence !

Un rire pétilla dans leurs yeux, puis éclata. Un grand rire plein de joie et de légèreté.

Plus loin, Loth s'était dressé et demandait :

— Pourquoi riez-vous ? Pourquoi riez-vous ?

Le lendemain, ils parvinrent aux abords d'une vaste vallée qui s'étendait le long d'une chaîne de montagnes. Les verts et les jaunes des champs de fleurs, de céréales et des pâturages s'y entremêlaient comme un tissage. Des bêtes paissaient, des hommes travaillaient dans les prés.

La frustration gâcha leur émerveillement. Pourquoi le dieu d'Abram leur désignait-Il ce pays-là ?

Saraï, résumant ce que tout le monde pensait, se tourna vers Abram :

— Cette terre est magnifique, mais apparemment elle n'est pas vierge d'hommes. Pouvons-nous y dresser nos tentes, y construire une ville ?

Abram contempla longuement le paysage qu'il avait sous les yeux. De toute évidence, Yhwh avait voulu qu'il mesure toute la beauté de ce pays avant d'y entrer. Oui, cette terre était capable de supporter leur présence. À l'ouest et au sud on n'apercevait ni la laine blanche des moutons ni les masses sombres du gros bétail. Il leur fit remarquer :

— Il y a là de quoi nous accueillir.

— C'est bien possible, répliqua sombrement Arpakashad. Mais Saraï a raison : dès que nos troupeaux laperont l'eau des rivières, que nos seaux remonteront celle des puits, cela engendrera des querelles.

Abram sourit sans s'offusquer. Il y avait bien longtemps qu'on ne l'avait vu si réjoui et si serein. Rien ne semblait capable d'entamer sa bonne humeur. Il hocha la tête.

— Ce pays est en partie vide. Regardez : au sommet de la montagne on aperçoit une ville. Venez.

Il demanda que l'on fasse avancer trois des meilleurs chariots attelés aux plus belles mules. Il en fit recouvrir l'intérieur de draps propres et déclara :

— Remplissez ces chariots de tous les pains cuits d'hier et de ce matin. Ajoutez-y tout ce que nous possédons de bonne nourriture : les agneaux fraîchement tués comme les fruits cueillis ces derniers jours. Et allons offrir tout cela aux habitants de cette ville.

Une femme, d'une voix aiguë, s'écria :

— Tu nous dépouilles entièrement. Que nous restera-t-il à manger ces jours prochains ?

— Je ne sais pas, répliqua Abram. Nous verrons. Peut-être les habitants de la ville nous donneront-ils de quoi manger à leur tour...

Abram paraissait si sûr de lui que, même si ses mots pouvaient paraître présomptueux, chacun savait qu'il n'avait d'autre choix que de suivre son obstination.

Dans la chaleur de l'après-midi, ils prirent le sentier conduisant à la ville.

Ils formaient une longue cohorte. Plus d'un millier d'hommes, de femmes et d'enfants, le double au moins de petits bétails, sans compter les chariots portant les tentes et les coffres, les troupeaux de mules et d'ânes. On pouvait voir de loin le nuage de poussière soulevé par les sandales et les sabots. On pouvait entendre les bêlements, les grincements des essieux et même les cailloux roulés par le martèlement de leur pas.

Aussi, à peine furent-ils parvenus en vue de la ville que les trompes et les tambours sonnèrent l'alarme. Son long bâton dans une main, l'autre reposant sur la sangle de sa mule, Abram prit garde à n'avancer qu'avec lenteur. Il voulait que, depuis les murs, on puisse les examiner à loisir et s'assurer qu'ils approchaient paisiblement, sans armes ni esprit de bataille.

Cependant, quand ils arrivèrent à une portée de flèches des murs éblouissants de blancheur, l'énorme porte peinte en bleu qui en constituait la seule ouverture demeura hermétiquement close.

Des têtes et des lances se mouvaient entre les crénelages de l'enceinte. Çà et là, d'étroites tours, fendues d'ouvertures verticales, permettaient d'entrevoir des silhouettes.

Abram leva son bâton. La colonne s'immobilisa. Plaçant les mains autour de sa bouche, il cria :

— Mon nom est Abram. Je viens en paix avec mon peuple saluer ceux qui ont embelli cette terre et construit cette ville !

Abandonnant son bâton, il tendit la main droite pour saisir celle de Saraï et, de la gauche, attrapa celle de Loth. Il demanda que chacun en fasse autant. Les familles formèrent des grappes aux mains nouées. Venant se placer au côté d'Abram et de Saraï, ils s'unirent en une sorte de croissant de lune. Il était aisé pour ceux qui les guettaient de s'assurer que nul ne dissimulait d'armes.

Ils demeurèrent ainsi un assez long moment, sous le soleil.

Puis soudain la porte grinça, gronda, s'entrouvrit et béat en entier.

Des soldats apparurent. Bouclier et lance aux poing, vêtus de tuniques aux couleurs violentes, en deux colonnes bien alignées, ils avancèrent d'un pas ferme en direction d'Abram et des siens. Quelques-uns ne purent retenir un mouvement de crainte, reculant déjà. Mais comme Abram ne bougeait pas d'un pouce, ils reprirent leur place.

Parvenus à une vingtaine de pas, les guerriers s'immobilisèrent. Chacun nota qu'ils ne pointaient pas leur lance sur les poitrines mais vers le ciel, reposant la hampe sur le sol. Et aussi que leurs visages étaient semblables aux leurs. Leurs sourcils, barbe et cheveux étaient d'un noir profond. Ils ne portaient ni perruque ni casque, comme les guerriers d'Akkad et de Sumer, mais d'étranges bonnets de couleurs. Le khôl faisait briller leurs prunelles aussi sombres que leur peau.

Une trompe sonna à la porte de la ville. Un son doux et grave.

Précédant une foule bigarrée et nerveuse, une dizaine d'hommes apparurent. Ils étaient vêtus de longues capes d'un rouge et d'un bleu intenses. Un large turban jaune enveloppait leur tête. De jeunes garçons marchaient à leur côté, brandissant des palmes pour leur procurer de l'ombre. C'étaient des hommes âgés, le ventre rond, la barbe assez longue pour atteindre leur poitrine couverte de colliers d'argent et de jaspe. Ils souriaient. Un sourire qui surprit chacun. Un sourire qu'ils reconnurent tous, et Saraï la première : c'était le sourire qui, depuis le matin, ne quittait pas les lèvres de son époux.

Les sages de la ville s'immobilisèrent. Abram, abandonnant les mains de Saraï et de Loth, saisit dans le chariot le plus proche deux gros pains. Il s'inclina devant le plus âgé, qui semblait le plus noble et était le plus richement vêtu. Il lui offrit les pains en même temps que le respect de son salut.

— Mon nom est Abram. Je viens en paix avec mon peuple. On nous appelle les Hébreux, les hommes qui passent, car nous arrivons de loin. Voici les pains que nous avons cuits hier et aujourd'hui. Je suis heureux de les offrir aux habitants de cette ville, bien qu'elle soit riche et sans doute capable d'en cuire cent fois plus.

Le vieil homme prit les pains entre ses doigts bagués et les confia à ceux qui l'entouraient. Derrière eux, les soldats ne parvenaient plus à contenir la foule des habitants de la ville. Ceux-ci se pressaient autour des nouveaux venus, curieux et excités. Des enfants criaient et gesticulaient pour attirer l'attention des enfants voyageurs.

Le vieil homme à qui s'était adressé Abram leva la main au-dessus de son épaule. La trompe résonna, le silence revint.

— Mon nom est Melchisédech. Je suis le roi de cette ville qui s'appelle Salem, de ce peuple et de ces terres. Depuis le fleuve de l'est jusqu'au rivage de la mer à l'ouest, d'autres peuples habitent ce pays que nous appelons Canaan.

Il parlait lentement et posément, dans la langue amorrite avec un accent que Saraï n'avait encore jamais entendu.

— Moi, Melchisédech, ainsi que Salem et que Canaan, nous t'accueillons, toi, Abram, et ceux qui vont avec toi. Nous vous ouvrons nos bras. Au nom du Dieu Très-Haut, Créateur du Ciel et de la Terre, je bénis ta venue.

Un lourd silence s'installa.

Abram se retourna vers Saraï. Son visage n'était plus que jubilation. À voix forte, pour être entendu de tous, Abram s'exclama :

— Avez-vous entendu ? Le roi de Salem, le seigneur Melchisédech, nous bénit au nom du Dieu unique. Nous sommes accueillis ici par des frères.

La beauté de Saraï

Le bonheur dura quelque dix années.

Dans une fête où se mêlait la nourriture des habitants de Salem à celle des nouveaux venus, on s'enivra de bière et de contes, on s'admira et on se découvrit. Il fut décidé qu'Abram s'acquitterait d'une dîme pour chacune des bêtes de son troupeau qui paîtrait sur les terres de Canaan. Il fut également décidé qu'il ne construirait pas de ville afin de ne pas rivaliser avec la belle cité de Salem et que, comme par le passé et comme l'avaient fait leurs pères avant eux, lui et les siens monteraient et démonteraient leurs tentes au gré des pâturages.

Le roi Melchisédech et ses sages questionnèrent Abram sur le pays d'où il venait et l'apparence du monde traversé au cours de leur longue marche jusqu'à Salem. Qu'à travers mille montagnes et vallées, rivières et déserts, il ait trouvé le chemin de Canaan les étonna. Ils ignoraient tout du royaume d'Akkad et de Sumer et convièrent Saraï à leur montrer, sur une planchette de glaise fraîche, l'écriture qui y était en usage. Que l'on pût désigner des choses, des animaux, des hommes, des couleurs et même des sentiments à l'aide de signes les stupéfia.

Enfin, ils demandèrent à Abram ce qu'il savait du Dieu unique. Eux-mêmes le vénérait : Il était le Dieu de leurs pères et Il leur avait toujours assuré la paix et la richesse sur leurs terres. Cependant, le Dieu invisible ne s'était encore jamais adressé à eux. À aucun d'entre eux Il n'avait confié son nom.

192

Yhwh.

Aussi, le roi Melchisédech déclara qu'Abram, bien qu'il ait l'apparence d'un berger entraînant à sa suite un peuple disparate qui ne provenait même pas de son sang, était sans doute un roi aussi noble que lui. Il annonça, de sa voix pleine de jeunesse, qu'il s'inclinait devant lui, malgré la différence d'âge, et avec tout le respect qu'il aurait accordé à un égal.

À la suite de quoi, tous les sages et tous les habitants de Salem l'imitèrent. Puis Melchisédech se tourna vers Saraï, qui se tenait droite et silencieuse. Il dit :

— Abram, permets aussi que je m'incline devant ton épouse, Saraï. Il se peut que sa beauté vous soit habituelle, à toi et aux tiens, et qu'elle ne vous brûle pas les yeux de ravissement. C'est pourtant la plus belle des femmes que le Dieu unique ait mises sur mon chemin. Et je ne doute pas qu'Il l'ait placée auprès de toi en signe de toutes les beautés qu'Il veut offrir à ta nation.

Et Melchisédech s'inclina également devant Saraï. Puis, pressant sa longue barbe sur sa poitrine, il saisit un pan de la tunique de Saraï pour la porter à ses lèvres. Sa bouche trembla lorsqu'il se redressa et murmura pour qu'elle seule entendît :

— Je suis vieux, mais désormais c'est un bonheur, car, sachant que tu existes et que tu n'es pas mienne, je ne saurais vivre jeune.

Saraï avait espéré qu'une fois parvenu au pays promis par son dieu Abram ordonnerait la construction d'une ville. Une vraie ville, avec des maisons en brique, des ruelles, des cours, des portes et des toits frais. Oui, toute la grandeur d'une ville. En vérité, la beauté d'Ur lui manquait. La splendeur solide, immuable, immobile de la ziggurat lui manquait. Et l'ombre de sa chambre dans la maison d'Ichbi Sum-Usur, les parfums du jardin, les bruits des outres qui se remplissaient, le murmure des bassins dans la nuit.

Elle n'était pas seule à être lasse de monter et démonter les tentes et de suivre la faim des troupeaux. Pourtant, bien vite, lune après lune, chacun mesura à quel point le pays de Canaan était prodigieux.

On pouvait demeurer sur la même terre deux ou trois saisons. Le lait et le miel semblaient suinter des collines et des vallées. La pluie alternait avec la sécheresse et la fraîcheur avec la chaleur sans que l'un excède l'autre. L'abondance engraissait les troupeaux et les enfants. Les fils devenaient plus grands que leur père. Ainsi, au fil des jours, tous, même Saraï, oublièrent leur rêve de ville.

Les tentes s'agrandirent, jusqu'à posséder des chambres séparées par des tentures intérieures. Abram en fit coudre une aux rayures blanches et noires assez vaste pour que puissent s'y réunir les chefs des différentes familles. Les femmes de Salem apprirent aux nouvelles venues à teindre la laine et le lin de couleurs vives et joyeuses. Elles leur montrèrent comment les tisser selon des motifs originaux. Les tuniques et les capes blanches et grises furent remisées dans les coffres. On commença à se vêtir de rouge, d'ocre, de bleu, de jaune.

Après deux années, la réputation de paix et de richesse de Canaan, la renommée de sagesse d'Abram et de Melchisédech furent colportées dans les nations environnantes par les bergers et les caravanes de marchands.

Isolés d'abord, puis de plus en plus nombreux, des étrangers aux maigres troupeaux arrivèrent, du nord et de l'est. Les pères et les fils s'inclinaient devant Abram avec les mêmes mots et les mêmes espérances :

— Nous avons entendu parler de toi, Abram, et de ton dieu invisible qui te protège et te conduit. Là d'où nous venons, il n'y a que pauvreté, poussière et conflits. Si tu acceptes notre présence, nous t'obéirons et te suivrons en tout. Nous servirons ton dieu, nous lui ferons des offrandes comme tu nous l'enseigneras. Tu seras notre père et nous serons tes fils.

Certains arrivèrent du sud après avoir traversé les trois déserts qui bordaient l'opulent pays de Canaan. Ils paraissaient

194

plus riches et moins rustres que ceux du nord et de l'est, mais n'en désiraient pas moins appartenir au peuple d'Abram.

— Là d'où nous venons, un fleuve énorme, dont nul ne connaît la source, irrigue une terre d'une grande richesse, racontaient-ils. Il y règne un roi d'une puissance sans limites qui est aussi un dieu vivant. Son nom est Pharaon. Il s'assoit au côté d'autres dieux qui, eux, ont l'apparence à moitié d'homme et à moitié d'oiseau, de félin ou de bélier. Ses villes et ses palais sont magnifiques, les tombeaux de ses pères encore plus beaux que ses palais. Mais sa puissance enivre ceux qui le servent. Chez Pharaon, on tue les hommes comme on écrase les mouches. On ne craint pas la faim, mais la servitude et l'humiliation.

Abram ne refusait jamais les pâturages de Canaan aux nouveaux venus. Il bénissait leur arrivée avec autant de plaisir que Melchisédech l'avait béni lui-même au pied de Salem. D'une tolérance qui étonnait, il n'obligeait jamais quiconque à croire en son dieu, bien que sa propre dévotion dans le Dieu unique soit absolue. Partout dans Canaan il Lui élevait des autels et ne laissait pas passer un jour sans y faire des offrandes et y crier son nom : Yhwh ! Yhwh ! La seule peine qu'il connaissait était le silence qui lui répondait. Il n'était pas de jour sans qu'il espère qu'à nouveau le Dieu Très-Haut, comme il commençait à L'appeler, l'interpelle et lui ordonne une nouvelle tâche.

Mais Yhwh se taisait. Qu'aurait-Il eu à dire ? Comme promis, Abram devenait un peuple, une nation et un grand nom.

Et cela sans même que Saraï lui ait donné un fils ou une fille !

Depuis leur installation sur les terres de Canaan, nul ne s'étonnait plus de la stérilité de Saraï.

Chacun, hommes et femmes, marcheurs depuis Harran ou nouveaux venus, était subjugué par la beauté de Saraï.

Une beauté qui semblait être elle-même un signe si parfait d'abondance qu'elle obligeait à taire jalousie et concupiscence. De même, on comprenait qu'Abram, profitant de cette beauté comme un jeune marié, ne semble éprouver aucune tristesse d'être sans descendance. Tout était bien. Le bonheur et la paix engourdissaient les cœurs et les esprits. Le bien-être était devenu une nourriture quotidienne pour tous et chacun. Nulle peine ne venait jamais les tirer de cette sorte d'ivresse. La beauté de Saraï, son ventre toujours plat, ses joues lisses, sa nuque, ses seins et ses hanches de jeune fille étaient devenus le signe de la félicité que leur accordait Yhwh, le dieu d'Abram.

Ils ne se rendirent pas compte avant longtemps du vrai prodige qu'ils avaient sous les yeux : le temps n'effleurait plus la beauté de Saraï. Les lunes, les saisons, les années s'écoulaient. La jeunesse de Saraï semblait être immuable.

Le poids de ce prodige silencieux, après l'avoir ravie, commençait à terrifier Saraï elle-même.

Un jour d'été, comme elle aimait le faire aux heures les plus chaudes, Saraï se baignait dans le creux d'une rivière. Des arbres touffus y dressaient une chambre de verdure. Dessous, le courant avait creusé une vasque profonde dans la roche, formant un bassin naturel où l'eau, assez profonde pour que l'on y plonge, prenait des teintes vertes et bleues. Souvent, Saraï se baignait là, nue. Puis, frissonnante, tandis que le soleil et la chaleur grésillaient sur les frondaisons au-dessus d'elle, elle s'allongeait sur les roches encore fraîches de la rive, polies par les crues d'hiver et aussi douce qu'une peau. Le plus souvent, le sommeil lui fermait les paupières.

Cet après-midi-là, un bruit la tira de sa somnolence. Elle se redressa à demi, songeant à un animal. Ou à une branche morte tombée d'un arbre. Elle ne vit rien, et le bruit ne se répéta pas.

Elle reposait sa poitrine et sa joue contre la roche lorsqu'un rire éclata au-dessus d'elle. Un corps jaillit d'entre les arbres, attrapa sa tunique et se détendit de nouveau pour disparaître avec fracas dans l'eau. Mais Saraï l'avait reconnu.

— Loth !

La tête de Loth surgit de l'eau, moqueuse. Avec un grand éclat de rire, il agita la tunique de Saraï, ruisselante, au bout de son poing. Saraï se recroquevilla et voila de son mieux sa nudité.

— Loth! Ne sois pas stupide. Rends-moi ma tunique et disparais!

En deux mouvements puissants, Loth fut à ses pieds. Avant qu'elle fît un mouvement il lança la tunique au loin tandis qu'il lui enlaçait les mollets. Furieusement, il lui baisa les genoux et les cuisses, cherchant à lui enlacer la taille. Avec un cri de fureur, Saraï lui agrippa les cheveux à pleines poignées. D'une torsion de la hanche, lui tirant sur la tête, elle dégagea ses jambes. Sans plus se soucier de sa pudeur, elle parvint à placer un pied sur l'épaule de Loth puis un autre contre sa poitrine. Elle le repoussa de toutes ses forces. Mais Loth était devenu un jeune homme plein de vigueur. Il desserra son étreinte, sans l'abandonner cependant. Riant, ivre d'excitation, il lutta, agrippa la nuque de Saraï, posa une main sur sa poitrine. Alors, les muscles durcis par la colère, Saraï bascula sur le côté, balança son pied dans le sexe de Loth et le gifla de toutes ses forces.

Sous le choc de la douleur autant que de la stupéfaction, Loth roula sur la roche et tomba dans l'eau. Saraï se mit debout, trouva sa tunique et l'enfila prestement, toute trempée qu'elle était. Avec un gémissement enfantin, Loth se hissa hors de la rivière. Il demeura un instant étendu sur le côté, ses mains massant son sexe dressé sous son pagne. La douleur et l'embarras défaisaient ses traits. Saraï le dévisagea sans adoucir sa fureur.

— Honte à toi! Honte à toi, neveu d'Abram!

Loth se redressa, le visage livide, le menton frissonnant.

— Pardonne-moi, balbutia-t-il. Tu es si belle.

— Ce n'est pas une raison. Je suis l'épouse d'Abram. L'aurais-tu oublié? Tu n'es pas pardonnable.

— Si, c'est une grande et vraie raison!

Il avait presque crié. Il détourna les yeux, s'assit sur la roche, dos à Saraï. Il poursuivit :

— Toi, tu ne t'aperçois de rien. Moi, je te vois tous les jours. La nuit tu es dans mes rêves. Je songe à toi en ouvrant les yeux.

— Tu ne dois pas.

— Je ne choisis pas. On ne choisit pas la femme que l'on aime.

— Tu ne devrais même pas oser prononcer des mots pareils. Si le dieu d'Abram t'entendait...

— Le dieu d'Abram peut m'entendre s'Il le veut ! l'interrompit violemment Loth. C'est toi qui ne m'entends pas ! Tu ne vois même pas que je suis près de toi plus souvent qu'Abram. Tu ne vois pas que je te sers avec plus d'attention que lui. Il n'est rien que tu me demandes sans que je l'accomplisse avec joie. Mais tu ne me vois pas. Et quand tu prononces mon nom, je crois être encore l'enfant que tu grondais. Je ne le suis plus, Saraï. Mon corps a grandi, mes pensées ont grandi, et mon sexe aussi.

Saraï se sentit soudain pleine de confusion et de gêne. La voix de Loth vibrait de douleur. Pourquoi n'avait-elle pas vu cette souffrance ? Il avait raison. Elle ne le voyait pas. Ou, plutôt, tandis qu'elle voyait l'homme qu'il était devenu, d'une grande beauté, plus mince et plus fin qu'Abram, avec quelque chose de féminin dans sa souplesse, elle continuait à songer à l'enfant qu'il avait été, toujours rieur, joueur. Alors que partout dans Canaan des jeunes femmes devaient s'endormir avec son image dans l'esprit, rêvant de l'avoir un jour pour époux.

La colère de Saraï reflua. Elle chercha une phrase de sagesse tendre qui pût calmer Loth. Mais Loth lui fit face, les yeux aussi brillants que s'ils étaient enduits de khôl.

— Je sais à quoi tu penses. Je connais tous les mots que tu as dans la bouche et avec lesquels tu veux me condamner ou m'apaiser. Tu penses à Abram qui est comme mon père. Tu vas me dire que tu es comme ma mère.

— N'est-ce pas la vérité ? N'y a-t-il pas de plus grande faute que de convoiter sa mère ? L'épouse de son père ?

Le rire de Loth fut terrible à entendre.

— Abram n'est pas mon père ! D'ailleurs, il ne veut pas le devenir : il ne m'a pas adopté. Et toi, tu dis : je suis comme ta mère. Mais quelle mère te ressemble ?

— Loth !

— Toi, tu es celle que j'ai aimée pendant des années comme une mère, oui. Mais, aujourd'hui, qui peut te traiter comme une mère ? Pas même moi.

— Que veux-tu dire ?

Loth plongea la main dans l'eau pour s'asperger le visage et la poitrine comme s'il se consumait malgré l'ombre où ils se tenaient.

— Ils sont comme des aveugles. Mais toi, tu ne peux l'être. Pas toi.

Loth saisit les doigts de Saraï. Il les retint alors qu'elle tentait de se dégager. Il les baisa et les porta à son front avec une douceur pleine de respect.

— Je t'ai toujours aimée, Saraï. De tout mon cœur, de tout ce qui en moi est capable d'aimer. Oui, au point même d'avoir été heureux lorsqu'il a fallu que tu deviennes ma mère. Et, pour mon bonheur et mon malheur, à part Abram, je suis le seul homme à connaître la douceur de ta peau, la fermeté et la chaleur de ton corps. Tu m'as serré contre toi. Il y a longtemps, mais je m'en souviens comme de l'instant présent, nous avons même dormi dans la même couche quelques nuits. Je me suis réveillé en respirant le parfum de tes seins.

— Loth !

— Chaque jour depuis que je suis enfant je regarde ton visage. Et chaque jour c'est le même visage parfait.

Saraï retira sèchement ses mains de celles de Loth. C'était elle maintenant qui évitait son regard. Mais Loth reprit :

— Comment ne le voient-ils pas ? J'ai été enfant, puis garçon. Maintenant je suis un homme. Le temps est passé en moi. Il a modelé mon corps. Mais sur toi, Saraï, il n'a pas déposé une ride. Les femmes jeunes de mon enfance ont aujourd'hui les hanches lourdes, le ventre amolli par les naissances. Les rides plissent leurs yeux et leurs bouches, leur front et leur cou se marquent. Je te regarde et je ne vois rien de tel. Ta peau est plus belle que celle des filles qui veulent que je les caresse derrière les buissons. Le temps ne passe pas en toi, voilà la vérité.

— Tais-toi, implora Saraï.

Loth baissa le front et murmura :

— Tu peux tout me demander sauf de ne pas t'aimer comme un homme aime une femme.

L'une des nuits suivantes, alors qu'Abram l'avait rejointe dans sa couche et qu'ils reposaient l'un près de l'autre dans l'obscurité, encore engourdis par leurs caresses, Saraï raconta comment Loth l'avait surprise au bord de la rivière. Abram se mit à rire :

— Si la passion de Loth te surprend, tu es bien la seule. Au seigneur Melchisédech qui lui demandait pourquoi il semblait peu enclin à faire des offrandes sur l'autel du Dieu Très-Haut, il a répliqué qu'il ne serait certain de l'existence de Yhwh que lorsqu'Il lui apparaîtrait sous ton apparence !

Ils rirent ensemble. Puis Saraï ajouta :

— Quand Loth n'était encore qu'un jeune garçon, alors que nous étions en marche depuis Harran, il s'enthousiasmait pour ton dieu. Il voulait que je lui raconte sans cesse ce que tu en disais. Maintenant, c'est un homme et il assure qu'il ne peut m'aimer comme une mère ou une tante car le temps ne passe pas en moi. Est-ce aussi ce que tu penses ? Que le temps ne passe plus en moi ?

Abram demeura un instant immobile et silencieux. Puis d'une voix chaude, pleine de joie, il acquiesça.

— N'est-ce pas une malédiction ? Une punition que m'enverrait ton dieu ? demanda Saraï dans un souffle

Abram se redressa, fit glisser la couverture qui les recouvrait. D'un long baiser, il fit courir ses lèvres du cou de Saraï jusqu'au creux de ses cuisses.

— Ma chair, mes doigts, mon cœur et ma bouche s'abreuvent de bonheur à ta beauté, nuit après nuit. C'est la vérité : les saisons passent et la beauté de Saraï ne se flétrit pas. Au contraire. Les jours nous poussent vers la mort comme l'âne pousse la roue qui monte l'eau du puits. Mais mon épouse Saraï est cette nuit aussi fraîche qu'elle l'était la première fois que je l'ai dénudée.

— Et cela ne t'effraie pas ?

— Pourquoi serais-je effrayé ?

— Tu ne crains pas que d'autres en soient troublés autant que Loth, mais avec moins de tendresse et de raison ? Tu ne crains pas que ton épouse devienne source d'envie, de rancœur et de haine ?

Abram eut un petit rire assuré :

— Il n'est pas un homme dans Canaan que ne remplit le désir de te voir. Comment ne m'en rendrais-je pas compte ? Il n'est pas un homme ou une femme qui n'envie Abram ou Saraï. Mais pas un n'osera ce que mon neveu Loth a osé. Car ils savent. Ils savent ce que Melchisédech a vu en toi dès notre arrivée à Salem : Yhwh veut ta beauté, mais Il ne me la réserve pas. Il la fait briller sur Canaan. Il l'offre au peuple d'Abram. De la beauté de Saraï, mon épouse qui n'enfante pas, Il fait la semence de notre bonheur éternel. Le Dieu Très-Haut retient le passage du temps au-dessus de toi car tu es la messagère de toutes les beautés qu'Il peut accomplir. Qui, dans le peuple d'Abram, oserait souiller cette messagère ?

Saraï aurait aimé protester. Dire qu'elle n'éprouvait rien de pareil, mais plutôt le poids du temps immobile et le désir inlassable d'enfanter. Elle aurait voulu dire que de telles pensées n'étaient qu'imagination d'homme. Que le dieu d'Abram n'avait rien annoncé ni promis de tel, seulement un peuple et une semence fertile. Cependant Abram, avec fougue, la réduisit au silence : il la couvrit de caresses et puisa une nouvelle fois en elle le plaisir qui le comblait.

Plus tard, dans l'obscurité, le souffle du sommeil d'Abram contre son épaule, la tristesse envahit Saraï. Elle se mordit les lèvres et pressa ses paupières pour s'interdire les larmes.

Combien elle aurait préféré que son ventre s'arrondisse et son visage se plisse de rides ! Qu'avait-elle à faire de cette beauté

sèche comme un pâturage craquelé? Comment pouvait-on préférer une beauté stérile au cri de la vie et au rire d'un enfant?

Assaillie de questions de plus en plus douloureuses, emplie
de colère et de crainte, elle ne put trouver le sommeil. Pour la
première fois depuis leur départ d'Harran, Saraï fut saisie d'un
doute violent.

Et si Abram se trompait? S'il était abusé par le désir
d'aimer son dieu et d'accomplir de grandes choses? Peut-être,
en croyant entendre un dieu invisible et impalpable, suc-
combait-il à sa propre imagination ou aux manœuvres d'un
démon? Car, en vérité, que valait la puissance d'un dieu incapable de faire couler entre ses cuisses le sang des épouses?

Un fils de famine

Au lendemain de cette nuit, le bonheur de Canaan commença à se défaire. Ceux qui venaient grossir la tribu d'Abram se firent soudain plus nombreux. Ils arrivaient surtout du nord, parfois même des villes, sans troupeau mais avec leur savoir-faire d'artisans. Et tous disaient :

— Chez nous les récoltes ont été mauvaises. Les pluies ne sont pas tombées, les champs sont secs, les rivières montrent leurs cailloux.

Sans hésiter, Abram leur offrait une place près de lui. Bientôt, il ne fut plus un lopin des terres de Canaan qui ne dût nourrir petit et gros bétail. À l'automne, nul ne démonta sa tente. L'herbe des pâturages devint courte et dure. Pour la première fois, sous la grande tente blanc et noir, les plus anciens, ceux qui étaient venus avec Abram, demandèrent :

— Ne crains-tu rien ?

— Que dois-je craindre ?

— Ne sommes-nous pas devenus trop nombreux sur la terre de Canaan ?

Abram répondit :

— Le Dieu Très-Haut m'a donné cette terre et aucune autre, et Il n'a pas mis de limite à mon peuple.

Les autres songèrent qu'une mauvaise saison pourrait mettre une limite là où Abram n'en voulait pas. Mais ils se turent. Comme Saraï se taisait. Abram devenait si sûr de lui, si confiant, qu'il repoussait les doutes et les questions aussi bien qu'un bouclier de bronze repousse les flèches. Il commença aussi à partager moins souvent la couche de Saraï. Celle-ci confia amèrement à Sililli :

— Même la plus grande des beautés peut lasser un époux. Le plaisir qu'il peut prendre avec moi, il lui suffit désormais d'y songer, il n'a plus besoin de l'éprouver.

— On n'a jamais vu un homme se lasser de ces choses-là ! plaisanta Sililli. Branlants et bégayants, tant qu'ils peuvent dresser le manche, ils se rêvent encore bûcherons !

Saraï secoua la tête sans sourire.

— Abram sait que demain mon visage et mon corps seront tels qu'aujourd'hui. Et qu'il n'en tirera rien d'autre que ce qu'il en a déjà obtenu. À quoi bon se presser ?

Elle n'ajouta pas ce à quoi elle pensait : Sililli le pensait également.

Loth aussi voyait sa détresse. Depuis l'aveu de son amour, il se gardait du moindre geste qui pût provoquer la colère de Saraï. Mais il se tenait à son côté, affectueux et silencieux. Il leur arrivait ainsi de demeurer des soirées ensemble, écoutant les chants et les musiques du campement, écoutant les contes et les légendes que racontaient avec force détails les marchands de passage ou les vieux d'un clan nouveau venu.

Saraï, parfois, laissait son regard se perdre sur le beau visage de Loth. Elle tressaillait lorsqu'il éclatait de rire à l'une des plaisanteries d'un conteur. Elle éprouvait un bizarre sentiment de joie, de tendresse et de remords à le voir si fidèlement présent et attentif. Elle disait à Loth :

— Pourquoi ne vas-tu pas près des filles qui t'attendent ? C'est ta place.

Elle n'osait pas ajouter : « Il va bien falloir que tu prennes une épouse. »

Loth la contemplait avec une expression à la fois sérieuse et paisible. Il hochait la tête et répondait :

— Ma place est près de toi. Je n'en désire aucune autre.

Alors, parfois, Saraï lui ouvrait ses bras. Elle le serrait contre elle, lui déposait des baisers dans le cou et se laissait embrasser, comme quand Loth était enfant. Lorsqu'elle surprenait ces embrassades, Sililli grognait :

— Tu vas le rendre fou.

— Nous ne sommes pas mère et fils, mais nous pouvons être sœur et frère ! répliquait Saraï, le rouge aux joues.

— Sœur et frère ! Quand les moutons auront des ailes ! grinçait alors Sililli, sérieusement fâchée. J'aime Loth autant que toi, et je te dis que ce que vous faites de lui, toi la belle et Abram l'indifférent, est d'une grande cruauté. Vous devriez l'obliger à prendre une épouse, son troupeau, et à aller faire des enfants dans le désert du Néguev !

Sililli avait raison. La poitrine de Saraï se glaçait, la crainte lui nouait les reins : les fautes commises par elle ou Abram s'accumulaient.

Une nuit, elle fit un mauvais rêve qu'elle n'osa confier à personne, et surtout pas à Sililli. Elle se vit, sortant de la rivière où Loth l'avait surprise. Loth n'était pas là. Elle était entourée d'une grande quantité d'enfants, filles et garçons. D'étranges enfants au ventre rond comme s'ils allaient enfanter et au visage vide. Tout à fait vide : sans bouche, sans nez, sans yeux ni sourcils. Et qui se ressemblaient tous bien qu'on ne pût distinguer leurs traits. Cependant, Saraï n'en était pas effrayée. Elle avançait dans les pâturages, ainsi accompagnée par la ribambelle d'enfants. Tout dans Canaan semblait aussi beau que d'ordinaire. Des fleurs extravagantes avaient poussé dans les champs de frais labours. Des fleurs sur de grandes tiges, à la vaste corolle de pétales jaunes. Saraï et les enfants couraient en criant de joie pour les cueillir. S'approchant, ils s'apercevaient que les tiges étaient recouvertes d'épines dures qui interdisaient qu'on les empoigne. Les fleurs elles-mêmes s'avérèrent être des boules de feu pareilles à des soleils incandescents. Elles brûlaient la vue, elles brûlaient les champs, elles desséchaient les arbres. Saraï se mit à crier d'effroi. Elle voulut avertir Abram, Melchisédech et tous les anciens de la tribu : « Attention, les fleurs vont tout détruire, elles vont transformer Canaan en désert ! » Mais les enfants l'apaisèrent, caressants et toujours joyeux, montrant leur gros ventre et disant : « Ce n'est pas grave, ce n'est pas grave ! Regarde comme nos ventres sont gros. Nous allons donner naissance à toutes vos fautes et vous pourrez les manger quand les champs seront vides. »

Quelques jours plus tard, alors que Saraï s'était résolue à convaincre Loth de prendre femme et de s'éloigner d'elle, avec un ricanement de dépit il annonça :

— Abram joue au père.

— Que veux-tu dire ?

— Parmi les nouveaux venus de Damas, il est un jeune garçon qui ne le quitte pas d'une longueur de sandale. Ou c'est Abram qui ne le quitte plus, comme tu voudras.

— Quel âge a-t-il ?

— Onze ou douze années. L'âge que j'avais quand tu es devenue ma mère.

Le sourire de Loth était crissant comme une pêche tombée dans le sable. Il haussa les épaules et ajouta :

— Un garçon joli, aux cheveux bien bouclés. Une grande bouche, un nez long qui plaira aux femmes. De plus, malin et tricheur au jeu. Je l'ai vu faire, il sait s'y prendre avec Abram. Beaucoup plus caressant que je ne l'ai jamais été.

— Pourquoi traîne-t-il avec Abram ? demanda Sililli. Il n'a donc ni père ni mère ?

— Il a tout ce qu'il lui faut. Et surtout toute l'attention d'Abram.

— Montre-le-moi, demanda Saraï.

Le garçon s'appelait Éliézer et était en tout point comme Loth l'avait décrit. Beau, vif, caressant et attachant. Pourtant, au premier regard, il déplut à Saraï. Elle ne comprit pas vraiment pourquoi. Était-ce sa façon de sourire en inclinant la tête sur le côté ? Était-ce ses paupières un peu lourdes qui voilaient à demi ses yeux ?

— Peut-être es-tu jalouse ? soupira Sililli.

Avec sa franchise ordinaire, elle ajouta :

— Tu as des raisons de l'être. Pourtant ce garçon est une bonne nouvelle. Abram s'est enfin aperçu qu'il était las de ne pas être père. Il en découvre les joies avec cet Éliézer. Qui pourrait le lui reprocher ? À vouloir devenir le roi d'un grand peuple sans ressentir ce qu'est être père, ton époux commençait à m'inquiéter.

— Eh bien, moi, je ne vois rien dans ce garçon qui doive me réjouir ! répliqua sèchement Saraï.

À la première occasion, elle demanda à Abram :

— Qui est ce garçon qui ne te quitte pas ?

— Éliézer ? Le fils d'un muletier de Damas.

Le sourire d'Abram était radieux.

— Il te plaît tant que cela ?

— C'est le plus adorable enfant de Canaan. Il n'est pas seulement agréable à voir. Il est intelligent et courageux. Il apprend vite et il sait obéir.

— Mais il a déjà un père, Abram. En a-t-il besoin de deux ?

Le sourire d'Abram s'effaça. Pour la première fois de toute leur vie d'époux, en cet instant Saraï vit qu'il oubliait son amour pour elle.

Ils demeurèrent face à face, silencieux. Redoutant l'un comme l'autre les mots qui pourraient jaillirent de leur bouche et frapper comme des pierres. Saraï sut qu'elle avait vu juste depuis des lunes. Sa beauté ne suffisait plus. La faute en pesait-elle plus lourdement sur elle que sur Abram ?

Aussi, avec la plus grande douceur, elle dit :

— Je sais depuis longtemps que cela devait arriver. Nul n'a été meilleur que toi avec une épouse stérile.

Abram resta muet. Le regard dur, devinant qu'elle voulait ajouter quelque chose et attendant.

— Toi comme moi, nous avons toujours considéré Loth comme notre fils. Et dans les faits comme dans notre cœur, il l'est depuis des années. Pourquoi lui préférer un garçon inconnu qui possède son père et sa mère alors que tu pourrais adopter Loth, faire de lui la descendance que je ne sais te donner ?

— Loth est le fils de mon frère. Il a déjà une place à côté de moi, aujourd'hui et demain, répondit froidement Abram avant de quitter la tente.

La nuit venait à peine de commencer. Une fois de plus, il la passa loin des bras de Saraï.

L'hiver suivant, le vent souffla sans que la pluie tombe. La terre se durcit si bien qu'il devint presque impossible d'y creuser des sillons. Au printemps, la pluie ne tomba pas et les semences séchèrent dans le sol sans germer. Dès que les premières chaleurs de l'été firent vibrer l'air au-dessus des pâturages, chacun songea à la famine.

Saraï, comme beaucoup, ne passait plus de jours sans craindre le lendemain. Elle se souvenait de son mauvais rêve. Parfois, il lui semblait que la terre de Canaan devenait comme son ventre : belle et sèche.

Elle aurait voulu pouvoir se confier à Abram, lui demander à nouveau : « Ne te trompes-tu pas sur le sens de cette beauté qui s'agrippe à moi ? En me contraignant à une telle beauté, ton dieu ne veut-Il pas te dire que ma faute est plus grande que tu ne le crois ? Qu'il faut que je m'éloigne avant que la sécheresse de mon ventre ne se communique aux pâturages de Canaan ? »

Mais quand elle évoquait ses tourments, Sililli poussait des hauts cris et la pressait de se taire.

— Quel orgueil, ma fille, de croire que la pluie tombe ou ne tombe pas à cause de toi ! Même à Ur, où vous autres Puissants étiez capables de vous prendre pour le nombril du monde, il fallait plus d'une faute pour que les dieux retiennent la pluie ! Et puis je vais te dire : ce n'est pas avec ces billevesées que tu feras revenir ton époux entre tes cuisses.

Durant tout ce temps, Abram semblait le plus insouciant de tous. Il n'était pas de jours sans qu'il parte avec Éliézer, d'un pâturage à l'autre, couchant à la belle étoile ici ou là, lançant des filets au bord de la mer, apprenant au garçon à tresser des paniers ou des nattes de jonc, à sculpter la corne et à dresser les mules.

Les voyant, la gorge de Saraï se nouait. Sa salive en devenait acide comme si elle mâchait des citrons verts. Elle tentait de se raisonner, d'écouter les conseils de Sililli : « Cela est bien. Il le faut. Aime cet enfant comme l'aime Abram, ainsi tu seras heureuse à nouveau. Que peux-tu attendre d'autre ? »

Mais non, elle ne parvenait pas à aimer Éliézer.

Puis vint un jour où Melchisédech se rendit dans la tente aux bandes blanches et noires.

— Abram, les semences ne germent pas, l'herbe des pâturages se dessèche, l'eau diminue dans les rivières et les puits. Nos réserves ne sont pas importantes. De vie d'homme, nul ne se souvient qu'il y a eu de famine ici, sur la terre de miel et de lait. Mais le pays de Canaan est devenu si peuplé qu'il peine à nous nourrir tous.

— Le Dieu Très-Haut nous a donné cette terre. Pourquoi y répandrait-Il la famine ?

— Qui peut mieux le savoir que toi, puisqu'Il ne s'adresse qu'à toi ?

Abram hésita, fronçant le sourcil. Melchisédech posa une main sur son bras et insista avec affection :

— Abram, j'ai besoin de ton aide. Nous n'avons pas ton assurance. Nous avons besoin d'être réconfortés et de connaître la volonté de Yhwh. Souviens-toi, je t'ai accueilli devant les murs de Salem en disant : « Abram est mon ami le plus cher. »

Abram le serra dans ses bras et déclara :

— Si Yhwh a une volonté dans cette épreuve, Il me la dira.

Il ordonna des offrandes de jeunes génisses, de béliers et d'agneaux. Il s'éloigna avec Éliézer pour aller crier le nom de Yhwh partout où il avait dressé des autels dans Canaan. Cependant, après une lune il admit :

— Le Dieu Très-Haut ne me parle pas. Il nous faut attendre, rien n'advient sans que cela ait un sens.

— À quoi sert un dieu qui n'aide pas quand on lui fait des offrandes ? osa quelqu'un.

La colère fit frémir la bouche d'Abram avant qu'il se contienne et réponde :

— Vous avez connu dix années de bonheur. D'un bonheur et d'une richesse si parfaits qu'ils ont provoqué l'envie de tous les peuples autour de Canaan. Voilà qu'à la première sécheresse vous l'oubliez. Libre à vous d'avoir vos pensées. Moi, je dis : Nous avons connu le bonheur, nous connaissons la difficulté. Yhwh veut s'assurer que nous avons confiance en Lui, même quand les temps sont durs.

La sécheresse dura une année encore. Les puits se tarirent, les pâturages jaunirent puis devinrent poussière. Les champs de céréales s'ouvrirent en longues crevasses où les serpents guettaient la moindre proie. Les sauterelles commencèrent à mourir, puis les oiseaux. Les troupeaux devinrent fous. Les bêtes se lançaient dans des galops où elles se déchiraient. Parfois, elles s'effondraient mortes sous le soleil. Ou le froid de la nuit les terrassait.

Le roi Melchisédech ouvrit les jarres de grains en réserve dans les caves de Salem, mais c'était bien trop peu. Chacun allait avec sa faim, le teint gris et les joues se creusant. Saraï n'osa bientôt plus se montrer. Comme tous elle maigrissait, mais sans que cela entame sa beauté.

— J'ai honte de mon apparence, confia-t-elle à Sililli un soir où l'une et l'autre ne trouvaient plus le sommeil. Comment puis-je exposer cette horrible beauté qui me colle aux os, alors que les femmes n'ont plus assez de lait dans leur poitrine pour nourrir leurs enfants ?

Pour toute réponse elle entendit un souffle rauque.

— Sililli ?

Sililli cherchait sa respiration, grelottante, recroquevillée pour ne pas s'effondrer. La fièvre lui agrandissait les yeux.

— Que t'arrive-t-il ? gémit Saraï.

Sililli dut puiser dans ses forces pour chuchoter :

— Ça a commencé dans l'après-midi... Nombreux comme moi... C'est l'eau... L'eau pourrie...

Saraï fit appeler Loth et une sage-femme. On enroula Sililli dans des couvertures et des peaux. Elle se mit à suer en grinçant des dents. Ses lèvres par instants se retroussaient sur ses gencives trop pâles.

— La fièvre l'emporte, constata la sage-femme.

— Elle connaît les herbes, elle saura ce qu'il lui faut! se récria Loth.

— Elle n'est plus en état de nous expliquer comment la sauver, elle ne parvient plus à parler, reconnut Saraï, la gorge nouée.

Au milieu de la nuit, Sililli n'était plus consciente. La fièvre semblait lui avoir retourné les yeux vers l'intérieur. La sage-femme fut appelée vers d'autres tentes, où la même horreur se reproduisait. Loth s'obstina et tenta de faire couler de la bière dans la gorge de Sililli. Elle s'étouffa, cracha, vomit et pendant un temps parut s'apaiser.

Au matin, dans le froid de l'aube, elle ouvrit les yeux. Paraissant tout à fait consciente, elle agrippa les poignets de Saraï et de Loth. Ils voulurent savoir où trouver les herbes et comment la soigner. Elle battit des paupières. D'une voix presque inaudible elle murmura :

— C'est mon heure, je glisse dans le monde d'en bas. Tant mieux, cela fera une bouche de moins à nourrir.

— Sililli !

— Laisse, ma fille. Il faut naître et mourir. C'est bien. Tu as été le grand bonheur de ma vie, ma déesse. Ne change pas, demeure ce que tu es. Même le dieu d'Abram pliera le genou devant toi, je le sais.

— Il n'a pas de corps, souviens-toi, tenta de plaisanter Saraï, le visage inondé de larmes.

Sililli esquissa un sourire.

— On verra...

Saraï ploya le buste, ainsi qu'elle le faisait enfant, et posa le front entre les seins de Sililli. Ils tremblaient, presque froids et pourtant vibrants de la fièvre. Doucement, la main de Sililli se posa sur la nuque de Saraï.

— Loth! Loth, souffla Sililli dans un dernier effort. Oublie Saraï, trouve une femme.

Elle mourut avant que le soleil passe l'horizon.

Longtemps ce matin-là Saraï demeura debout devant sa tente, envahie par la colère. Elle ne pleurait plus. Des pleurs, on en entendait tout autour. Désormais, la peine de la perte et la souffrance de vivre abreuvaient les seuls ruisseaux d'abondance de Canaan, des ruisseaux de larmes!

Brusquement, Saraï se mit en marche. Elle se dirigea vers la grande tente d'Abram. Il y avait des hommes autour de lui, en palabres. Et Éliézer, assis à quelques pas.

Le visage d'Abram était fermé, dur, fatigué. Pareil à une roche abrasée par le sable. Cependant, au premier regard vers Saraï il comprit. Il demanda à chacun de sortir et de les laisser seuls. Éliézer demeura assis sur son coussin. Saraï dit :

— Cela vaut aussi pour toi, garçon.

Éliézer la toisa, le feu dans les prunelles. Il quêta un soutien auprès d'Abram. Mais, d'un geste, ce dernier lui fit signe d'obéir.

— Ne sois pas trop rude avec Éliézer, demanda Abram dès qu'ils furent seuls. Il n'est pas responsable de la famine et son père et sa mère sont morts hier.

Saraï respira à pleins poumons pour apaiser sa fureur.

— Et des dizaines mourront aujourd'hui. Sililli est morte ce matin.

Sans un mot, le regard voilé, Abram baissa la tête.

Dans le silence, la voix de Saraï fut comme un claquement de fouet.

— Quel est donc ce dieu, Abram, qui ne peut ni nourrir ton peuple ni rendre fécond le ventre de ton épouse?

— Saraï!

— C'est ton dieu, Abram, ce n'est pas le mien.

Les mains d'Abram tremblèrent. Sa respiration soulevait sa poitrine, le sang palpitait à ses tempes. Saraï prit peur. Elle songea à la fièvre de Sililli. Et si la maladie l'avait atteint, lui aussi? Elle se précipita, saisit les mains de son époux entre les siennes, les porta à ses lèvres :

— Es-tu malade? s'inquiéta-t-elle.

Abram secoua la tête, le souffle court, incapable de parler. Soudain, il agrippa les épaules de Saraï, la serra contre lui, enfouissant son visage dans ses cheveux.

— Il ne me parle plus, Saraï. Yhwh se tait!

Doucement, Saraï le repoussa.

— Est-ce une raison pour que tu deviennes impuissant, toi, Abram?

Abram se détourna avec un grognement.

— Ton dieu se tait, reprit Saraï, mais ce silence doit demeurer entre toi et lui. Abram, mon époux, Abram, l'égal de Melchisédech, celui qui nous a conduits depuis Harran, celui qui a ouvert la terre de Canaan aux nouveaux venus, celui-là n'est pas réduit au silence! Nous sommes là, devant ta tente, à attendre tes mots. Ils sont là, ceux qui ont accouru vers toi, tremblant de faim et de fièvre. Ils attendent qu'Abram donne l'ordre de démonter les tentes.

— Démonter les tentes pour aller où? Crois-tu que je ne songe pas qu'à cela depuis des lunes? Canaan est environné de famine ou de déserts : au nord, à l'est ou au sud. À l'ouest, il y a la mer!

— Au sud, après le désert, il y a la terre de Pharaon.

Abram la dévisagea, stupéfait.

— Tu as entendu comme moi ce qu'on dit de Pharaon, sa cruauté, son goût pour réduire en esclavage les humains et tirer d'eux le sang et la sueur.

— Oui. Mais j'ai entendu dire aussi combien sa terre est opulente, toujours abreuvée par un fleuve énorme, et combien ses villes sont riches.

— Pharaon croit être un dieu!

— En quoi cela peut-il inquiéter celui dont le nom a été prononcé par le Dieu Très-Haut ?

L'œil aigu, Abram considéra Saraï. Se moquait-elle de lui ?

— Abram, poursuivit-elle avec plus de douceur, ne comprends-tu pas qu'il te faut décider sans attendre d'aide ? Rien, désormais, n'est pire que de demeurer sur la terre de Canaan. Nous y mourrons. Et avec nous mourront ceux de Salem qui nous y ont accueillis. Que risquons-nous à aller demander la protection de Pharaon ? Quelle mort peut-il ajouter à celle qui nous attend ?

Abram ne répliqua pas. Saraï reprit :

— Ton dieu se tait et tu es comme un enfant qui se fâche contre l'indifférence de son père. Moi, Saraï, qui ai abandonné sans retour la protection d'Inanna et d'Ea pour la tienne, je veux entendre ta parole.

Le soir même, Abram annonça à Melchisédech que dès le lendemain il prendrait le chemin du pays de Pharaon. Plein d'émotion, Melchisédech l'embrassa et lui promit que la terre de Canaan serait toujours la sienne. Lorsque les temps de sécheresse seraient révolus, Abram pourrait revenir et y serait accueilli avec le plus grand bonheur.

Abram demanda encore une faveur à Melchisédech.

— Parle, je te l'accorde d'avance.

— Les parents du jeune Éliézer de Damas sont morts. Devant toi, je déclare que je le considère désormais comme mon fils adopté. La faveur que je te demande, c'est de garder Éliézer près de toi pendant que je suis chez Pharaon. Nul ne sait ce qui nous attend là-bas. Si je venais à être tué, Éliézer pourra demeurer sur la terre de Canaan en se réclamant de mon nom.

Melchisédech trouva la décision sage. Mais Loth, lorsqu'il l'apprit, eut un ricanement glacé.

— Ainsi, Abram s'est trouvé un fils de famine, déclara-t-il à Saraï.

Cinquième partie

Pharaon

Saraï, ma sœur

Ils avançaient lentement, marchant de courtes heures, dans la fraîcheur du matin et du soir. Abram le voulait ainsi de manière à ne pas épuiser les plus faibles, humains ou bêtes, dont la faim de Canaan avait dévoré les muscles.

La mer était terriblement brillante. Elle éblouissait les yeux, saoulait le regard de son immensité. Pour la plupart, ils n'en avaient pas l'habitude. La nuit, son vacarme inquiétait et empêchait le sommeil. Mais elle leur donnait à manger. Abram montra comment tisser des filets et les lancer depuis les rochers ou debout dans l'eau, au milieu des plages immenses de sable doré. Il montrait aussi comment ramasser les coquillages sous le sable, attraper des écrevisses de mer dans des paniers. Autour de lui, les enfants retrouvaient leurs rires et apprenaient vite.

Saraï le regardait faire, pleine de tendresse. Elle se souvenait des premiers mots qu'il lui avait adressés au bord de l'Euphrate : « Je pêchais. C'est la bonne heure pour les grenouilles et les écrevisses. Si personne ne vient vous marcher dessus en hurlant ! »

Ils atteignirent des villages où les maisons n'étaient que des huttes. Le vent de la mer y sifflait entre les joncs. On les voyait venir de loin : une longue cohorte bigarrée et lente, environnée de troupeaux clairsemés à la laine grisée de poussière. On les accueillait avec défiance et curiosité. Mais Abram,

217

malgré le peu de bêtes qui lui restaient, troquait un mouton contre du poisson séché, des dattes, des herbes fraîches et odorantes, des figues et des informations.

Il disait :

— Nous allons chez Pharaon car la famine règne partout au nord, d'où nous venons.

On lui répondait :

— Prends garde. Il y a eu beaucoup de guerres chez Pharaon. Il n'aime pas les étrangers. Il prend les femmes et le bétail, il tue les hommes et les enfants. Il a des soldats partout, en nombre incroyable, bien vêtus et bien armés. Il dit qu'il est un dieu et on le croit tant il est puissant. On dit qu'il sait transformer les choses. Faire venir la pluie ou la sécheresse. On dit qu'il est entouré d'or. Ses palais sont couverts d'or, et jusqu'à ses épouses dont le corps est d'or.

Abram fronçait les sourcils, un peu moqueur :

— Des épouses en or ?

Les vieux pêcheurs riaient, désignaient Saraï :

— Moins belles que la tienne, certainement. Mais c'est ce qu'on raconte, oui. Des épouses en or. Pharaon veut autour de lui ce qui est le plus beau. C'est sa puissance.

Abram hochait la tête, incrédule mais soucieux. De temps à autre, il faisait dresser la tente aux bandes blanches et noires. Il y écoutait les complaintes des uns, les suggestions des autres. Beaucoup demandaient :

— Qu'allons-nous dire à Pharaon quand il nous enverra ses soldats ?

— Que nous n'avons besoin que d'un peu d'herbe afin de faire paître et croître nos troupeaux. Rien de plus.

— Mais s'il veut voler nos femmes, ainsi que l'affirment les pêcheurs ?

Abram jetait un regard vers Saraï et grommelait, entre la colère et l'ironie :

— Ces pêcheurs ont si peur de Pharaon qu'ils sont prêts à lui inventer tous les pouvoirs. On se croirait revenu dans le royaume d'Akkad et de Sumer.

Cependant, de village en village, on leur répétait les mêmes mises en garde. Pharaon possédait une armée invincible. Pharaon était un dieu. Parfois il changeait de tête pour devenir faucon, taureau ou bélier. Pharaon était insatiable dans son goût pour la beauté, celle des villes comme celle des femmes.

Saraï sentait la crainte monter autour d'elle. Le mot de Pharaon glissait comme une ombre de bouche en bouche, obscurcissant les visages.

Abram s'éloigna, demeurant des jours entiers loin d'eux. Saraï devina qu'il s'écartait pour crier le nom de Yhwh, espérant Son conseil. Mais, à son retour, la déception durcissait ses traits. Lui aussi resta silencieux. Cependant il jeta à Saraï un regard qui semblait dire : « Tu as insisté pour que je conduise mon peuple chez Pharaon. Tu vois le danger que nous courons à cause de cette décision. »

Loth surprit ce regard et le comprit. Le soir même il apporta à Abram la dernière cruche de bière qu'il lui restait de Canaan. Quand ils eurent bu deux gobelets, il remarqua :

— Regarde le nombre que nous sommes, Abram. Tout un peuple. Des milliers. Sans compter le bétail, même si nos troupeaux se sont faits maigres. On pourrait croire à une invasion de sauterelles ! Qui ne serait effrayé de nous voir arriver sur ses terres ?

— Que veux-tu dire ?

— Chaque jour nous rapproche de la terre de Pharaon. Il nous faut être prudents.

Abram eut un rire aigre :

— Je ne connais personne ici qui n'ait cette pensée.

— Moi, j'ai une idée : laisse-moi aller de l'avant avec quelques compagnons pour savoir où sont les soldats de Pharaon.

— Pour quoi faire ?

— Connaître leur nombre, leur force, savoir sur quels chemins ils se trouvent, s'ils nous attendent ou s'ils seront surpris de nous voir.

— Tu veux te battre avec eux? À peine lèveras-tu un bras qu'on te le tranchera! s'exclama Abram. De plus, nous allons demander de l'aide à Pharaon. On ne se bat pas avec celui à qui on tend la main.

— Qui pense à se battre? protesta Loth. Bien au contraire. Je veux seulement rencontrer les soldats de Pharaon. Nous serons en petit nombre, une ambassade. Ils ne croiront pas que les sauterelles envahissent leur pâturage. Nous pourrons leur demander le droit d'entrer sur les terres d'Égypte. Ils accepteront ou ils refuseront. Nous saurons à quoi nous en tenir.

— Rien ne les empêchera de vous massacrer.

Ce fut au tour de Loth d'avoir un sourire railleur :

— Eh bien, j'aurais montré que, même si je ne suis pas son fils, je suis digne du nom d'Abram.

Abram ignora le sarcasme. Il consulta les anciens. Tous s'accordèrent à trouver la proposition judicieuse. Une vingtaine de jeunes gens acceptèrent d'accompagner Loth.

Ils partirent dès le lendemain, sans autre équipage qu'une mule avec un peu d'eau et de nourriture et leurs bâtons. Saraï serra Loth contre elle. Elle lui baisa les yeux et le cou en murmurant des mots de tendresse et de prudence. Aussi longtemps qu'elle put distinguer la silhouette du petit groupe s'éloignant au flanc d'une colline sableuse, elle les suivit du regard, pleine d'appréhension.

Dans les jours qui suivirent, Abram fit progresser la colonne encore plus lentement que d'habitude. Tous attendaient le retour de Loth et de ses compagnons. Tous craignaient de voir poindre à l'horizon, au détour d'une colline, d'une dune ou d'un bosquet de palmiers, les soldats de Pharaon.

Enfin, un après-midi, à l'heure où le soleil semblait fondre de l'argent sur la mer et où chacun cherchait de l'ombre, ils furent là.

Après les rires et les embrassades, ils racontèrent qu'à moins de quatre journées de marche, après avoir franchi les dunes et les falaises de la côte, on découvrait l'Égypte.

— Rien n'est plus vert. Pas même Canaan avant la famine. Et immense. Où que tu regardes, tu ne vois que richesse.

— Les soldats de Pharaon? demanda Abram avec impatience.

— Nous n'en avons vu aucun! s'exclama Loth. Pas de soldats! Du petit et du gros bétail. Des routes, des maisons de brique, des villages, des entrepôts, oui, mais pas de soldats.

— Qu'ont dit les gens en vous voyant? demanda quelqu'un.

— Rien, s'amusa Loth. Ou rien que l'on ait compris. Ils ne parlent pas notre langue. Pas plus qu'ils n'ont un poil sur la joue. Oui, tous les hommes ont le menton aussi lisse que celui d'une femme. Et leur caractère semble aussi doux et paisible que leurs joues sont glabres. Plusieurs fois, en signe de bienvenue, on nous a abreuvés de bière d'orge. La plus douce que j'aie jamais bue. J'en ai retenu le goût et le nom : *bouza*!

Il y eut des rires.

— Alors, ce que les pêcheurs racontent est faux?

— Pour ce que nous en avons pu constater, affirmèrent les compagnons de Loth, la terre de Pharaon est la plus paisible, la plus accueillante qu'il soit. Je n'ai pas vu d'homme qui ait l'air d'un esclave, ni de puissant un fouet à la main, comme on le raconte.

La joie et l'espoir ne parvenaient cependant pas à repousser tout à fait l'inquiétude. Pouvait-on vraiment s'installer sur la terre de Pharaon ainsi, sans rien demander et sans rien craindre?

Les palabres et les avis s'échangèrent dans un brouhaha et une excitation qui ne diminuèrent qu'avec le crépuscule et la nécessité de soigner les bêtes. Durant tout ce temps, Abram demeura à l'écart, pensif. En fin de journée, il se retira pour faire ses offrandes à Yhwh. À la nuit noire, il rejoignit Saraï qui disposait un repas pour Loth, lavé et vêtu de propre.

Il s'assit à côté d'eux, dans le peu de lumière que dispensaient les lampes. Saraï lui tendit le pain. Il le saisit mais, dans un geste inhabituel, retint sa main pour lui baiser les doigts. Saraï et Loth l'observèrent avec plus d'attention, devinant qu'il avait pris sa décision. Il rompit le pain en trois parts avant de parler.

— Je crois que les pêcheurs ont dit la vérité. Les soldats de Pharaon viendront à nous. Je n'en doute pas.

Loth ouvrit la bouche pour protester. Abram leva la main et le fit taire.

— Tu ne les as pas vus, Loth, mais ceux qui t'ont vu, sur la terre de Pharaon, avertiront les soldats. C'est ainsi que cela se passe.

— Comment le sais-tu ? demanda Saraï.

— À Salem, les marchands qui venaient de chez Pharaon racontaient tous la même histoire. Leur caravane s'avançait sans encombre sur les terres d'Égypte. Un jour, deux jours de marche sans que nul les questionne, leur demande : Que faites-vous là, où allez-vous, que contiennent vos sacs et vos paniers ? Puis, soudain, les soldats de Pharaon étaient là, devant eux.

— Pourquoi m'avoir laissé partir, si tu savais tout cela ? s'insurgea Loth, furieux.

— Parce que tu le désirais. Tout le monde le désirait. Avec raison. Maintenant, parmi les nôtres, chacun sait que la terre de Pharaon est aussi opulente qu'on le raconte. Cela nous donnera le courage d'affronter la peur des soldats. Et moi, je sais que les marchands de Salem disaient vrai.

Abram sourit, amusé. Saraï aussi sourit. La ruse d'Abram ne lui déplaisait pas.

— Ils viendront et appliqueront les ordres de Pharaon, reprit Abram, les yeux fixés sur Saraï. Ils examineront nos troupeaux, s'assureront si nous sommes riches ou pauvres. Et ils verront la beauté de mon épouse. S'ils ne la connaissent déjà. Ils se tourneront vers moi et me demanderont : Est-ce ta femme ? Je répondrai : Oui, c'est Saraï, mon épouse. Alors, ils nous massacreront pour emporter Saraï dans le palais de Pharaon. Voilà ce qu'il se passera.

Il y eut un silence pétrifié. Loth fut le premier à réagir, la voix aiguë :

— Comment peux-tu en être si sûr ?

Abram ne lui répondit pas. Ses yeux fixaient toujours Saraï. Elle approuva d'un petit signe de la tête.

— Abram a raison. Si ce qu'on dit est vrai, les choses pourraient se passer ainsi.

— Alors nous devons te cacher ! s'écria Loth. On peut... te vêtir en homme. Ou passer de la suie sur ton visage. T'envelopper une jambe de chiffons, comme si tu masquais une plaie. Ou encore...

— Les soldats seront dupés le premier jour, peut-être le deuxième, l'interrompit Abram avec calme. Mais viendra le temps où quelqu'un leur dira que la femme d'Abram est la plus belle que des yeux aient vue. La fureur des soldats n'en sera que plus grande, car ils auront été bernés et craindront la colère de Pharaon.

À nouveau ils se turent, jusqu'à ce que Saraï demande :

— Alors que faire ?

— Rien de tel ne se passera si je dis que tu es ma sœur.

Saraï et Loth suspendirent leur souffle.

— Si je dis que tu es ma sœur, continua Abram, Pharaon t'invitera peut-être dans ses palais. Oui, certainement. Il voudra te voir. Mais il n'aura pas à s'en prendre à moi. À nous tous.

— Tu veux donner Saraï à Pharaon ? s'exclama Loth en se dressant, la bouche déformée par la fureur. Pour ne pas mourir ? C'est là tout le courage du grand Abram ?

— Non, rétorqua Abram. Je ne veux pas donner Saraï. Et il ne s'agit pas de ma peur.

— Je comprends, murmura Saraï, pâle, retenant Loth par le poignet.

— Il s'agit de la vie du peuple d'Abram, pas de la mienne, insista Abram. C'est à cela que nous devons songer.

— Non! s'écria Loth. Je ne veux pas y songer. Tu n'as pas le droit d'y songer!

Saraï posa la main sur la joue de Loth.

— Si. Abram a raison.

Ses yeux brillaient, tristes et résignés. Abram se leva à son tour, repoussa Loth pour la saisir entre ses bras :

— Tu nous sauveras tous, implora-t-il.

— Si ton dieu le veut.

Abram avait bien deviné.

Ils parvinrent sans encombre aux abords d'une ville de maisons basses et blanches, nommée Midgol. Chacun put constater que Loth n'avait pas menti. Les habitants sourirent à leur vue. Des hommes aux joues nues et lisses les accueillirent avec des phrases incompréhensibles qu'ils prononçaient dans une langue glissante et sinueuse, pareille au bruit de l'eau.

De l'eau, il y en avait partout. Midgol était construite tout près de l'un des bras du Nil. Les jardins, les pâturages, les bosquets de palmiers, de cannas et d'orangers étaient entourés de canaux soigneusement entretenus. On leur permit d'y abreuver les bêtes. Abram remercia en offrant un couple de tourterelles. Tout le monde riait. On se parlait par signes, avec des bruits de bouche, des claquements de mains.

Les troupeaux abreuvés, Abram déclara :

— Maintenant approchons-nous du fleuve. Peut-être y trouverons-nous une friche où les bêtes pourront paître.

La route qui s'enfonçait dans le pays de Pharaon était large, ombrée par d'énormes palmiers. Abram marchait devant, vigilant. Derrière lui, Loth et ses jeunes compagnons précédaient le gros de la colonne. Comme l'avait ordonné Abram, les épouses et les enfants étaient debout dans les chariots, eux-mêmes maintenus au milieu des bêtes rassemblées en un seul troupeau.

Des hommes et des femmes travaillant dans les champs s'assemblaient au bord de la route pour les regarder passer. Surpris de voir tous ces hommes barbus, les enfants se frictionnaient les joues en riant.

Soudain, la route déboucha sur le fleuve qu'enjambait un grand pont de bois. Devant le pont, dessus et encore sur l'autre rive, partout se tenaient les soldats de Pharaon.

Deux ou trois cents. Peut-être plus.

Serrés les uns contre les autres, bouclier contre bouclier. Si serrés qu'un rat n'aurait pu se faufiler.

Des hommes jeunes, glabres, la taille ceinte d'un pagne, les épaules recouvertes d'une très courte cape. Ils étaient sans casque, les cheveux épais, noirs et brillants. Les uns portaient des lances et un bouclier rond, les autres des arcs. Tous avaient glissé un poignard de cuivre ou suspendu des masses de pierre à la ceinture de leur pagne.

Abram s'immobilisa, levant son bâton. Loth et les autres l'entourèrent. Derrière, les hommes crièrent pour stopper le troupeau et les mules. Le bruit des grosses roues de chariots cessa.

Les soldats formèrent deux colonnes. La lance pointée, ils entourèrent Abram et la tête du troupeau. Ceux qui étaient sur l'autre rive s'avancèrent pour occuper le pont.

Trois hommes tenant des bâtons dorés s'approchèrent d'Abram. Des feuilles de bronze étaient cousues sur leurs capes de cuir et de longs bracelets de cuivre recouvraient leurs avant-bras. Eux aussi étaient glabres. Les plis de l'âge creusaient leurs joues. Des trois, un seul portait une coiffure : une sorte de haut casque de cuir, pareil à un voile plié, où était fixée, au-dessus du front, une petite tête de bélier en bronze. Son regard se posa sans hésiter sur Abram.

— Mon nom est Tsout-Phénath. Je sers le dieu vivant Merikarê, Pharaon du Double-Pays.

Ils furent surpris de le comprendre si bien. Il parlait la langue amorrite presque sans accent. Son regard glissa sur Loth, sur les uns et les autres. Des yeux marron clair, sans expression, qui revinrent sur Abram :

— Sais-tu que tu es entré sur les terres de Pharaon?

— Je le sais. Je viens demander son aide. Mon nom est Abram. La sécheresse m'a chassé du pays de Canaan où je vivais avec mon peuple. Là-bas, c'est la famine. La terre est ouverte par le soleil et tout ce qui est vivant meurt. Ce que je demande à la bonté de Pharaon, c'est un espace d'herbe pour que nos troupeaux puissent se reconstituer et que mon peuple ne pleure pas la mort de ses enfants.

L'officier de Pharaon demeura un instant immobile, les yeux plissés, la bouche ourlée par le doute. Peut-être cherchait-il à faire glisser la peur plus profondément en eux. Peut-être cherchait-il seulement à comprendre les mots d'Abram. On entendait les grognements des bêtes inquiètes, les raclements des sabots, mais pas un mot.

Puis d'un coup, sans bouger, l'officier lança des ordres dans sa langue. Des soldats s'avancèrent le long de la colonne jusqu'à hauteur des chariots. Ils repoussèrent les bêtes, le troupeau entier s'agita. Loth fit mine de les rejoindre. Abram dit :

— Non! Ne bouge pas!

L'un des officiers qui s'était tu jusque-là cria quelque chose. D'autres soldats repoussèrent Loth et ses compagnons. De la pointe de leur poignard poussé dans ses reins, ils contraignirent Abram à se ranger sur le bas-côté de la route. Là-bas derrière, les soldats faisaient descendre les femmes des chariots. Cela prit longtemps. Celui qui s'appelait Tsout-Phénath donna un nouvel ordre et le troisième officier rejoignit les soldats.

Ils attendirent encore, Tsout-Phénath demeurant impassible.

Loth, n'y tenant plus, demanda :

— Qu'est-ce que vous faites?

Tsout-Phénath ne lui accorda pas même un regard. Abram dit :

— Ils accomplissent l'ordre de Pharaon. Restez tranquilles. Il n'y a rien à craindre.

Cette fois, Tsout-Phénath se tourna vers Abram, le considéra avec attention, puis hocha la tête en esquissant un sourire.

226

Maintenant les soldats revenaient, poussant un groupe de femmes devant eux. Les plus jeunes, les plus jolies.

Quand elles s'immobilisèrent, d'un geste de la main, Tsout-Phénath éloigna les soldats. Il s'avança, scrutant le visage de l'une puis de l'autre. Parfois écartant de son bâton doré le voile qui leur recouvrait la tête. Quand il parvint devant Saraï, il ne bougea plus. Elle baissait les yeux. Il la contempla si longtemps qu'elle finit par lever les paupières, affrontant son regard d'un œil dur.

Tsout-Phénath hocha la tête :

— Quel est ton nom ?

— Saraï.

Il approuva d'un signe, comme si ce nom lui convenait. Il lança quelques mots dans sa langue. Les autres officiers s'approchèrent pour entourer Saraï et la séparer des autres femmes.

— Pharaon veut vous voir, annonça Tsout-Phénath en se tournant vers Abram. Toi et ton épouse, celle-ci, qui se nomme Saraï.

— Ce n'est pas mon épouse, répondit Abram sans ciller. C'est ma sœur.

L'officier de Pharaon s'immobilisa, surpris.

— Ta sœur ? On nous a dit que tu arrivais avec ton épouse, la plus belle des femmes jamais connue chez vous, au-delà du désert, près de la ville de Salem. Je regarde cette femme qui s'appelle Saraï et je ne vois pas comment tu pourrais avoir une épouse plus belle.

— Comment sais-tu que nous venons de Salem ? s'écria Loth sans contenir sa colère.

Tsout-Phénath répliqua avec un rire plein de morgue :

— Pharaon sait tout.

Il s'approcha de Saraï.

— Est-ce vrai ? Es-tu la sœur de celui qui se nomme Abram ?

— Oui, assura-t-elle sans hésiter.

Tsout-Phénath la considéra encore un instant. Son regard était si aigu, si insistant, que Saraï eut l'impression que sa tunique ne la couvrait plus. Il se retourna enfin vers Abram et annonça :

— Nous allons prendre l'une de vos caisses à mules. Pharaon veut voir cela aussi. Ainsi, ta sœur n'aura pas à marcher. Pour les autres, donne-leur un chef pendant ton absence. Nous allons les accompagner là où ils pourront dresser leurs tentes et faire paître ton troupeau en attendant que Pharaon décide de votre sort.

La terre et le grain

Drapée dans une toge verte, un collier de pierres rouges glissé entre ses seins, la femme qui s'avança vers Saraï avait la peau sombre et les dents d'une blancheur de lait. Sa beauté semblait faire écho à la beauté de Saraï. Elle s'inclina profondément :

— Mon nom est Hagar. Tant que tu seras dans ces murs, considère-moi comme ta servante.

Elle se redressa, frappa dans ses mains, faisant surgir une dizaine de très jeunes filles. Les unes portaient des linges, d'autres des coupes de parfum, des pots d'onguent, des peignes, des coffrets.

— Ta route a dû être longue et épuisante, expliqua Hagar. Nous t'avons préparé un bain. Si tu veux me suivre...

Elle tournait déjà le dos, quittant la terrasse. Saraï s'avança, docile, subjuguée, suivie par les jeunes filles.

Assurément, la route avait été longue et épuisante. Il leur avait fallu traverser six bras du Nil et s'enfoncer loin dans les terres opulentes d'Égypte avant de parvenir jusqu'au palais de Pharaon, à Neni-Nepsou. Séparée d'Abram tout le temps de ce trajet, Saraï s'était laissé envahir par l'imagination de la férocité de Pharaon et les humiliations qu'elle allait devoir endurer. Elle qui était désormais la sœur d'Abram !

En vérité, tout au long du chemin, son ressentiment envers Abram n'avait cessé de grandir. Cette décision, qu'elle avait acceptée, n'était plus, alors que l'officier de Pharaon Tsout-Phénath la tenait sans cesse sous son regard, que menace, solitude et abandon.

Puis colère et crainte s'évanouirent à la seule apparition des murs de Neni-Nepsou. Tout ici était splendeur, opulence et douceur. Le palais était immense, élégant malgré sa taille. Ses murs éblouissants de blancheur soutenaient des cascades de fleurs pourpres, formaient un assemblage somptueux de terrasses, colonnades de pierre, de bois peints et dorés que reliaient d'innombrables escaliers.

Dans l'ombre apaisante des salles dallées de pierres lisses, les murs étaient peints d'images inouïes. Les alcôves débordaient de sculptures, de tissus, de meubles marquetés d'or et d'argent. Et où que l'on porte le regard depuis les terrasses, on n'apercevait que jardins, bassins et canaux. Les bassins étaient si vastes que des barques y naviguaient. De hautes palissades de pieux retenaient les animaux les plus étranges : éléphants, lions, singes, tigres, gazelles ou girafes, et ceux, encore plus laids, que l'on appelait ici des chameaux.

En vérité, Saraï n'avait jamais rien vu de pareil. Pas même les plus splendides palais d'Ur, dont elle chérissait tant le souvenir, ne pouvaient soutenir la comparaison avec cette richesse. L'accueil même qu'on venait de lui faire, l'introduisant jusqu'au cœur du palais, semblait appartenir au rêve.

La servante Hagar s'approcha d'une porte aux ferrures de bronze gardée par deux soldats en pagne et cape à feuillage d'argent. Hagar agita la main. Les soldats glissèrent sur le côté, ouvrirent la porte. Saraï suivit la servante dans une salle haute, pleine de lumière.

Un parfum étrange, mielleux et acre, parvint à ses narines avant qu'elle découvre la longue piscine entourées de colonnades. La piscine ne contenait pas d'eau, mais du lait d'ânesse.

Hagar vit la surprise de Saraï. Elle sourit, amusée.

— Rien n'est meilleur pour notre peau. Le lait d'ânesse ajouté de miel nettoie la fatigue et les mauvais souvenirs. Il conserve la beauté mieux qu'aucun autre onguent. Bien que l'on dise que tu n'en as pas besoin, Pharaon lui-même a ordonné que l'on prépare ce bain pour toi.

Saraï voulut poser une question mais elle n'en eut pas le temps. Les jeunes filles qui l'avaient accompagnée saisissaient déjà sa tunique pour la mettre nue. La servante Hagar à son tour se dénuda. Elle avait les hanches et les seins plus lourds que ceux de Saraï, et son corps eût été parfait n'était une longue cicatrice, ourlée et nacrée de rose, qui brillait en travers de ses épaules.

Saisissant la main de Saraï avec douceur, elle la conduisit à l'escalier descendant dans le bain. Le lait d'ânesse était tiède. Saraï s'y enfonça lentement, se laissant envelopper jusqu'à la taille par sa caresse souple.

— Il y a un lit de pierre au centre de la piscine, indiqua Hagar.

Elle montra à Saraï comment s'y allonger à plat ventre. Un tabouret de bois recouvert d'un coussin empli de sauge lui soutint la tête hors du lait.

— Respire profondément, dit Hagar. La sauge te débarrassera les narines de la poussière des chemins.

Elle réclama des huiles et des onguents aux jeunes filles agenouillées au bord de la piscine. D'une main experte, elle entreprit de masser les épaules et les reins de Saraï, agitant la surface du lait en vaguelettes odorantes.

Saraï ferma les paupières, s'abandonnant à ce plaisir inattendu. Elle songea de façon fugace à Abram, se demandant si Pharaon lui accordait un traitement aussi doux. Elle se demanda aussi pourquoi ils avaient tant craint le roi d'Égypte. Un roi, un Puissant qui accueillait ainsi les étrangers venant demander son aide pouvait-il être aussi cruel qu'on le disait ? Ne s'étaient-ils pas laissé abuser par des racontars ? Hélas, si cela était, Abram et elle avaient menti sans raison. Et ce mensonge, loin de les protéger, n'allait-il pas causer leur perte ? Serait-elle en ce bain de lait si Pharaon connaissait la vérité et la pensait épouse d'Abram ?

— On t'a dit qui j'étais ? demanda-t-elle à Hagar.

— Saraï, la sœur d'Abram, celui qui croit en un dieu invisible. On dit aussi que ta beauté est insensible au temps. Est-ce vrai ?

— Comment sais-tu tout cela ?

— Ma maîtresse, la plus récente des épouses de Pharaon, me l'a dit. D'ailleurs, depuis hier, les épouses et les servantes ne parlent que de ton arrivée.

— Mais lui, Pharaon, comment sait-il qui je suis ?

Hagar rit.

— Pharaon sait tout.

Saraï ferma les paupières, le cœur battant. Pharaon savait-il vraiment tout ?

Le massage d'Hagar se fit plus insistant, plus caressant. Malgré son inquiétude nouvelle Saraï sentit la fatigue la quitter. Son corps, durci par le voyage et la chaleur, semblait se diluer dans le lait de la piscine. Sans interrompre les mouvements agiles de ses doigts, Hagar babillait :

— Ma maîtresse m'a dit : « Demain, tu serviras celle que l'on nous annonce comme la plus belle des femmes vivant au-delà du désert de l'est. Elle m'a dit aussi : Je te choisis, toi, Hagar, car tu es la plus belle de mes servantes et l'on verra si cette Amorrite aura autant d'éclat en ta présence. »

— C'est vrai, approuva Saraï, tu es très belle. Tes hanches sont plus belles que les miennes.

— C'est que tu n'es pas épouse et que tu n'as encore pas eu d'enfants.

— Tu as des enfants ?

Hagar prit le temps avant de répondre. D'une pression sur l'épaule elle fit retourner Saraï à plat dos. Lui massant les cuisses, elle dit :

— Je suis née loin dans le sud, au bord de la mer de Suph. Mon père était riche et possédait une ville où l'on commerçait beaucoup avec le pays d'où tu viens. C'est pourquoi je parle ta langue. Il m'a donné comme épouse quand j'avais quinze ans et j'ai enfanté une petite fille. Quand ma fille a eu deux ans, Pharaon a fait la guerre à mon père. Ses soldats l'ont tué ainsi que mon époux. Ils m'ont conduite ici. J'ai cherché à m'enfuir, ce qui était stupide. Une flèche m'a déchiré le dos. Désormais, cette cicatrice interdit que Pharaon m'offre comme épouse à qui bon lui semble. Je suis servante. Parfois je le regrette, parfois non.

Surprise et émue par la sincérité de cette confession, Saraï ne trouva rien à répondre. Elle sortit ses mains du lait et caressa l'épaule d'Hagar, effleurant la pointe de sa cicatrice. Elles se regardèrent avec amitié.

— Maintenant, je n'ai plus de tristesse, dit encore Hagar. C'est ainsi, la vie des femmes. Les hommes nous donnent, nous prennent. Ils se tuent les uns les autres, d'autres décident de ce que nous devenons.

Saraï ferma les paupières en frémissant. Elle aurait voulu raconter à Hagar comment elle s'était enfuie de Sumer avec Abram. Le prix qu'il lui en avait coûté. Comment aujourd'hui elle avait menti. Et découvert qu'Abram lui-même pouvait agir comme tous les hommes !

Hagar soupira :

— Peut-être, un jour, sortirai-je de ce palais ? Peut-être, ce jour-là, ne le désirerai-je plus ? La vie ici sait être pleine de douceur. Tu t'en apercevras avec le temps.

— Avec le temps ?

— Ma maîtresse est une épouse jalouse, elle te craint d'avance mais elle ignore à quel point elle a raison. Quand Pharaon te verra, il sera ébloui.

Saraï se redressa.

— Que veux-tu dire ? Que va-t-il se passer ?

L'étonnement figea le visage de la servante. Avec un sourire complice et coquin, elle posa ses paumes douces autour des seins de Saraï et en flatta les pointes :

— Que veux-tu qu'il se passe ? Que font les hommes quand une femme les éblouit ? Même s'ils sont Pharaon. Nous allons te vêtir, te parfumer, te maquiller, te parer de bijoux, puis tu iras devant Merikarê, le dieu du Double-Pays.

Saraï agrippa les poignets d'Hagar, embarrassée par la caresse autant qu'alarmée par ce qu'elle entendait.

— Et ensuite ?

— Ensuite, tu n'es ni une servante ni une esclave. S'il pense que tu es vraiment la plus belle des femmes, ce qui ne manquera pas, il te prendra comme épouse après s'être assuré que tu sais lui procurer dans sa couche autant de plaisir qu'il l'imagine.

Saraï s'avança sur la terrasse. Dans la lumière tiède du soir, toute une foule s'y pressait. Femmes ou hommes, le visage maquillé, tous arborant bijoux et parures, les poignets et le cou brillants d'or.

Une salle immense prolongeait la terrasse à l'intérieur du palais. Entre les colonnes qui séparaient le dedans du dehors, de jeunes hommes jouaient de la musique, produisant des sons changeants et graves en pinçant des cordes tendues entre des bois incurvés ainsi que des cornes de taureau.

Les visages se tournèrent vers elle. Un gong retentit. La musique cessa. Et rien ne se passa comme Saraï l'attendait.

« À chacun de ses pas, les plis de sa toge dansaient contre ses hanches et ses cuisses. Le diadème de bronze et de calcite retenant sa coiffure pesait sur sa nuque. Une longue parure de lapis-lazuli se balançait sur sa poitrine, creusant le tissu entre ses seins et révélant leur forme. Son maquillage soulignait l'incroyable grâce de son visage. Tout à l'heure, elle avait surpris l'étonnement et l'admiration d'Hagar alors qu'elle venait d'entourer ses yeux d'un trait de khôl. Elle se savait belle. Et même dans la toute-puissance de sa beauté.

Assez puissante peut-être pour affronter Pharaon. Pour se tenir devant lui et avoir le courage de lui avouer, avant qu'il n'entraîne l'irréparable, le mensonge né de la peur d'Abram.

Les yeux avides, la détaillant de la tête aux pieds, murmurant leurs commentaires, les courtisans s'écartèrent devant elle. Pharaon était assis là, sur un grand siège recouvert de peau de lion et aux accoudoirs sculptés de têtes de bélier. Merikarê, onzième dieu-roi du Double-Pays.

La première surprise de Saraï fut de découvrir son buste très mince et nu : il ne portait qu'un voile transparent sur les épaules. Bien qu'il eût la peau fine, son visage ressemblait à un masque. Un étrange cornet d'or pendait sous son menton. Ses traits étaient fins et réguliers, ses joues parfaitement lisses. Un onguent rouge soulignait ses lèvres, ses yeux et ses paupières étaient enduits de khôl, un fard bleu nuit allongeait ses sourcils. Une coiffe de tissu à bande d'or, de gaze et de cuir recouvrait ses cheveux et achevait de rendre son apparence irréelle. Deux géants à la peau de nuit se tenaient debout derrière son siège, coiffés de casques en forme de soleil.

Abram était là, debout parmi les courtisans, revêtu d'une tunique pourpre que Saraï ne lui connaissait pas. Elle chercha son regard. Il l'évita.

Comme le lui avait recommandé Hagar, elle s'avança tout devant Pharaon. Ils se dévisagèrent, aussi immobiles l'un que l'autre.

Ce fut sa seconde surprise : dans le masque de Merikarê, elle ne décela ni émotion ni plaisir. Il l'examinait pourtant sans retenue. Parcelle de visage après parcelle de visage. Puis son corps. Mais sans laisser paraître l'étonnement et la convoitise que sa vue d'ordinaire engendrait chez les hommes.

Décontenancée, Saraï baissa les paupières, n'osa prononcer les mots prêts à franchir ses lèvres. Pleine d'appréhension, il lui sembla que sa beauté se voilait, se ternissait. Que chacun dans la salle voyait cette flétrissure. Cependant, d'une voix douce et légère où l'accent était fort, Pharaon déclara :

— Ta sœur est aussi belle que l'on me l'avait décrite, Abram de Salem. Très belle.

Saraï releva les paupières, soulagée, le remerciement sur les lèvres. Et se tut. Le regard de Pharaon ne se portait plus sur elle. Il scrutait Abram qui répondait :

— Je suis flatté et étonné, Pharaon, que tu en saches tant sur nous. Moi, je suis si ignorant de toi et de ton pays.

— Je peux te dire comment j'apprends les choses qui se passent hors de ma vue. Les marchands vont et viennent, ils écoutent et voient. Et s'ils ne confient pas aux officiers de Pharaon ce qu'ils ont vu, ils perdent leurs marchandises. N'est-ce pas très simple ? Ainsi, je sais que tu crois en un dieu unique et invisible.

— C'est la vérité.

Saraï écoutait ce bavardage, la colère grondant en elle. Était-ce là toute l'admiration qu'elle provoquait chez Pharaon ?

Elle l'entendait qui demandait encore à Abram :

— Si ton dieu est invisible et n'a aucune apparence, comment connais-tu son existence ? Comment sais-tu si tu lui plais ou lui déplais ?

— Il me parle. Il dirige mes actions et mes pas en S'adressant à moi. Sa parole est Sa présence.

Toute la cour, sauf peut-être quelques femmes, n'avait d'yeux que pour Merikarê et Abram échangeant leurs savantes questions et réponses. Saraï tenta de repousser son agacement. N'était-ce pas une chance que sa beauté n'éblouisse pas Pharaon ? Abram, après tout, avait eu raison de la faire passer pour sa sœur. Contrairement à ce que lui avait assuré la servante Hagar, Pharaon n'avait aucun désir d'elle et moins encore l'envie de faire d'elle son épouse.

Elle pensait cela et aurait dû s'en trouver satisfaite, rassurée. Pourtant, non.

Un irrépressible dépit lui brûlait les joues. Elle serra les lèvres de colère. Colère contre Abram, colère contre Pharaon ! Colère contre leur insultante indifférence, colère contre leur impatience à s'affronter, se séduire et s'embellir eux-mêmes par l'éclat de leurs pensées. Ainsi Pharaon, ses élégants sourcils froncés, brisait son masque austère pour s'étonner, la voix suspicieuse, incrédule :

— Sans corps ni bouche ?

— Il n'en a pas besoin. Sa parole est une présence suffisante, répondait Abram, tranquillement aimable, le ton moelleux.

Abram sûr de lui et sans crainte. Pas même celle que Pharaon méprise la beauté de son épouse devenue sa sœur ! Et Pha-

236

raon se dressait, quittait son siège royal, frôlait Saraï comme une ombre oubliée, s'approchait tout près d'Abram, plus grand que lui d'une tête.

— Ainsi ton dieu aurait créé le monde ?

— Oui.

— Tous les mondes ? Celui de l'ombre comme celui de la lumière, du mal comme du bien, celui où vivent les morts et les pas encore nés ?

— Tous.

— Ah... Et comment ?

— Par Sa volonté.

Humiliée, Saraï n'osait affronter les regards des courtisans. Elle s'apprêtait à reculer, disparaître, fuir en quelque endroit du palais. Mais Pharaon à cet instant se retourna. Il la toisa d'un œil plus intrigué. Ses iris étaient teintés de paillettes vertes et mordorées, ses lèvres pleines s'ourlaient, moqueuses. Les muscles dessinaient des ombres mouvantes sur son torse nu aux tétons sombres. Malgré sa colère Saraï le trouvait beau, attirant bien qu'étrangement peu humain.

— Comment peut-on créer un monde par la seule volonté ? Encore faut-il l'engendrer, le faire naître. Comment un dieu unique et solitaire peut-il accomplir ce qui ne résulte que d'une copulation ? Je pense que tu fais erreur, Abram. Nos savants ont beaucoup réfléchi à cela, et depuis longtemps. Selon eux, Atoum est venu à l'existence de lui-même. Splendide, éblouissant. Mais incomplet et sans femme pour enfanter. Alors il s'est masturbé et a jeté sa semence dans le vide. Chou, l'air que tu respires, en est né. Atoum a repris son sexe en main une nouvelle fois, et il a créé Tphénis, l'humidité du monde. Alors seulement, de Chou et de Tphénis sont nés Geb, la terre qui porte nos pas, et Nout, le ciel qui porte nos regards. Et moi, Merikarê, aujourd'hui j'use de ma volonté. Mais c'est pour choisir où déposer ma semence et engendrer.

Il sourit. Tout autour, les courtisans rirent et applaudirent. Toujours souriant, Pharaon leva la main droite pour réclamer le silence. Il bascula sa main comme une pointe de lance vers Abram.

— Cependant, tu me plais, Abram. Un homme dont le dieu ne s'affirme que par la parole ne peut être un barbare. Mon père, Akhtoès le Troisième, connaissait aussi la puissance des mots. Il a rédigé pour moi un rouleau d'enseignements, où il est dit : « Sois un artiste en parole pour atteindre la victoire, la langue est le glaive du roi. La parole est plus puissante qu'aucune arme et les paroles sont supérieures à tout combat. »

Un murmure d'approbation parcourut la salle. Pharaon revint à son fauteuil. Mais cette fois, au passage, sa main se referma sur celle de Saraï. Elle tressaillit. Les doigts fins et durs l'attirèrent près du siège royal avant de la lâcher. La voix de Pharaon résonna, impérieuse :

— De la musique, des divertissements et de la nourriture !

Il y eut de la nourriture en quantité suffisante pour rassasier un peuple entier. Il y eut des chanteuses aux voix plaintives, aux hanches souples et lascives. Des danseurs aux corps tourbillonnants, l'échine ployée en roue ou en toupie. Il y eut des magiciens, jetant au sol des bâtons qui devenaient serpents, faisant voler des araignées effrayantes, tirant des colombes d'entre les seins des courtisanes, allumant des feux dans des bassins d'eau pure, ployant des lames de poignard de leur seul regard.

Pharaon mangea peu, se divertit distraitement et parla encore avec Abram. De son dieu, des villes d'Akkad et de Sumer, des guerres et du pays de Canaan. Mais mangeant, se divertissant et parlant, il ne quittait guère Saraï des yeux. Il ne lui adressa cependant la parole que lorsque Abram déclara qu'elle savait écrire à la manière de Sumer.

D'un ordre bref, il fit apporter de l'argile fraîche et des calames avec lesquels ses scribes écrivaient sur des feuilles de papyrus. Soigneusement, Saraï y incrusta plusieurs mots, croisant et recroisant de petits traits coniques. Pharaon pointa la forme d'une étoile.

— Qu'est-ce que cela signifie ?

— Le roi-dieu.

— Et cela ?

— *Shu*, la main.

— Que dit ta phrase ?

— « Le roi-dieu aux mains fortes et douces. »

Pharaon sourit à peine. Du bout des doigts, il effleura le relief des mots sur la tablette avant d'en imprimer la marque au-dessous. Puis ses doigts vinrent glisser sur le dos de la main de Saraï. Elle perçut la fraîcheur humide de la glaise sur sa peau.

— Sais-tu danser aussi bien que tu écris ? demanda Pharaon.

Saraï hésita. Elle jeta un regard à Abram. Il tournait la tête, conversant avec un courtisan. Alors sans un mot elle se leva. Un gong résonna, la musique cessa. Les danseurs suspendirent leur ballet et se retirèrent pour lui faire place. Les courtisans cessèrent leur brouhaha pour l'observer. Abram, maintenant, la dévisageait.

Elle se plaça face à Pharaon, levant les bras à hauteur des épaules. Doucement ses hanches esquissèrent un premier balancement. Ses bras s'incurvèrent, une main sous son visage, l'autre dessus. Ses pieds glissèrent et elle frappa du talon. Elle se décala sur le côté et frappa encore du pied. Alors les musiciens comprirent. Leurs doigts pincèrent les cordes des harpes au rythme de ses pas. Les sons d'une flûte et d'un hautbois s'élevèrent, sinuant telles les hanches de Saraï.

Elle ferma les yeux. Sans s'en rendre compte, pour le bonheur de surprendre Pharaon, de capter son intérêt, elle se grisa de sa propre grâce. Son corps n'avait pas oublié la danse du taureau. Il se ployait et s'offrait avec la même fascinante suggestion qui autrefois enflammait le souffle du fauve. Mais aujourd'hui, c'était le cœur de Pharaon qu'elle embrasait.

Elle le sut quand elle claqua des mains une dernière fois, qu'elle s'immobilisa la poitrine haletante et que rien ne bougea plus dans la salle. Pharaon se leva et s'approcha d'elle. La prunelle de ses yeux était agrandie, vibrante. Elle crut qu'il allait la toucher, mais il se tourna vers Abram. Sa voix n'était plus aussi légère :

— Je t'accorde des terres pour ton troupeau et du grain pour ton peuple, Abram. Et cela jusqu'à ce que les pâturages de Canaan reverdissent. Demain, Tsout-Phénath te reconduira auprès des tiens. Ta sœur reste auprès de moi. Peut-être saura-t-elle être ma terre et mon grain.

La vérité

La fraîcheur d'avant l'aube réveilla Saraï. Le froid se posa comme une main sur sa poitrine nue. Elle se dressa en sursaut, repoussant la main imaginaire.

Derrière les tentures transparentes les feux de naphte vacillaient sur la terrasse, dispensant une faible lumière rousse dans la chambre.

Elle reprit tout à fait ses esprits.

Pharaon bougea à son côté.

Il n'était plus tout à fait Pharaon mais un homme nu, aux joues lisses, au corps doux, dormant dans un lit en forme de barque, immense et plein d'ombres. Ses cheveux étaient bouclés et courts comme ceux d'un enfant, son épaule puissante. Saraï y devinait les traces que ses dents y avaient laissées dans la nuit, emportée par le plaisir.

Elle eut envie de les caresser, d'y poser un baiser. Elle parvint à se retenir.

Elle baissa les yeux sur son propre ventre, ses cuisses, ses seins. Eux ne portaient aucune trace. C'était seulement à l'intérieur que son corps demeurait encore fiévreux du plaisir que Pharaon avait su y faire naître. Une jouissance absolue, où elle s'était engloutie tout entière, terrifiée puis comblée.

Comment cela se pouvait-il ?

Le souvenir des caresses lui revint, faisant trembler sa chair. Elle les repoussa, mais ce fut la pensée d'Abram qui l'assaillit. Elle la chassa avec violence. En cet instant, elle haïssait Abram. Elle ne voulait plus jamais le voir ni le connaître.

Oui, si Pharaon voulait d'elle, éprouvait avec elle autant de plaisir qu'elle en éprouvait, pourquoi ne resterait-elle pas, jusqu'à la fin des temps, la sœur d'Abram ?

Même le dieu d'Abram, elle le détestait !

La honte lui noua la gorge. Elle dissimula son visage dans ses mains, se recroquevillant, les cuisses serrées contre son torse.

Mais le sanglot ne monta pas jusqu'à sa gorge. La main de Pharaon venait de se poser au creux de ses reins. La caresse remonta jusqu'à sa nuque. Elle frissonna, bascula contre lui avec un gémissement animal. Elle referma ses mains sur ses joues lisses, avide déjà de sa bouche, de la souplesse de son long corps contre ses hanches.

Avide du désir de Pharaon qui flamboyait dans l'or de ses iris et se nourrissait d'elle jusqu'à l'inconscience du plaisir.

Il faisait à peine jour. Saraï était debout derrière les tentures transparentes. À travers les fils lâches, elle regardait les ombres s'effacer des jardins et des bassins.

Elle ne voulait plus être dans le lit. Ne plus être près de Pharaon. Ne voulait plus du désir de Pharaon.

Elle essayait de ne penser à rien. Ne plus rien ressentir.

Que sa chair brûlante, irritée de caresses, devienne une pierre dans le gel !

Elle songea à la servante Hagar, à la cicatrice dans son dos.

Si elle s'enfuyait, tirerait-on des flèches sur elle ?

Mais s'enfuir où ?

Y avait-il un seul espace de l'Égypte où l'on pût échapper au regard de Pharaon ?

Elle eut un petit rire, amère comme une gorgée de bile.

Elle murmura :

— Pharaon sait tout !

**
* *

Pharaon se réveilla en sursaut, gémissant. La bouche ouverte il se dressa.

— Saraï!

Il ouvrit les bras dans la grande barque de son lit, appelant et ordonnant :

— Saraï!

— Je suis là.

Il la vit devant les tentures, nue et froide. Il cria :

— Je viens de faire un rêve mauvais! La famine de ton peuple devenait ma famine. Les serpents et crocodiles grouillaient dans mes bassins. Mes épouses pourrissaient entre mes bras et une voix me criait que tu n'étais pas la sœur d'Abram, mais son épouse.

Saraï s'approcha du lit et de Pharaon. Elle effleura sa joue puis tira le grand drap pour s'envelopper dedans.

— C'est la vérité. Je suis Saraï, l'épouse d'Abram.

Pharaon hurla :

— Qu'est-ce que tu m'as fait?

Saraï s'écarta, soulagée, calme. Surveillant les mains de Pharaon pour se protéger de ses coups. Mais il hurlait encore :

— Pourquoi? Pourquoi me mentir ainsi?

— Parce que Abram a eu peur que tu le tues afin que je devienne ta femme. Et que moi aussi, j'ai eu peur que tu le tues.

Pharaon eut un rire mauvais, pareil à un crachat.

— La peur!

— Oui, la peur de Pharaon.

Pharaon ricana. Il sentit la morsure laissée par Saraï sur son épaule. Il l'effleura, se mit debout. Il hésita à se rapprocher d'elle, y renonça en secouant la tête.

— Ainsi, le Dieu Très-Haut d'Abram n'est pas assez puissant pour vous protéger de la peur?

Saraï baissa le front sans répondre.

— Toi et ton époux, vous vous êtes trompés. Pharaon ne vous donnera pas aux crocodiles. Mon père a écrit pour moi :

« Ne sois pas méchant. Nourris le pauvre, un peuple riche ne se dresse pas pour se révolter. Deviens grand et durable par l'amour que tu laisses. » Tu répéteras mes mots à Abram.

Il se tut, le visage impassible, portant déjà le masque et l'indifférence de Pharaon. Mais il franchit l'espace qui les séparait et referma ses mains sur le visage de Saraï. La bouche contre sa bouche il souffla :

— Et toi, je ne te fouette pas, je ne te lapide pas afin que ma mémoire garde le souvenir de ton corps parfait. Ainsi tu vivras toi aussi avec la douleur de notre souvenir.

Sixième partie

Hébron

Le voile de Saraï

Le front et la poitrine couverts d'or, se balançant dans une étrange corbeille d'osier harnachée sur le dos d'un éléphant, Saraï fut reconduite au campement. Une colonne de soldats la précédait, un troupeau de plus de mille têtes de petits bétails, d'ânes et de mules encombrait la route derrière elle.

C'était une reine qui revenait du palais de Pharaon, une déesse du Nil. Pourtant, Abram l'accueillit sans une question et presque sans un regard. Seul Loth se précipita à sa rencontre. Il voulut soutenir son pied lorsqu'elle descendit de l'éléphant mais s'affala sur le sol, ivre. Il ne s'était pas écoulé un jour durant l'absence de Saraï sans qu'il vide des cruches entières de bière d'Égypte.

Les yeux rouges, il éclata de rire, se releva en tanguant. Saraï refusa de le serrer contre elle tant il empestait. Sans un mot, sans un sourire pour ceux qui admiraient ce retour magnifique, elle disparut sous la tente qu'on lui avait dressée. Quelques instants plus tard elle fit annoncer par ses servantes qu'elle voulait demeurer seule et se reposer de son long voyage. Loth protesta, assura qu'il voulait la rejoindre. On le repoussa sans ménagement.

Abram lui-même ne tenta pas de pénétrer sous la tente de son épouse. D'ailleurs, on le fêtait bruyamment. Des hommes le hissèrent sur leurs épaules, le portant en triomphe entre les tentes en criant son nom et celui de Yhwh. Pharaon n'avait-il pas plié le genou devant le Dieu Très-Haut ? Il ne tuait pas, ne capturait pas, mais, tout au contraire, offrait à Abram de quoi rendre à nouveau son peuple riche !

Jusqu'au cœur de la nuit, au son des flûtes, on dansa autour des feux dont les escarbilles s'élevaient dans l'obscurité, tourbillonnantes comme des insectes phosphorescents. La bière et le vin coulèrent à flots. La joie et le soulagement furent si violents qu'on oublia Saraï. Nul ne s'étonna de son absence au côté d'Abram jusqu'à ce que les cris de Loth détournent chacun de son plaisir.

À quatre pattes devant la tente de Saraï, la voix noyée de bière et de larmes, il braillait :

— Montre-toi, montre-toi ! Il y a si longtemps que je ne t'ai pas vue. Montre-toi, Saraï !

Sa tunique était souillée et déchirée, son visage un champ de bataille. Les yeux déments, les lèvres blanches de salive, il se jetait sur les piliers de la tente pour les briser. Il s'y effondrait, s'ouvrait la poitrine sur les angles des pieux. Cependant, même au plus fort de ses gesticulations, il prenait soin de ne pas déchirer la portière que Saraï gardait close.

On le releva, mais Loth trouva la force de se débattre et de vociférer :

— Dansez ! Dansez comme des imbéciles... Ne demandez pas pourquoi ma tante Saraï nous revient comme une reine ! Soyez lâches. Faites comme Abram, il ne demande pas ! Son Dieu Très-Haut ne demande pas non plus ! Eh, eh, eh ! Il n'y a que le neveu Loth qui demande ! S'en moque, lui, des ânes et des mules de Pharaon ! Mais il veut savoir, Loth ! La question, il la pose : pourquoi Saraï nous revient-elle comme une reine ?

Il eut un mauvais rire, pointa le doigt sur les visages qui l'entouraient, cherchant celui d'Abram. Ne le trouvant pas, il cracha de dégoût avant d'agripper l'homme le plus proche en beuglant :

— Tu sais pas, toi, hein ? Tu sais pas ! Alors, je vais te dire, moi. Ce qu'elle n'a jamais voulu faire avec Loth, la sœur d'Abram, elle l'a fait avec Pharaon. Et nous voilà tous riches de l'or que notre Saraï a enfanté par la queue de Pharaon !

On le fit taire en l'assommant. La fête était finie. Les cœurs devenus lourds, aussi clos que la tente de Saraï.

Le lendemain, conduite par Tsout-Phénath, une nouvelle caravane parvint au campement. Le grand officier de Pharaon n'apportait ni troupeau ni grain, mais encore trois coffres d'or et d'argent chargés sur un éléphant dont descendit une femme voilée.

Sans prêter attention aux soldats qui formaient une barrière de lances autour du camp, le peuple d'Abram se rassembla. Chacun voulut approcher les coffres que Tsout-Phénath fit ouvrir devant la grande tente blanc et noir. Au contraire de la veille, il n'y eut ni cris de joie ni embrassades. Pourtant, de sa vie, nul n'avait vu tant de richesses.

Tsout-Phénath se campa devant Abram, plein de morgue :

— Pharaon te laisse une lune pour préparer tes troupeaux, démonter tes tentes et quitter ses terres. Si toi ou quelqu'un de ton peuple revient ici, il mourra. Pharaon vous souhaite un bon retour, à toi et ton épouse. Il espère que vous vous souviendrez longtemps de lui.

Abram eut un mince sourire :

— Tu diras à Pharaon qu'il peut être assuré que le peuple d'Abram saura se souvenir de lui. Nous avons bonne mémoire. Que le Dieu Très-Haut le bénisse pour ses bienfaits.

Du pied, il referma les couvercles des coffres et demanda :

— Qui est cette femme voilée venue avec toi?

Tsout-Phénath eut un geste désinvolte :

— Le dernier fruit de la bonté de Pharaon envers ton épouse.

Au même instant, dans la tente de Saraï, la servante Hagar avait dévoilé son visage et s'inclinait avec respect :

— Pharaon m'a retiré à ma maîtresse et m'envoie te servir car il ne veut plus rien avoir dans son palais qui puisse lui rappeler ta présence.

Elle releva le visage avec un sourire heureux qui ne cessa pas devant la bouche amère de Saraï. Elle lui saisit les mains, les posa sur son front puis sur sa poitrine, à la manière égyptienne.

— Je devine que ces paroles sont dures pour toi. Pharaon m'a ordonné de les prononcer dès que je te verrai. C'est fait, tu peux les oublier. Mon cœur te dit : Sois ma maîtresse et tu me rendras la plus heureuse des femmes. Tu seras le baume sur la cicatrice de mon dos et, moi, je te serai fidèle jusqu'à en mourir.

Saraï l'attira à elle avec douceur.

— Sois sans crainte ! Je ne te demanderai jamais pareil sacrifice. C'est un bonheur que tu deviennes ma servante, mais tu ne seras pas aussi bien logée que chez Pharaon. Je n'ai pas de palais ni de piscine à t'offrir, seulement des tentes et de longues journées de marche.

Hagar eut un rire chantant :

— J'apprendrai à préparer le lait d'ânesse dans des calebasses ! Et si je n'ai plus de palais autour de moi, c'est que tu as ouvert la cage où j'étais emprisonnée.

Saraï s'apprêtait à commander à boire et à manger lorsque des cris attirèrent son attention. Soulevant à demi la portière de la tente, les deux femmes découvrirent un groupe de jeunes gens gesticulant où dominait la tête de Loth. Abram, entouré des Anciens, sortit de la tente aux raies blanches et noires.

D'entre les jeunes gens, un cri jaillit :

— Loth est ivre mais sa question est juste. Pourquoi Pharaon nous chasse-t-il alors qu'il offre tant de richesses ?

La voix d'Abram tonna, sans réplique, assez puissante pour recouvrir tous les cris :

— Parce que Yhwh l'a visité en rêve. Un rêve cruel dans lequel Il lui a montré tout le mal qu'Il pouvait lui faire, à lui et à son peuple, s'il ne nous traitait pas bien. Pharaon a eu peur du Dieu Très-Haut et Lui a obéi. Avec ces richesses qu'Il nous donne par la main de Pharaon, Yhwh nous montre que notre épreuve est achevée. Voilà la vérité, il n'y en a aucune autre !

Demain, nous démonterons les tentes et reprendrons le chemin de Canaan, la terre qu'Il m'a donnée.

La main d'Hagar enlaça la taille de Saraï tendrement.

— Ton époux sait parler, chuchota-t-elle. Je comprends que Pharaon le préfère loin de lui.

Ménageant leur immense troupeau, contournant le désert de Shur, ils mirent plus d'une année pour atteindre Canaan.

Une année pendant laquelle Saraï ne s'adressa à Abram que lorsque cela était indispensable. Elle ne le reçut pas non plus dans sa tente. Et jamais elle ne pardonna à Loth les mots qu'il avait prononcés à son retour du palais de Pharaon. Le neveu d'Abram se traîna à ses pieds, s'humilia en repentances publiques, accusa sa tristesse et son ivresse. Chaque fois Saraï lui tourna le dos.

Loth cessa ses plaintes. Il ne quitta plus l'arrière de la caravane, n'avançant que dans la poussière des troupeaux et buvant comme un trou à l'approche du crépuscule. L'ivresse l'emportait jusqu'au matin, de temps à autre jusque dans le plein jour. Parfois, il fallait le transporter sanglé comme un sac sur le dos d'une mule.

Pas une fois Abram ne le sermonna.

En vérité, pendant des lunes, tous baissèrent la nuque.

Du haut du panier d'osier sanglé sur le dos de son éléphant, le regard de Saraï pesait sur eux. Un regard de pierre. Elle ne quittait pas les bijoux offerts par Pharaon. Dans le soleil, leur or brillait si violemment sur son front, son cou et ses seins qu'il aurait brûlé les pupilles de celui qui aurait levé les yeux vers elle.

Le soir seulement, lorsqu'elle descendait de son animal monstrueux, quelques femmes scrutaient son visage en cachette. Elles voulaient y surprendre la peine ou le pardon mais ne trouvaient que l'indifférence et la beauté. Cette beauté toujours prodigieuse, sans même la marque d'une ride, d'une première flétrissure imposée par le vent de la mer ou la morsure du soleil.

Pourtant, un matin de printemps, alors que l'on s'approchait enfin de Canaan, un murmure parcourut la caravane. Les têtes se tournèrent vers l'éléphant. Là-haut, dans sa nacelle d'osier, Saraï s'était recouvert la tête d'un voile rouge qui lui tombait jusqu'à la taille. Un voile maillé assez lâche pour qu'elle puisse voir à travers sans que l'on puisse en retour distinguer son visage.

Le lendemain et le surlendemain, elle porta ce même voile. Et tous les jours qui suivirent. Désormais, Saraï n'apparut plus hors de sa tente sans être recouverte de son voile rouge.

Certains crurent que son visage avait changé durant la nuit. Qu'elle s'était enlaidie. Peut-être même avait-elle attrapé la lèpre chez Pharaon et ne voulait pas que l'on s'en aperçût. Mais on vit qu'Abram faisait comme si rien d'étrange n'était arrivé à Saraï. Il ne la questionnait pas. Il ne lui demandait pas la raison de cette dissimulation.

Peu à peu, les murmures et les folles suggestions cessèrent. Bientôt, chacun comprit, sans que les mots soient prononcés : Saraï ne voulait plus que sa colère et sa beauté soient le fardeau de tous. Elle était lasse de rappeler par son apparence la source de leur abondance nouvelle. Il en demeurait cependant un contre lequel son courroux ne faiblissait pas. Le seul qui pût soulever son voile pour implorer son pardon et ne le faisait pas : son époux Abram.

Le soulagement fut grand. On s'habitua au voile rouge de Saraï. On trouva même cela infiniment apaisant de ne plus affronter sa beauté parfaite et inaltérable mais seulement d'apercevoir, de temps à autre, celle infiniment plus changeante de sa servante Hagar. Les rires revinrent auprès des tentes. Chacun laissa soudain déborder sa joie d'arriver bientôt sur la terre de Canaan.

Ils approchèrent de Salem un jour de pluie. Les champs et les collines reverdissaient sous les bourrasques. Les chemins étaient amollis par une boue assez grasse pour que leur immense troupeau ne soulève pas de poussière.

Melchisédech se précipita à leur rencontre, suivi des trompes, des tambours et des rires de bienvenue de son peuple. On s'émerveilla de la richesse de ceux qui étaient partis mordus par la faim pour revenir gras et rubiconds. On entoura les éléphants, s'esclaffant devant les trompes et les oreilles démesurées.

Toutefois, lorsque Saraï salua Melchisédech sans ôter son voile, la surprise et la tristesse fripèrent le visage du vieux roi. Une question vint sur ses lèvres. Son regard croisa celui d'Abram. Il se tut, battit des paupières et ouvrit grands les bras, tandis que les chants de joie remerciaient le Dieu Très-Haut de ses bienfaits. Sans attendre qu'ils dénouent leur embrassade, un garçon les bouscula, tirant un cri à Abram :

— Éliézer !

Éliézer de Damas avait grandi. Sa taille était l'égale de celle d'Abram. Les boucles de ses cheveux tombaient sur ses épaules. Le duvet de la première barbe couvrait son menton. Il enlaça son père d'adoption avec l'effusion d'un fils. Chacun put voir les yeux embués d'Abram.

Ce soir-là, pour la première fois depuis qu'ils avaient quitté la terre de Canaan pour celle de Pharaon, le rire d'Abram retentit.

Un rire qui surmonta la musique de la fête, s'entendit assez loin pour qu'Hagar, préparant la couche de Saraï déjà retirée, demandât qui était ce beau garçon qui rendait Abram si heureux.

Saraï laissa les mains d'Hagar ôter sa tunique et lui masser le dos avec un onguent doux avant de répondre avec une lasse indifférence :

— Il s'appelle Éliézer de Damas. Abram l'a choisi pour remplacer le fils que je ne peux lui donner. Il est plaisant et charmeur. Méfie-toi de ses œillades. Elles sont comme ces fruits qui brillent lorsque le soleil et la chaleur te sèchent les lèvres. Tu les approches de ta bouche et tu es empoisonnée.

— Pourquoi dis-tu cela?

— Par jalousie peut-être. C'était l'opinion de ma chère Sililli. Ou peut-être suis-je désormais capable de reconnaître le bien du mal sans me soucier du masque sous lequel ils approchent.

On fêta leur retour durant sept jours. Chaque matin, Abram et Melchisédech se tenaient avec les Anciens dans la grande tente blanc et noir. Abram racontait le pays du Nil et les questions que lui avait posées Pharaon sur le Dieu Très-Haut. À son tour, Melchisédech raconta comment la pluie était revenue sur Canaan, aussi soudainement qu'elle en avait disparu. Une pluie comme on n'en avait jamais vue. De plein été et pourtant sans orage, abondante sans être violente, abreuvant la terre assoiffée sans la raviner. Enfin remplissant les puits et les sources durant tout l'hiver. Tant et si bien que le printemps était apparu aussi vert que dans les temps anciens.

— À l'automne, affirmait Melchisédech à Abram avec un sourire apaisé, quand j'ai vu la tournure de cette pluie, j'ai su que le Dieu Très-Haut prenait soin de toi. J'ai dit : « Abram et son peuple vont bien. Ils seront de retour bientôt. Yhwh prépare Canaan pour eux comme on prépare une épouse pour sa nuit de noces. »

Chacun riait, content et rasséréné. Cependant, lors d'un de ces bavardages, Loth surgit et déclara rudement :

— Je veux parler à Abram!

On craignit aussitôt son ivresse et sa violence. Pourtant, s'il avait le visage rouge, les yeux gonflés et le vêtement désordonné, Loth n'était pas ivre. Abram l'invita à s'asseoir :

— Parle, je t'écoute.

— Ce que j'ai à dire est simple. Tu nous as conduits une fois déjà à la famine. Je ne veux plus avoir à subir ton inconséquence. Je veux aller sur une terre qui m'appartienne, y conduire mon troupeau et ceux qui voudront m'y suivre. Ne me dis pas que ton dieu peut m'en empêcher. Je me moque de ton dieu.

Melchisédech fronça les sourcils. Il y eut des murmures de réprobation. Néanmoins, Abram répondit avec une douceur qui surprit chacun :

— Je te comprends et je t'approuve. Écoute ceci, Loth. Tu es plus que mon neveu : tu es mon frère comme l'était ton père. Tu as dans mon cœur ta place et celle de ton père Harân. Il n'y aura pas de dispute entre nous.

— Tu me laisses donc prendre une terre pour moi seul ? répéta Loth, étonné.

— Oui. J'approuve ta décision. Elle est pleine de bon sens. Non seulement je te laisse prendre une terre mais je propose : choisis les pâturages qui te semblent les meilleurs pour ton troupeau et ceux qui formeront ta famille. Si tu pars à gauche, j'irai à droite. Si tu pars à droite, j'irai à gauche.

Loth se dressa, plus rouge encore qu'à son arrivée. Il jaugea les visages qui lui faisaient face. Comme par défi, il annonça :

— Je prends la terre qui se tient dans la courbe du Jourdain, à l'est de Salem.

— Mais c'est la plus riche de tout Canaan ! s'exclama Melchisédech, offusqué. Elle est irriguée d'un bout à l'autre de l'année et aussi belle qu'un jardin !

— C'est donc un bon choix, intervint Abram.

Il souriait, approuvant de la tête. Melchisédech voulut encore protester. Abram l'en empêcha. Il se leva et prit Loth dans ses bras.

— Je suis heureux que mon frère puisse vivre sur une terre si riche.

— Quand même, s'écria quelqu'un, réfléchis, Abram ! Il te prend les meilleures terres, et son troupeau est le cinquième du tien.

Abram maintint son bras autour des épaules de Loth et répéta :

— J'ai offert à Loth de choisir. Il a choisi et tout est bien ainsi.

Le soir, les maisons de Salem et les innombrables tentes installées autour de la ville bruissaient de la bonté d'Abram envers son neveu Loth. Jamais encore on n'avait vu quiconque céder avec tant de bonne humeur sa richesse. Et comme rien ne permettait de considérer Abram comme faible, sa générosité en devint plus éclatante. Il en devint encore plus admirable aux yeux de tous.

L'histoire arriva vite aux oreilles d'Hagar, qui la répéta aussitôt à sa maîtresse. Saraï ne put retenir un sourire. La bonté d'Abram la touchait elle aussi mais, plus encore : qu'Abram agisse de manière inattendue, comme autrefois, quand il l'avait enlevée du temple d'Ur, voilà qui atténuait un peu sa colère.

Le lendemain, Abram, Melchisédech et quantité d'autres se tenaient sur le bord du chemin pour voir Loth quitter Salem à la tête de son troupeau et de ceux qui avaient décidé de le suivre. Saraï apparut. Loth fixa le voile rouge qui la recouvrait comme à l'accoutumée. On eût cru que ses yeux allaient incendier le tissu, le transpercer. On pensa que, peut-être, Saraï allait enfin apaiser son tourment et montrer son visage à son neveu qui l'adorait. Elle s'approcha :

— Je viens te dire au revoir.

Loth se tut. Il hésita. La bouche douloureuse, les traits ruinés par ses trop nombreuses ivresses, il faisait peine à voir. Tout autour d'eux, chacun restait suspendu à l'hésitation de Loth. Saraï attendit qu'il prononce un mot qui lui permît de le prendre dans ses bras.

Hélas, il ricana, en un rire rauque d'ivrogne :

— Qui s'adresse à moi de sous ce voile ? Une servante de Pharaon ?

Saraï recula d'un pas, la poitrine en feu, les joues brûlantes d'humiliation sous le voile. Une réplique cinglante lui vint aux lèvres. À cet instant, elle surprit le large sourire du jeune Éliézer à côté d'Abram. Comme il était heureux, déjà, de la dispute qu'il pressentait !

Elle se tut, tourna le dos à Loth comme aux autres avant de disparaître sous sa tente.

Chacun remarqua que la main d'Abram ne s'était pas levée pour la retenir, pas plus que sa bouche ne s'était ouverte pour la rappeler.

*
**

Dans les jours qui suivirent, tandis que son troupeau se dispersait sur les pâturages bien verts, Abram refit ce qu'il avait accompli des années plus tôt, avant la famine. En compagnie d'Éliézer, il arpenta les horizons de Canaan, courant des crêtes aux vallées, d'un autel à l'autre, pour offrir des sacrifices et crier le nom de Yhwh.

Pendant ce temps, Saraï pria Melchisédech de lui accorder un chariot et l'aide de quelques hommes pour qu'on installe sa tente au sud de Salem. Elle y avait découvert une longue vallée couverte de térébinthes, de lauriers en fleur, bordée de falaises, de pics de roche ocre d'où cascadaient des ruisseaux toujours frais.

À Melchisédech qui lui demandait si elle ne voulait pas attendre le retour d'Abram afin de ne pas être seule dans un si grand espace, elle répondit :

— Seule, je le suis, et depuis maintenant longtemps, dans le tout petit espace de mon corps. Abram s'occupe de son dieu. Je suppose que c'est bien. S'il veut me parler, tu lui diras que je suis dans la plaine d'Hébron. Il saura bien m'y trouver.

Il la trouva moins d'une lune plus tard. Il arriva en plein midi. Seul, sans Éliézer. Hagar et Saraï l'entendirent avant de le voir, car il hurlait son nom dans toute la vallée :

— Saraï ! Saraï, où es-tu ? Saraï !

Elle était en train de cuire des pains fourrés d'herbes odorantes et de fromage. Hagar gravit une pente pour voir plus loin :

— Il est peut-être arrivé quelque chose de grave, s'inquiéta-t-elle.

Saraï scruta les chemins, les bosquets proches, le bord des ruisseaux qui sinuaient dans les pâturages. Sans rien voir.

— Saraï ! hurlait toujours la voix d'Abram.

— Il est peut-être blessé, dit Hagar.

— Va à sa rencontre, ordonna Saraï. Fie-toi au son de sa voix.

Tandis qu'Hagar s'éloignait, Saraï posa son voile rouge sur sa tête. Elle vit Abram sortir d'un bosquet d'oliviers, sur le chemin qui menait au Jourdain. Hagar cria et le rejoignit. Abram se mit à gesticuler drôlement, à la manière d'un enfant excité. Dès qu'ils furent assez proches, Saraï sut qu'Abram n'était ni blessé ni dans la peine. Il était hors d'haleine, mais son sourire étincelait dans sa barbe.

— Saraï! Il m'a parlé! Yhwh m'a parlé!

Il éclata de rire, exubérant, joyeux comme un jeune homme. Il claqua dans les mains, tourna sur lui-même.

— Il m'a parlé! Il m'a appelé : « Abram! » Comme à Harran : « Abram! » Et moi j'ai dit : « Je suis là, Dieu Très-Haut. Je suis là! » Depuis si longtemps que j'attendais! Si longtemps que j'allais partout dans Canaan, criant Son nom!

Le voilà à nouveau lançant des cris, riant, les larmes aux yeux, aussi fous que Loth pris de boisson. Il attrapa la taille d'Hagar et l'entraîna dans un pas de danse, déclenchant le grand rire voluptueux de la servante. Derrière son voile, Saraï sourit. Ivre de sa joie, Abram s'enhardit, il quitta les bras d'Hagar, attrapa la main de Saraï, la taille de Saraï, tournoya avec elle. Deux fois, trois fois, le front tout en sueur, chantant, virevoltant comme si des flûtes accompagnaient sa farandole. Hagar toujours riant à pleine gorge. Le voile de Saraï se soulevant comme le bas de sa tunique, jusqu'à ce qu'Abram trébuche sur une pierre, s'affale de tout son long, entraînant Saraï.

Hagar l'aida à se relever.

— Ça suffit, dit Saraï, cesse de faire l'enfant, tu es épuisé.

— Je n'ai pas bu ni mangé depuis hier, s'amusa Abram en soufflant comme un bœuf.

— Viens t'asseoir. Je vais te donner à boire.

— Il faut que je te raconte ce qu'Il m'a dit!

— Cela peut attendre que tu aies bu et mangé. Hagar, apporte des coussins, de l'eau et du vin, s'il te plaît.

Elle alla chercher les pains qu'elle venait de cuire, des raisins et des grenades cueillis sur la colline d'Hébron. Elle ordonna encore à Hagar de tendre un dais au-dessus d'Abram, afin de lui faire de l'ombre. Puis elle s'assit, le regarda manger, souriant sous son voile, heureuse de le voir dévorer avec entrain.

Quand il fut rassasié, Hagar apporta une cruche d'eau citronnée et un linge propre. Il s'essuya les mains et le visage. Saraï dit enfin :

— Je t'écoute.

— Je n'étais pas très loin d'ici. J'avais même en tête de venir chez toi. Et la voix a été partout. Comme à Harran. Tout à fait comme à Harran, tu te souviens ?

— De quoi pourrais-je me souvenir, Abram ? Je n'ai pas vu ton dieu, mais toi qui courais, exalté comme aujourd'hui.

Une brève déception fronça les sourcils d'Abram. Il scruta le voile qui lui interdisait de deviner l'expression du visage de Saraï. Il hocha la tête, effaça sa contrariété et raconta :

— Ça n'a pas été long. Yhwh m'a dit : « Lève tes yeux, Abram ! Ton regard va du nord au sud, de l'est à la mer. Tout ce pays que tu vois là, je te le donne en avenir, à toi et à ta semence. Ta semence est la poussière du monde. Qui peut compter la poussière du monde pourra compter ta semence. Debout Abram ! Emplis ce pays, c'est à toi que je le donne ! »

Abram se tut, l'œil brillant. Il poussa un grand rire. Hagar rit aussi. Mais Saraï ne rit pas.

Elle ne bougea pas.

Abram et Hagar se turent, regardant sa poitrine se gonfler. Puis les mots firent trembler le voile devant sa bouche :

— La poussière du monde !

Saraï répéta, plus fort :

— Ta semence, la poussière du monde !

Abram était déjà debout, devinant la colère qui venait. Il déclara, comme pour se protéger :

— C'est exactement ce que Yhwh a dit : « Ta semence est la poussière du monde. »

— Mensonge ! hurla Saraï en se dressant. Mensonge !

Elle attrapa la cruche d'eau et la lança contre Abram. De son bras il la détourna. La cruche alla éclater aux pieds d'Hagar, qui recula à bonne distance. Saraï cria à nouveau, de toutes ses forces :

— Mensonges !

— Yhwh l'a dit ! cria en retour Abram.

— Qui le sait sinon toi ? Qui d'autre l'entend que toi ?

— Ne blasphème pas !

— Ne mens pas ! Ne te moque surtout pas de moi. Comment feras-tu pour que ta semence devienne cette poussière ? Toi qui ne parviens même pas à avoir un fils. Qui t'abaisses à prendre ce serpent d'Éliézer pour héritier...

Abram d'un coup de pied renversa le plateau qui contenait les restes du repas :

— Tais-toi, tu ne sais pas ce que tu dis. Tu es pleine d'aigreur et de ressentiment. Imagines-tu ce que l'on voit de toi avec ce voile ridicule qui te masque ?

— Oh ! oui, je l'imagine, Abram ! Je sais fort bien ce que l'on voit : rien ! Rien du tout. Tout comme on ne voit pas ton dieu. C'est ainsi que je suis, moi aussi ! Une femme qui n'est rien, stérile, sèche comme tous les déserts et toutes les famines. Une femme que l'on peut donner, prendre ou reprendre sans que la vie naisse en elle, jamais. Pas même en y déposant une marque, une ride, rien. Rien !

Elle avait hurlé si fort que l'écho du mot résonna dans la vallée d'Hébron. Elle plaqua le voile contre sa face :

— Ce voile, Abram, tu peux le bénir. Car ton épouse qui n'est rien, si elle ôte ce voile, elle devient ton reproche à plein visage.

— Yhwh a promis que j'aurai une descendance ! cria Abram en levant les bras au ciel, les yeux agrandis de fureur. Le Dieu Très-Haut l'a promis. Cela sera. Tout ce qu'Il promet s'accomplit !

Le ricanement de Saraï fut terrible. D'un bond, elle fut devant Abram, lui agrippa la main pour la plaquer sur son ventre :

— Ah oui ? Depuis combien d'années chantes-tu les mêmes sornettes ? Mon Dieu Très-Haut va accomplir le miracle ! Pourquoi ne l'a-t-il pas déjà fait ? Pourquoi n'a-t-il pas gonflé mes entrailles, puisqu'il le peut ? Ta semence doit peupler ce pays ? De quelle vulve va-t-il sortir, ce peuple ? Vas-tu engrosser les épouses de Canaan, Abram, celles qui te regardent déjà comme un demi-dieu ? Après tout, pourquoi pas ? Tu pourras à nouveau prétendre que je suis ta sœur. Loth avait raison, chacun s'en accommodera...

Abram gronda, cherchant à retirer sa main de celle de Saraï. Elle ouvrit les doigts brusquement, le repoussant en le frappant sur la poitrine, reprenant son souffle avant de crier :

— Pourquoi ton dieu ne se soucie-t-il pas de moi ? Sais-tu répondre à cela ? Non... Yhwh t'a parlé. Il t'a promis, et tu danses et tu ris. Et moi je pleure Et moi je me cache ! Et moi je suis vide. Oh ! la belle promesse ! Cesse d'entendre le seul bruit de ta folie, Abram. Cesse de voir ce que personne ne voit et regarde la vérité : mon ventre est plat. Tu n'as pu le remplir. Ton dieu ne sait pas plus que toi le remplir. Et Pharaon lui-même n'y est pas parvenu !

Le rugissement d'Abram fut si féroce qu'Hagar se précipita, croyant qu'il allait massacrer Saraï. Mais il ne fit que la pousser, la propulsant contre la toile de la tente. Elle s'y effondra tandis qu'il s'enfuyait à toutes jambes.

La solitude

Saraï avait perdu Sililli, perdu Loth. Ce fut comme si elle perdait Abram.

Elle n'avait plus à son côté qu'Hagar. Hagar était douce, attentive, serviable. Elle ne pouvait cependant remplacer Sililli dans le cœur de Saraï. Hagar ne savait rien du passé. Elle ne possédait aucune mémoire d'Ur et de Sumer. Elle ne pouvait évoquer aucun souvenir des temps heureux où, toutes les nuits, Abram était dans la couche de Saraï. Ces temps où Saraï espérait encore que le dieu d'Abram fût capable de miracle. Elle ne pouvait, comme Sililli, se moquer, morigéner, assener à tout propos sa vérité cruelle et salutaire.

Pis encore, Hagar était gorgée de jeunesse. La vie lui courbait gracieusement les hanches. On la devinait frémissante de désir, appelant la semence des hommes comme ces fleurs qui s'écartèlent pour recevoir les frelons. Une seule nuit d'amour et Hagar serait engrossée. Elle souffrirait la belle douleur de l'enfant à venir. Lorsqu'elle songeait à cela, Saraï préférait encore être tout à fait seule, sans la présence de sa servante sous les yeux.

Ainsi, le seul bien-être, les seuls plaisirs qui lui restèrent, pendant des lunes et des lunes, furent la solitude et l'indifférence.

Il arrivait que, la nuit, des rêves viennent la hanter. Elle y était femme et presque comblée entre les bras de Pharaon. Elle

262

se réveillait la bouche amère, le corps douloureux et le désir déjà glacé. Elle serrait les poings contre sa bouche pour étouffer sa douleur et sa fureur. Pourquoi ne pouvait-elle pleurer jusqu'à dissoudre son corps comme une statue de sel et le faire disparaître dans la terre avide ? Même cela ne lui était pas accordé. Ainsi que Pharaon l'avait promis : « Toi aussi, tu souffriras de notre souvenir ! »

Puis un matin, à son réveil, Hagar lui annonça :

— Abram vient monter ses tentes par ici. Il a choisi de s'installer dans la plaine d'Hébron.

Elle disait vrai. La plaine se couvrait de tentes. Les troupeaux s'éparpillaient à perte de vue. Les coups des masses sur les pieux résonnaient dans l'air. Une ville de toile naissait. Avant que le soleil atteignît le zénith, la grande tente à bandes noires et blanches fut dressée.

Hagar remarqua :

— En s'installant près de toi, Abram te montre de la tendresse. Peut-être veux-tu que j'aille lui souhaiter la bienvenue de ta part ?

Saraï ne répondit pas. Ne sembla même pas avoir entendu.

Abram pouvait bien remplir la plaine d'Hébron de ceux qui formaient son « peuple », à la manière dont Éliézer de Damas était son fils. En quoi cela la concernait-il ? En quoi cela accomplissait-il la promesse non réalisée de son dieu ? Ni son désir de solitude ni son indifférence n'allaient en être ébranlés.

De même lorsque Abram envoya trois jeunes servantes près d'elle, afin qu'elle soit mieux servie.

— Vous pouvez retourner d'où vous venez, leur dit-elle simplement. Hagar me sert bien et me suffit.

Abram envoya alors des paniers de fruits, des agneaux à rôtir, des oiseaux, des lais de lin ou des tapis pour l'hiver. Saraï refusa ces présents comme elle avait refusé les servantes. Mais, cette fois, Abram ignora son refus et ordonna que ses présents soient rapportés et déposés devant sa tente.

Déroulant les tapis au pied de la couche de Saraï, Hagar soupira avec envie.

— Tu m'enseignes quelque chose : voilà une bonne manière de s'assurer que son époux se languit et vous traite bien !

Saraï s'agaça de cette remarque. Elle bavarda moins avec Hagar, prit l'habitude de monter, à l'approche du crépuscule, sous les falaises blanches qui dominaient la plaine, au sommet de la colline de Qiryat-Arba.

Là, sa solitude était vraiment pleine et entière. Tout ici était calme. Les jours de printemps, les ruisseaux coulaient en cascade, le soleil soulevait les parfums des buissons de sauge et de romarin. En bas, dans la plaine, si elle en avait la curiosité, Saraï suivait l'agitation du campement. Parfois, d'entre toutes les autres, elle distinguait une silhouette qui marchait plus vite, plus loin. Elle ne doutait pas qu'il s'agisse d'Abram.

À cet instant, le plus souvent, elle détournait les yeux pour observer les oiseaux ou le lent mouvement de l'ombre.

Un jour Hagar annonça :

— On dit que la guerre menace ceux qui sont installés sur les villes du Jourdain, à Sodome et Gomorrhe. Là où vit ton neveu Loth. On dit que ceux de Sodome sont devenus si riches que les rois des alentours en sont jaloux et veulent s'approprier ces richesses.

— Comment le sais-tu ?

— J'ai rencontré Éliézer en allant chercher des outres neuves pour le lait. C'est un homme, maintenant. Bien qu'il soit encore jeune, il siège au côté d'Abram dans la tente à rayures blanches et noires. Il apprend à être un chef.

— C'est lui qui te l'a dit ?

— Oui. Mais les femmes d'en bas m'ont assuré que c'était vrai. On raconte qu'il apprend vite et qu'il aime ça.

— Je n'en doute pas, fit Saraï.

— Il est plaisant à voir. Les filles rient dans son dos et se chamaillent pour qu'il les remarque. Et lui est comme un jeune bélier tout fier de ses cornes neuves.

Hagar laissa rouler son rire. Elle feignait de se moquer, mais sa voix trahissait son excitation.

— Je sais que tu ne l'aimes pas, admit-elle. Je ne réponds pas à ses regards, mais je sens que je lui plais. Et moins je le regarde, plus je lui plais.

— Bien sûr que tu lui plais ! Quels sont les hommes à qui tu ne plais pas ?

Elles rirent ensemble. Puis Saraï ajouta avec sérieux :

— Éliézer est un tricheur. Ne te laisse pas abuser. Ne crois pas qu'il conduira un jour le peuple d'Abram. Jamais cela n'arrivera.

— Et pourquoi ?

— Parce que jamais il n'en sera digne.

Hagar lui jeta un coup d'œil de biais, et pendant un moment elle s'occupa en silence, la mine boudeuse. Saraï s'approcha d'elle, lui caressa la nuque, posa la tête sur son épaule.

— Ne crois pas que je te parle comme une femme aigrie. Je ne le suis pas. Même si je me tiens à l'écart de tous, même si je n'ai plus envie d'être dans les bras d'un homme, fût-il mon époux. Il est vrai que je t'envie. Mais mon désir est de voir ton ventre grossir, porter un enfant. Quand ce jour arrivera, je te tiendrai la main. Cependant, détourne-toi d'Éliézer. Dès qu'il t'aura possédée, il t'oubliera.

Après avoir parlé ainsi, Saraï s'interrogea : « Est-il vrai que je ne suis pas une femme aigrie ? Si mon visage vieillissait comme un visage ordinaire, n'y verrais-je pas cette tristesse et cette bouche mince et amère des épouses qui n'attendent plus de jouissance ni de bonne surprise de leur mari ? »

Elle préféra ne pas répondre à ses propres questions, mais remarqua qu'Hagar descendait de plus en plus souvent dans la plaine. Sous un prétexte ou un autre, il n'était guère de jour où elle n'eût à faire parmi les tentes d'Abram. Quand elle en revenait, contrairement à son habitude, elle se taisait, ne racontait rien de ses rencontres et de ses bavardages. Saraï ne douta pas qu'elle vît souvent Éliézer, malgré ses conseils.

Elle se contenta de hausser les épaules. Après tout, Hagar était assez femme pour choisir l'homme de son plaisir et de son destin.

Un après-midi, un grand vacarme agita les tentes d'Abram. Saraï vit des gens courir en tous sens. Cela dura si longtemps qu'elle s'inquiéta, craignant que quelque chose de mauvais soit advenu. Elle s'était déjà recouverte de son voile rouge pour descendre aux nouvelles lorsque Hagar arriva hors d'haleine :

— C'est la guerre ! Abram part à la guerre ! Ton neveu Loth est prisonnier à Sodome, il part le délivrer !

— Mais il n'a pas d'armée, répliqua aussitôt Saraï. Pas même des armes, rien que des bâtons ! Il ne sait pas se battre !

Au même instant, les trompes résonnèrent dans le campement, des appels vibrèrent dans la plaine. La colonne conduite par Abram se forma à la lisière des tentes. On entendit les cris des épouses et des enfants.

— Ils partent déjà ? s'exclama Saraï, incrédule. Abram est devenu fou.

— Il faut bien libérer ton neveu avant qu'on le tue, répliqua Hagar sur un ton de reproche.

Saraï ne l'écouta qu'à peine. Elle scrutait la colonne qui s'éloignait sur la route menant au Jourdain. Une si maigre colonne ! Elle chercha à reconnaître Abram en tête, se demandant comment il était vêtu et armé pour combattre. Sans doute avait-il pris sa courte épée de bronze ? Ses compagnons devaient être encore moins bien équipés que lui. Elle devinait les bâtons sur les épaules, les piques que l'on utilisait pour conduire les mules et les bœufs.

Quelle folie !

Elle songea à courir, à rejoindre Abram pour lui dire : « Tu ne peux aller te battre ainsi ! Tu vas à ta perte. Ceux qui ont pu vaincre Sodome et Gomorrhe sont puissants. Ils te massacreront, toi et tous ceux qui t'accompagnent ! »

Mais Abram ne l'écouterait pas. Après tout ce temps de silence, de quel droit lui dirait-elle ce qui était sage?

Puis elle pensa à Loth. Hagar avait raison. Loth était en danger. Il était bien qu'Abram se porte à son secours. Elle songea : « Loth attend l'amour d'Abram depuis si longtemps. Je ne dois rien entraver. Mais demain, après-demain, on va m'apprendre qu'ils sont morts tous les deux. »

L'appréhension brusquement lui serra la poitrine.

Une peur qu'elle n'avait pas ressentie depuis bien longtemps lui piqua les reins.

Après tant d'éloignement, soudain elle aurait voulu voir le visage d'Abram. Elle aurait voulu baiser ses lèvres avant qu'il parte se battre. Passer la main sur ses vêtements, sur ses paupières et son front. Lui sourire afin qu'il n'aille pas combattre avec la froideur de son épouse dans le cœur.

Mais il était maintenant bien trop loin. La colonne disparaissait à l'est d'Hébron.

— Qu'ai-je fait? s'écria Saraï, à la surprise d'Hagar.

Elle s'éloigna précipitamment de sa tente. Malgré la pente très raide, elle courut tout en haut de la colline de Qiryat-Arba, là où le regard pouvait dominer la plaine d'Hébron, atteindre les montagnes et les rivières de Canaan.

Quand elle y parvint, ce qu'elle découvrit la stupéfia. Du sud, de l'ouest et de l'est affluaient d'autres colonnes qui se joignaient à celle d'Abram. Il en venait de partout. Des vallées, des montagnes, des villages au milieu des pâturages, des bords de la mer de Sel! On aurait cru des torrents, des rivières qui s'écoulaient dans un fleuve, le grossissaient et grossissaient encore tandis qu'il avançait vers le nord.

Hagar arriva près d'elle, tout essoufflée. Saraï, riant de soulagement, pointa le doigt en direction de la poussière qui formait maintenant un nuage au-dessus de l'armée d'Abram :

— Regarde! Ils ne sont peut-être pas bien équipés mais, au moins, ils seront nombreux. Des milliers!

Ce soir-là, Saraï fit plier sa tente, quitta la colline où elle s'était tenue à l'écart depuis si longtemps et descendit dans la plaine, parmi les autres.

Elle découvrit que, depuis le premier jour de son installation à Hébron, Abram avait interdit qu'aucune tente ne soit dressée à côté de la sienne. Elle s'y établit sans une hésitation. Pour la première fois depuis si longtemps, on put la voir sans que son voile rouge la dissimule.

Chacun put constater que le temps n'était toujours pas passé sur le corps et le visage de Saraï. Nul ne fit de remarque, tous se comportèrent comme si ce prodige était naturel.

Le seul qui montra de l'étonnement fut Éliézer de Damas. Il n'était pas accoutumé au visage de Saraï, l'ayant presque toujours connu voilé. La curiosité l'attira. Quand il fut devant elle, la beauté de sa belle-mère le troubla assez pour qu'il se montre enjôleur et accueillant :

— Tu es encore plus belle que dans mon souvenir. Je n'étais qu'un enfant... Abram m'a souvent parlé de ta beauté. Je ne savais à quel point il parlait vrai. Je suis heureux de te voir de retour parmi nous. Je suis sûr que mon père en serait fou de joie. Si tu as besoin de la moindre chose, appelle-moi. Utilise-moi, considère-moi comme ton fils aimant. Ce sera mon plus grand bonheur.

Saraï ne répondit pas, mais continua de le fixer. Éliézer ne parut pas embarrassé.

— Je voulais accompagner mon père Abram à la guerre, reprit-il d'un air contrarié. Ma place était auprès de lui et il n'est pas de jour sans que je regrette de ne pas y être.

— En ce cas, que fais-tu ici? fit Saraï en soulevant un sourcil plein d'ironie.

— Mon père Abram me l'a demandé! s'exclama Éliézer avec toute la sincérité dont il était capable. Il a voulu que je demeure ici en son absence, pour que je puisse le remplacer si besoin était.

— Le remplacer?

— Il m'a appris ce qu'il faut pour cela.

Le rire de Saraï brisa net l'aplomb d'Éliézer.

— Quoi qu'ait pu t'apprendre Abram, mon garçon, je doute que tu puisses jamais le remplacer. Ne rêve pas. Fais comme moi, attends sagement le retour de mon époux.

*
* *

L'été passa sans qu'il leur vienne de nouvelles, sinon que l'armée d'Abram avait investi Sodome. Mais Loth ne s'y trouvait plus et la ville était vidée de ses biens comme de ses habitants. Abram poursuivait désormais les pilleurs dans le nord, peut-être au-delà de Damas.

Sans autres informations, le temps passant lentement, l'incertitude grandit. À l'automne, la rumeur se répandit que l'armée d'Abram avait été vaincue. Il se pouvait qu'Abram lui-même fût compté parmi les morts. Hagar lui rapportant cette rumeur, Saraï la fit taire :

— Ce sont des sornettes ! Je n'en crois pas un mot.

— C'est ce qu'ils disent, s'excusa Hagar avec douceur. Et je préférais que tu l'apprennes par ma bouche.

— Qui raconte cela ?

Hagar détourna la tête.

— Éliézer. Et d'autres.

Saraï eut un glapissement de colère.

— D'où tiennent-ils cette nouvelle ? Ont-ils reçu un messager ? Je n'en ai vu aucun.

— Ce sont des choses qui se disent à Salem. Et dans d'autres endroits.

— Sottises. Sottises et méchancetés ! Je sais qu'Abram est vivant, je le sens !

Saraï n'ajouta pas qu'il n'y avait guère de nuit désormais où elle ne rêvait pas de lui. D'Abram son amour et son époux. Le jeune Abram d'Ur, celui de ses épousailles, celui d'Harran. Celui qui lui apportait une couverture dans la nuit, au bord de l'Euphrate, celui qui cherchait Canaan par la seule intuition de la croyance en son dieu. Celui qui grondait de plaisir entre ses bras et disait : « Je ne veux pas d'autre épouse que Saraï ! » Celui qui se moquait de la sécheresse de son ventre, la faisait jouir de ses baisers, de ses mains et de son sexe. Car désormais elle se réveillait nuit après nuit, pleine de terreur, sachant qu'elle aimait Abram comme au premier jour. Que jamais cet amour ne s'était effacé, juste estompé peut-être. Oui, elle était aujourd'hui tout entière pardon et désir d'Abram. Elle était l'épouse d'Abram, pour toujours et malgré son ventre. Malgré Pharaon et même malgré le Dieu Très-Haut qui parfois emportait loin d'elle l'esprit et le cœur d'Abram. Et ainsi, chaque matin, elle arrivait dans l'aube le front et le ventre humides, pleine d'espoir de le revoir dans le jour même, horrifiée à la pensée qu'elle ne puisse plus jamais poser ses lèvres sur les siennes.

Hagar baissa le front, pleine d'embarras. Saraï lui saisit le menton, lui releva le visage :

— Je sais d'où vient cette rumeur. Cependant, Éliézer prend ses désirs pour la réalité. Il devrait s'accoutumer à n'être rien. Pour qu'il soit le fils et l'héritier d'Abram, il faudrait qu'on apporte le corps d'Abram devant moi, et cela n'est pas pour demain. Tu peux le lui répéter de ma part si le cœur t'en dit.

Le messager arriva alors qu'il neigeait et gelait sur les collines autour d'Hébron. Abram était non seulement vivant mais victorieux.

— Il reconduit Loth et sa famille à Sodome et toutes les femmes de Sodome que les rois de Shinear, d'Ellasar, d'Élam et de Goïm ont volées. Il rapporte de Damas la nourriture et le butin d'or. Partout sur sa route on l'acclame et l'on dit que son dieu invisible l'a soutenu comme aucun autre dieu. C'est ce qui le met en retard, mais il sera là avant une lune.

Alors que les feux et les danses brisaient le froid de la nuit, que la joie et l'exubérance emportaient comme une ivresse toutes les épouses, les filles, les sœurs qui avaient attendu si longtemps, Saraï aperçut la mine déconfite d'Éliézer. Il questionnait encore le messager, argumentait, voulait douter de la nouvelle. Et lorsqu'il ne put détourner la vérité, le rictus qu'il afficha en guise de satisfaction faisait songer à la fureur de la déception plus qu'au soulagement.

270

Hagar, comme les autres, en fut choquée.

— Tu avais dit vrai sur Éliézer. Pardonne-moi d'avoir douté de ton jugement. Je suppose qu'il en va ainsi quand la couche d'une femme demeure trop longtemps vide. Un sourire nous abuse.

Elle eut un petit rire, rauque et désappointé, enfonçant son visage dans le cou de Saraï pour murmurer encore :

— Comme je t'envie d'avoir un époux aussi beau qu'Abram, un vainqueur qui sera bientôt entre tes bras, plein d'impatience ! Dans quelques nuits, toutes les tentes d'Hébron vont trembler de plaisir. Pauvre de moi ! Je n'aurai qu'à me boucher les oreilles et à boire de la tisane de sauge !

Saraï lui rendit ses caresses, l'écarta, sérieuse, la considérant soudain avec une tendresse émue, presque craintive.

— Qu'y a-t-il ? s'étonna Hagar en riant vraiment.

— Rien, répondit Saraï.

*
* *

Saraï n'attendit pas Abram à l'entrée du campement, parmi les autres épouses, mais sous sa tente. Quand il en poussa la portière et la découvrit dévoilée, nue, il se mit à trembler.

Il avança comme un jeune homme. Timide, émerveillé, le souffle court. Devant elle, il tomba à genoux. L'enlaça avec crainte. Posant son front et sa joue contre son ventre.

Saraï plongea ses doigts dans sa chevelure. Comme elle était argentée ! Elle effleura les rides épaisses de son front, ses épaules tannées. Avec le temps, sa peau était devenue moins fine et moins ferme, blanche comme du lait là où la tunique le protégeait du soleil.

Elle le releva, le dénuda, baisa la naissance de son cou, lécha ses menues cicatrices, ses côtes et son ventre musclé. Il sentait l'herbe et la poussière.

Elle se mit à trembler à son tour quand il la souleva, l'emporta jusqu'à la couche. Lui ouvrant les cuisses comme on dévoile l'offrande d'un délice.

Ils ne prononcèrent pas une parole avant de trouver le souffle du plaisir d'être redevenus Abram et Saraï.

Il faisait nuit quand Abram déclara :

— J'ai fait la guerre, je me suis battu avec l'aide du Dieu Très-Haut. Mais il n'y a pas eu un jour sans que je pense à toi. Ton amour, je l'ai senti dans la force de mon bras et ma volonté de vaincre.

Saraï sourit sans l'interrompre.

— J'ai pensé à tes colères. Plus j'étais loin de Canaan et victorieux, plus la justesse de tes paroles m'apparaissait. Aussi, sur le chemin du retour, quand Yhwh m'a appelé, la première parole que je Lui ai adressée a été : « Dieu Très-Haut, j'avance tout nu ! L'héritier de ma maison, c'est Éliézer de Damas. Tu ne m'as pas donné d'enfant. Quelqu'un qui n'est pas mon fils va prendre ce que j'ai ! Lui, Il a répondu : Non ! Celui-là ne te prendra rien. Celui qui sortira de ton ventre, c'est lui qui prendra tout. »

Abram se tut. Son souffle était oppressé, inquiet. Saraï se serra plus fort contre lui. Il répéta :

— « Celui qui sortira de ton ventre, c'est lui qui prendra tout. » Voilà les paroles de Yhwh. Je ne peux en dire plus. Et je ne comprends pas comment cela se pourra.

— Moi, je comprends, fit doucement Saraï après un temps. Ton dieu ne changera pas mon ventre. Ce n'est plus la peine de l'attendre. Mais Éliézer est mauvais, plus encore que tu l'imagines. Ta mort l'aurait réjoui, chacun a pu le voir.

— On me l'a rapporté. Mais ce n'est pas important. Et ce n'est pas de chasser Éliézer qui me donnera un fils.

— Hagar te le donnera.

— Hagar ? Ta servante ?

— Elle est belle, elle a déjà enfanté.

Abram se tint immobile, silencieux, sans oser regarder Saraï.

— C'est moi qui te le demande, insista Saraï. Abram ne peut pas demeurer sans héritier qui vienne de sa semence. Ton dieu lui-même te le dit.

— Hagar le voudra-t-elle? Je ne suis plus un homme jeune.

— Elle se languit d'avoir un homme entre les cuisses, jeune ou vieux. De plus, elle t'admire autant que tu admires ton dieu!

Abram se tut encore, chercha le regard de Saraï dans la pénombre. Du bout des doigts, il caressa ses lèvres avec douceur.

— Tu souffriras, chuchota-t-il. Ce ne sera pas ton enfant.

— Je serai forte.

— Je donnerai du plaisir à Hagar. Tu souffriras.

Saraï sourit pour masquer la buée de ses yeux.

— Je connaîtrai ce que tu as connu chez Pharaon.

La jalousie

Mais Saraï ne fut pas aussi forte qu'elle le croyait.

La douleur commença la première nuit qu'Hagar passa sous la tente d'Abram. Se couchant, elle eut le malheur de songer à la cicatrice d'Hagar. Cet ourlet nacré qui lui réunissait les épaules. Elle songea aux lèvres d'Abram se posant sur cette cicatrice. La parcourant de petits baisers.

Elle en eut si mal au ventre, mal à la nuque et aux reins qu'elle ne put trouver le sommeil avant l'aube. Au moins eut-elle le courage de demeurer sur sa couche.

Le lendemain, elle évita la présence d'Abram aussi bien que celle d'Hagar. Néanmoins, au crépuscule, des aiguilles de bronze recommencèrent à lui brûler la poitrine. Dès qu'il fit nuit, elle se dressa derrière la portière de sa tente et écouta. Bien sûr, elle entendit le grand rire de volupté d'Hagar. Puis ses gémissements et même le souffle d'Abram.

Elle sortit devant la tente pour mieux respirer. Hélas! elle entendit encore mieux le plaisir de son époux et de sa servante. À l'abri des regards, elle s'accroupit comme une vieille femme, les mains sur les oreilles, les paupières serrées. Ce fut pire. Dans son aveuglement, elle voyait le sexe d'Abram, les belles hanches d'Hagar, son extase gourmande. Elle voyait en détail tout ce qu'elle n'aurait pas dû voir.

Elle vomit comme une femme saoule.

Le jour suivant, munie d'une gourde de lait, de pain, d'olives et d'une peau de mouton, elle eut la sagesse de quitter le campement pour monter sur la colline de Qiryat-Arba. Deux nuits durant, songeant à toutes sortes de visages d'enfants, elle trouva le sommeil sous les étoiles. Elle revint souriante au campement.

Souriante, Hagar l'était aussi. Comme ni l'une ni l'autre n'osait se regarder, Saraï finit par rire. Elle attira Hagar dans ses bras, lui murmurant à l'oreille :

— Je suis heureuse. Mais c'est plus fort que moi, je suis jalouse.

— Tu n'auras plus de raison de l'être, soupira Hagar. Abram est parti ce matin crier le nom de Yhwh dans Canaan et lui faire des offrandes partout où il lui a dressé des autels.

Et, de fait, la jalousie cessa.

Saraï attendit avec impatience la venue de la lune nouvelle. Elle fut la première à applaudir lorsque Hagar annonça que le sang ne coulait pas entre ses cuisses.

De ce jour, Saraï cessa de considérer Hagar tout à fait comme sa servante. Elle l'entoura d'attentions et de tendresse ainsi qu'une mère s'occupe de sa fille. Hagar prit goût à ce traitement. Bien que son ventre fût encore à peine gonflé, elle cessa de broyer le grain pour faire de la farine, elle abandonna le soin de la tente à d'autres servantes et s'abstint de porter le moindre objet. Les femmes passaient avec elle de longs après-midi, lui apportant des gâteaux de miel, des onguents parfumés, et la couvrant de compliments autant qu'elles l'eussent fait si Hagar avait été la véritable épouse d'Abram.

Il était vrai qu'elle resplendissait. Saraï remarqua que ses lèvres devenaient plus épaisses et soyeuses. Ses pommettes s'élargissaient, même ses yeux semblaient plus lumineux et plus tendres. Elle avait des gestes lents qui faisaient penser à la danse. Elle riait d'une voix grave, basculant ses épaules en arrière et gonflant ses seins. Elle dormait à toute heure du jour comme si elle était seule au monde. Se réveillait pour réclamer à manger. Elle était, en toute chose, une femme repue par le bonheur de l'enfantement.

À la voir ainsi, chaque jour plus opulente de chair et de bonheur, l'envie recommença à serrer la gorge de Saraï.

Prudente, elle s'efforça de s'éloigner souvent, se cherchant des occupations le plus loin de sa tente, allant dormir entre les bras d'Abram comme si cela pouvait la protéger de tout. Et peut-être même déplaire un peu à Hagar.

Cependant, au chaud de l'été, un soir où elle entrait sous sa tente, la portière déjà levée pour laisser passer l'air, Saraï découvrit Abram agenouillé devant sa servante. Hagar avait relevé sa tunique jusqu'au cou, la main d'Abram palpait tendrement son ventre nu!

Le souffle coupé Saraï bondit en arrière. Mais sans pouvoir s'interdire d'épier Abram. Qui s'inclinait, posait joue et oreille contre ce ventre tendu de vie. Sa chevelure blanche recouvrant les seins d'Hagar aux aréoles dilatées et assombries.

Elle entendit le murmure affectueux d'Abram. Un murmure qui la frappa en pleine poitrine.

Elle entendit les gloussements d'Hagar. Les baisers d'Abram sur le ventre terriblement rebondi. Les roucoulements d'Hagar qui offrait toutes ses chairs à la béatitude d'Abram.

Elle s'enfuit, la tête en feu, dévorée par la jalousie. Sachant que cette jalousie n'allait plus cesser. Qu'elle n'était plus assez forte pour la supporter.

Alors qu'Hagar était à la septième lune de son enfantement, elle repoussa un jour avec dégoût le plat que Saraï venait de lui apporter.

— C'est mal cuit! s'exclama-t-elle. Et les épices sont mal choisies. Ça ne convient pas à une femme dans mon état.

Saraï la regarda, interloquée, d'abord sans voix puis tout de suite submergée de colère.

— Comment oses-tu me parler ainsi?

— Je dis seulement que cette viande est mal cuite, insista Hagar avec désinvolture. Ce n'est pas ta faute, cela arrive.

— Parce que je prends soin de toi, crois-tu que je suis devenue ta servante?

Hagar sourit.

— Ne te fâche pas ! Il est normal que tu prennes soin de moi. Je porte l'enfant d'Abram.

Saraï la gifla à toute volée.

— Pour qui te prends-tu ?

Roulant des yeux effrayés, une main sur sa joue, l'autre soutenant son ventre, Hagar poussa des glapissements et appela à l'aide. Sans y prêter attention, tout à sa fureur, Saraï hurla :

— Tu n'es pas l'épouse d'Abram. Tu n'es qu'un ventre qui porte le fruit de sa semence. Cela et rien d'autre ! Un ventre d'emprunt. Tu es ma servante, et c'est ma servante qui a été engrossée. Quel droit crois-tu avoir ici ? Et sur moi, encore ! Moi, Saraï, l'épouse d'Abram ?

Des femmes accouraient, tentant d'agripper les bras de Saraï, craignant qu'elle frappe Hagar de nouveau. Saraï se dégagea avec force.

— Ne soyez pas stupides. Je ne vais pas la tuer !

Un instant plus tard, elle était devant Abram.

— J'ai mis Hagar dans ton lit, mais maintenant qu'elle est enceinte, elle se prend pour ton épouse. Ce n'est plus supportable.

Le visage d'Abram se fripa de tristesse. Il saisit Saraï par les épaules, l'attira contre lui.

— Je t'avais prévenue que tu souffrirais.

— Il ne s'agit pas de souffrir, mentit Saraï. Hagar ne cesse de me manquer de respect. Il n'est plus possible qu'elle demeure là où je suis.

Abram respira fort, prit le temps de s'asseoir avant de demander :

— Que veux-tu de moi ?

— Que tu choisisses entre Hagar et Saraï.

Abram sourit, sans joie :

— Le choix est fait depuis longtemps. Tu es mon épouse, elle est ta servante. Tu fais ce que tu veux de ta servante.

— Alors je la chasse.

*
* *

Hagar quitta la plaine d'Hébron le soir même, en larmes, emportant son gros ventre sur les chemins et un balluchon sur l'épaule.

Pendant trois jours, Saraï affronta la honte de sa jalousie. La honte de sa dureté, de son intransigeance. De son ventre sec. Elle crut en mourir.

Pourtant rien ne put la décider à courir derrière Hagar pour la ramener. Pas même le visage d'Abram, gris de chagrin. Pas même la pensée qu'Éliézer de Damas, désormais éloigné quelque part dans la plaine, devait se réjouir de redevenir l'héritier d'Abram.

Le matin du quatrième jour, Saraï entendit des exclamations de joie, des cris de femmes. La bouche soudain sèche, elle reconnut la voix d'Hagar.

Elle se précipita hors de sa tente, hésitant à crier sa colère ou à accorder son pardon. Mais Abram déjà courait au-devant de sa servante.

Entourée, caressée, Hagar pleurait, riait, geignait. Saraï la vit qui s'accrochait au cou d'Abram. Elle entendit Abram lui dire avec la douceur d'un agneau :

— Viens, viens t'allonger ! Tu vas nous raconter ton histoire, mais viens d'abord t'allonger et manger un peu.

Homme ou femme, nul n'osa affronter le regard de Saraï. Elle s'approcha, le visage fermé, ravalant sa honte, sa colère et sa jalousie pour entendre la fable qu'allait raconter Hagar, la mine contrite mais l'œil bienheureux.

— C'était avant-hier soir. J'avais soif et je me suis approchée de la source sur le chemin de Shur, effrayée que j'étais d'avoir à traverser bientôt le désert. Soudain, une présence s'est approchée près de moi. Je dis « une présence », car il s'agissait de quelqu'un qui était comme un homme mais n'en était pas un. Sans visage, avec pourtant un dos et une voix. Me demandant : « Qu'est-ce que tu fais là ? » Alors moi : – Je fuis Saraï ma maîtresse qui m'a chassée ! Je vais mourir dans le désert avec un

enfant dans mon ventre ! Et lui, encore plus près de mon oreille :
– Non, retourne d'où tu viens. C'est un fils que tu vas mettre au
monde, tu l'appelleras Ismaël. Yhwh a entendu ta plainte,
l'humiliation que t'a infligée ta maîtresse, ton fils sera un cheval
sauvage, indomptable, il se dressera contre tous et tous seront
contre lui, vivant défi pour ses frères. » Voilà ce qui a été dit.

Hagar se tut. Radieuse. Personne n'osa souffler mot, poser
une question. La tête blanche d'Abram dodelinait comme s'il
sanglotait.

Hagar découvrit la mine close de Saraï derrière les autres
femmes. Elle cessa de sourire, attira la main d'Abram sur son
ventre :

— C'est la vérité, il faut me croire. Celui qui parlait au
nom de ton dieu m'a demandé de reprendre ma place près de
toi. Il m'a dit : « Tant pis si ta maîtresse t'humilie à nouveau. Il
te faudra le supporter. » Alors je suis revenue le plus vite que j'ai
pu pour que tu puisses accueillir ton fils, le soulever dans tes
mains dès qu'il sortira de ma vulve.

Saraï songea : « Mensonges ! C'est moi qu'elle humilie,
moi Saraï, sa maîtresse, qu'elle traite comme une servante. Qui
pourra le croire ? Et le dieu d'Abram qui s'adresse à elle !
Encore des mensonges. Une fable qu'elle invente et qui va
séduire Abram. Oh ! oui ! »

Mais elle garda le silence. Elle n'allait pas chasser Hagar
une seconde fois, se rendre encore plus dure, plus détestable aux
yeux de tous. D'ailleurs, c'eût été inutile. Abram, les yeux
humides, caressait le ventre d'Hagar :

— Je te crois ! Je te crois, Hagar. Je sais comment le Dieu
Très-Haut peut faire connaître Sa volonté. Prends du repos,
soigne-toi, donne naissance à mon fils.

Il se retourna, chercha Saraï des yeux.

— N'oublie pas que Saraï est ta maîtresse. Si elle ne l'avait
pas voulu, jamais je ne serais allé avec toi pour avoir un fils. Ne
profite pas de ton bonheur pour la rendre faible et jalouse.

Saraï s'éloigna avant même qu'il ait achevé sa phrase.

**
*

Plus jamais Saraï ne montra sa jalousie. Mais la jalousie la consuma comme un sarment sec.

Quand Hagar ressentit les premières douleurs de l'enfantement, Saraï fit venir les sages-femmes, prépara elle-même les linges, les onguents apaisants, fit chauffer l'eau avec les herbes et s'assura que tout allait bien. Puis elle alla se cacher tout au fond de sa tente et se boucha les oreilles pour n'entendre ni les cris d'Hagar ni ceux du nouveau-né.

Pourtant, le lendemain, elle vint baiser le front du fils de son époux que l'on appela Ismaël. Aussi longtemps qu'elle put, elle sourit à la grande joie d'Abram brandissant le nouveau-né vers le ciel en clamant le nom de Yhwh. Ensuite, elle quitta le campement. Des heures durant, elle marcha droit devant elle, soulevant sa tunique afin que le vent de la plaine apaise la fournaise de jalousie qui la consumait.

Abram, lui, alla promener son ravissement dans tous les horizons de Canaan, partout remerciant son dieu du fils que lui avait donné Hagar. Mais il revint bien vite. Il abandonnait ses longues palabres sous la tente noir et blanc pour admirer Hagar qui, tout au long du jour, offrait ses tétons à la bouche d'Ismaël. Alors Abram se mettait à rire. Un rire que Saraï ne lui connaissait pas et qui, bientôt, éclata à tout propos.

Dès que cela fut possible, Abram se mit à jouer avec son fils. Des heures durant, sous le regard attendri d'Hagar, avec des cris, des gazouillements et encore des rires, enlacés l'un à l'autre, Abram et Ismaël se roulaient sur les tapis, dans l'herbe sèche. Ils inventaient des oiseaux dans les nuages, jouaient avec des insectes, éclataient de bonheur pour un rien

Nauséeuse de tous ces rires, brisée par cette joie, Saraï cessa de dormir. Elle prit l'habitude de quitter sa tente au milieu de la nuit pour rôder tel un fantôme. Dans l'air frais et obscur, parfois, le feu de sa jalousie cessait de la consumer.

Avec la rage de l'orgueil, elle s'abstint cependant de montrer sa souffrance. Elle s'obligea à prendre Ismaël dans ses bras, à le bercer, à respirer sa douce odeur d'enfant. Pleine de tendresse, les yeux mi-clos, elle nichait sa tête minuscule dans son cou jusqu'à ce qu'il s'endorme. Ensuite elle se cachait à nouveau, tremblant de fièvre, les larmes ne pouvant pas même rafraîchir ses joues.

Elle tint bon pendant un temps qui lui parut infini. Elle maigrit. Sa beauté devint étrange, transparente. Sa peau, sans se friper, devint un peu rêche, plus épaisse. Comme calcinée de l'intérieur et terriblement irritable. Elle ne supportait plus d'être touchée, même par les mains d'Abram.

Durant le deuxième hiver après sa naissance, Ismaël commença à marcher, à briser les pots en riant, à balbutier ses premiers mots. C'est ainsi qu'il vint un jour buter contre les jambes de Saraï. Elle se pencha, comme elle en avait l'habitude, pour le prendre dans ses bras. Ismaël repoussa ses mains, les sourcils froncés. Il la dévisagea comme une inconnue. Le regard noir, il poussa un cri de petit fauve vorace et effrayé avant de s'enfuir en hurlant dans les bras d'Hagar.

Saraï se détourna comme si l'enfant l'avait frappée.

Cette fois, la jalousie l'embrasait jusqu'aux os, insupportable.

Au crépuscule, Saraï monta sur le chemin de la colline de Qiryat-Arba. Il faisait froid, presque le gel. Sa chair brûlait pourtant comme si on y appliquait des brandons. Elle revoyait le regard d'Ismaël, tout ce qu'elle avait enduré depuis des saisons et des saisons, et elle n'en pouvait plus.

Sur le côté du chemin, elle entendit le grondement d'un ruisseau. Il roulait en gros bouillons. Sans réfléchir, elle se précipita dans l'eau glacée. La rivière n'était guère profonde, mais le courant lui battit les reins tandis qu'elle s'aspergeait le ventre et le visage à grands gestes.

La pensée lui vint qu'elle pourrait se tenir, ainsi, sous la morsure du froid, jusqu'à ce qu'enfin son corps cède. Que sa beauté se brise, que l'âge l'emporte comme un fruit oublié, une branche brisée par l'hiver.

Oui ! Voilà ce qu'elle devait faire. Demeurer dans le ruisseau jusqu'à ce que sa chair cède enfin ! Le courant parvenait à user les roches les plus dures, pourquoi ne pourrait-il pas ruiner la beauté inutile de Saraï ?

Grelottant, elle leva les yeux vers la nuit qui dévoilait les étoiles. Ces milliers d'étoiles que les grands dieux d'Ur, disait-on dans son enfance, avaient immobilisées une à une. Elle se souvint du poème appris au temps où elle était Sainte Servante, ignorante et avide de la vie :

> *Lorsque les dieux faisaient l'homme,*
> *Ils étaient de corvée et besognaient :*
> *Considérable était leur besogne,*
> *Infini leur labeur...*

C'est alors que l'appel jaillit de sa bouche, dans un hurlement qui fit tout trembler autour d'elle :

— Yhwh aide-moi ! Dieu Très-Haut d'Abram, aide-moi ! Je n'en peux plus. De mon ventre sec, de ma jalousie brûlante, je n'en peux plus. L'épreuve est trop longue. Yhwh ! Tu t'adresses à Hagar ! Tu la plains et tu l'aides, et pour moi, rien ! Rien depuis si longtemps. Tu entends la plainte de ma servante, mais moi, l'épouse de celui que tu as désigné, moi, l'épouse d'Abram, tu m'ignores ! Oh ! comme ton silence est lourd ! Ô Yhwh ! à quoi bon être seulement le dieu d'Abram ? Comment pourras-tu faire naître son peuple sans faire venir la vie dans mon corps ? Comment faire un commencement si Saraï n'est qu'une famine ? Comment peux-tu promettre un peuple et une nation à mon époux alors que ma vie n'engendre pas la vie ? Si tu es aussi puissant que le dit Abram, alors tu sais. Tu sais pourquoi j'ai fauté à Ur, il y a si longtemps, avec les herbes de la *kassaptu*. Ô Yhwh, c'était pour l'amour d'Abram ! Si tu ne pardonnes pas la faute de l'innocence et de l'amour, à quoi bon créer tant d'espoir dans le cœur d'Abram ? Ô Yhwh, aide-moi !

Épilogue

Oui, c'est ainsi que j'ai crié.

Je m'en souviens très bien. Le visage tourné vers le ciel, les bras levés, de la douleur plein le corps, j'ai hurlé ainsi que les lionnes hurlent à la lune : « Yhwh, aide-moi ! Aide-moi ! »

M'adressant sans honte au Dieu Très-Haut d'Abram. En vérité, ne croyant pas qu'Il m'entende, ayant surtout besoin de hurler.

J'étais encore Saraï.

Tout était dur et difficile.

Aujourd'hui, tandis que j'attends en paix le moment où Yhwh me coupera le souffle, ce souvenir me fait sourire. Car voilà : Yhwh m'a entendue !

Le ruisseau où je me glaçais n'est pas loin d'ici. D'où je suis assise, devant la grotte qui sera mon tombeau, j'aperçois les buissons de menthe qui en bordent la rive. Cette nuit-là, il n'y avait que des pierres et de l'obscurité. Je suis restée si longtemps dans l'eau que j'aurais pu en mourir. Mais non, Yhwh ne l'a pas voulu !

Au petit jour, je suis allé voir Abram. Je lui ai dit :

— C'est trop dur, mon époux. Ma jalousie est trop grande. Mais je ne veux pas te faire honte ni gâcher le bonheur que te donne ton fils. Permets-moi de dresser ma tente là-haut, sous les térébinthes, à l'écart de ton campement.

J'ai hésité à lui confier que j'avais crié le nom de Yhwh à perdre haleine. Il aurait fallu aussi que je lui raconte comment

283

je m'étais tenue dans le ruisseau gelé. À quoi bon? Chacun me trouvait déjà assez folle. Il était inutile que j'ajoute à sa peine.

Abram m'a écoutée en silence. Maintenant qu'Ismaël pouvait sauter sur ses genoux, que je sois près ou loin de lui ne le préoccupait guère. Il m'a embrassée et laissée partir.

Sous ma tente à l'écart, solitaire, sans même une servante qui la partage avec moi, j'ai dormi enfin. Deux ou trois jours de suite. Ne me réveillant que pour boire un peu de lait.

Ce sommeil était bon comme une caresse. Je me suis apaisée. J'ai même su rire de moi. Pourquoi vouloir toujours lutter, toujours revenir sur ce qui, depuis des lustres, était déjà accompli? Pourquoi tant de cris, tant de drames alors qu'un enfant était né, que la descendance d'Abram était désormais réelle? N'était-ce pas ma volonté? Certes, Hagar était la mère de l'enfant. Mais était-ce si important? Bientôt Ismaël grandirait, et partout, pour toujours, on le nommerait « le fils d'Abram ». Nul ne se soucierait du ventre qui l'avait enfanté.

Oui, je songeais à tout cela avec un sourire, tentant de me raisonner. Sentant bien, hélas, que je n'y parvenais guère. Ainsi étais-je faite. Depuis le temps que je portais mon fardeau, jamais je n'avais su m'y accoutumer.

Puis, voilà qu'un matin, alors que je voulais tremper un linge dans la rivière, je découvris de petites taches sombres sur mes mains. Irrégulières, pareilles aux marques d'une écorce. Le soir, je les examinai encore. Elles me parurent plus sombres. Le lendemain, dès mon réveil, je dressai mes mains dans le faible jour et les scrutai. Les taches étaient là, bien visibles. Plus visibles même que la veille!

Dans les jours suivants, les muscles de mes bras et de mes cuisses commencèrent à s'amenuiser. C'était tout mon corps qui se transformait! À mieux m'ausculter, je découvris sur mon ventre un pli plus marqué que d'ordinaire. Le lendemain, un pli nouveau naissait. Et encore le jour qui suivit. Mais oui, mon ventre se fripait! J'ai examiné mes seins : je les trouvais moins hauts, moins ronds. Pas flasques ni en pis de chèvre, non, mais ils ne possédaient plus leur fermeté. Je les ai soupesés. Ils s'étalaient sur ma paume. Ils se creusaient là où ils avaient été rebondis. J'ai couru remplir d'eau une jatte à grand col pour scruter mon visage dans le reflet. Des rides ! Des rides sous mes yeux, autour de mes yeux, sur le haut de mes pommettes, au bord de mes narines, des dizaines de minuscules rides autour de mes lèvres ! Et puis mes joues moins tendues, mon cou plus relâché...

Mon visage devenait celui d'une femme de mon âge. Je vieillissais.

J'ai bondi, hurlant de joie. Je me suis mise à danser, gloussant de bonheur comme une fillette à son premier baiser. Enfin, enfin je vieillissais ! C'en était fini de cette beauté de jeunesse qui me collait aux membres et qui depuis si longtemps me voilait d'un faux éclat !

Pendant une lune au moins je n'ai cessé de m'ausculter, de me mirer dans l'eau, comptant mes rides, mesurant la chute de mes seins, les plis de mon ventre. Chaque fois constatant que cela s'accomplissait bel et bien et me saoulant de bonheur.

Si d'en bas, des tentes d'Abram, on me voyait, on a dû penser : « Voilà que Saraï, toute seule sur sa pente et livrée à sa jalousie, perd l'esprit pour de bon ! »

Peu m'importait d'avoir l'air d'une folle. Le temps enfin revenait dans mon corps. Comme on dépose un nouveau-né dans son berceau, il me déposait dans l'apparence de mon âge. Et avec cet âge, avec ce corps, mon tourment pouvait cesser : il n'était plus question d'enfanter. Pour la première fois, depuis ma rencontre avec la *kassaptu* de la ville basse à Ur, il était normal et naturel que le sang ne coule pas entre mes cuisses.

Oh, quel soulagement !

« Peut-être, après tout, Yhwh m'a-t-il entendue ? me suis-je dit. Il a entendu ta plainte. Ne pouvant changer ton ventre, il brise enfin le prodige de ta beauté et t'apaise avec la douceur de la vieillesse. »

Voilà ce que j'ai cru ! Poussant l'effronterie jusqu'à me tenir bien droite, les paumes ouvertes comme je l'avais vu faire par Abram pour remercier Yhwh. Pour la première fois le priant et le nommant mon Dieu Très-Haut. Quel orgueil !

Quelque temps plus tard, Abram est monté jusqu'à moi, le visage grave et soucieux. J'ai songé que quelque chose n'allait pas avec Hagar ou son fils Ismaël. Peut-être voulait-il me demander de m'éloigner plus encore? Je me suis tenue prête. Prête aussi à la surprise qu'il allait avoir en me voyant.

Mais non. Il s'est immobilisé, fronçant un peu plus le sourcil. Il a jeté un regard à peine intrigué sur mon cou et mon front, mais sans prononcer un mot. Sans une question. En vérité, comment pourrait-on surprendre un homme comme Abram, lui qui avait déjà les paupières cernées, les joues molles et le dos un peu voûté?

Je l'ai fait asseoir confortablement, lui ai apporté à boire et à manger. Lorsqu'il a enfin planté son regard dans le mien, j'ai dit :

— Je t'écoute, mon époux.

— Yhwh m'a parlé ce matin. Il m'a annoncé : «Je fais alliance avec toi. Tu seras le garant de notre alliance, toi mais aussi tes enfants après toi et leurs enfants également. Et pour cela votre prépuce sera circoncis, tous les mâles, tous les enfants de huit jours, en signe d'alliance entre vous et Moi. Mon alliance s'inscrira dans votre chair. »

Abram s'est interrompu, le sourcil levé, s'attendant à ce que je parle. Mais j'ai gardé la bouche close. Sur la descendance d'Abram, j'avais déjà dit plus qu'il n'en fallait.

Il a souri. Son premier sourire depuis qu'il était en face de moi. Il a ajouté, comme s'il craignait que je n'aie pas compris :

— Le Dieu Très-Haut Se donne à nous.

J'ai songé à mes rides et j'ai souri à mon tour. Abram s'est mépris sur mon sourire. Il a posé sa grande main sur mon genou. Avec un tremblement dans la voix, il a ajouté :

— Si! Plus que tu le crois. Écoute ceci. Yhwh m'a dit encore : « Ton nom ne sera plus Abram mais Abraham, et tu seras le père d'une multitude de nations. Tu n'appelleras plus ta femme Saraï, mais Sarah. Je la bénirai, elle aussi. Et je te donnerai un fils d'elle. Il s'appellera Isaac. »

Je crois que le ciel a tremblé pendant qu'Abraham a prononcé ces mots. À moins que ce ne soit mon ventre. Ma bouche

aussi a tremblé. J'ai pensé à mes cris dans le ruisseau, au prodige de l'âge qui m'était venu cette dernière lune, brisant le prodige de la beauté. Oui, il se peut bien que j'aie pensé à tout cela,
songeant que peut-être Abram disait la vérité et que son dieu,
cette fois, pour de bon, me venait en aide et me soutenait.

Mais je n'ai rien laissé paraître. Après tout ce temps, c'était
une espérance trop difficile à accepter. Et puis, il suffisait de
nous voir désormais, nous deux, la vieille Saraï et le vieil
Abram, pour qu'il soit risible de nous imaginer au lit, et plus
encore moi enfantant !

Non, je ne voulais rien entendre de la promesse contenue
dans les mots de Yhwh.

J'ai posé ma main sur celle d'Abram.

— Va pour Sarah. Cela ne me dérange pas. Abraham,
oui, c'est un nom doux à rouler dans la bouche. Va pour Abraham.

Abraham a soupiré comme un jeune homme. Ses yeux ont
brillé sous ses paupières, moqueurs et radieux. Ses lèvres se sont
étirées, me rappelant celles qui m'avaient tant séduite autrefois,
au bord de l'Euphrate.

— Tu n'y crois pas, n'est-ce pas ?

— Quoi donc ?

— Oh, ne fais pas la mule ! Tu le sais ! Tu m'as entendu.

— Abraham, puisque c'est ton nom, as-tu remarqué
comme je suis devenue vieille ?

— Vieille ? Non. Tu me sembles seulement avoir le visage
de ton âge et j'en suis bien content pour toi ! Sarah, mon
amour, Yhwh te l'annonce : Il te bénit et ton fils s'appellera
Isaac. Que veux-tu de plus ?

— Allons, Abraham, cesse de rêver, mon doux époux. De
quel ventre sortirait-il, ce fils ? Cet Isaac !

— Du tien ! De celui de Sarah. De quel autre cela se pourrait-il ?

— Et venant de quelle semence ?

— La mienne, quelle question ! Oh, oh, je vois ! Tu ne
m'en crois plus capable, c'est ça ?

Je n'ai pu retenir mon fou rire.

— Oh que si! Toi, tu es capable de tout. Mais moi, après tout ce temps, c'en est enfin fini. Il ne me suffit pas de devenir Sarah pour te faire un fils. Je suis ridée et stérile comme je dois l'être. Une femme est une femme, Abraham. Même moi.

— Balivernes! Tu n'écoutes pas la parole de Yhwh. Moi aussi, j'ai douté. Moi aussi, j'ai ri. Yhwh s'est fâché. « Quelque chose serait trop difficile pour Yhwh? » m'a-t-Il demandé. Sarah, il nous suffit de... Ah, cesse donc de rire!

Mon fou rire n'a pas cessé pour autant. J'ai enlacé mon vieil époux. J'ai pris sa tête entre mes mains, lui baisant les yeux, lui posant le front contre ma joue :

— Tu n'as pas besoin de tant de mots pour venir dans ma couche, Abraham. Mais ne te fais pas d'illusion. Celle que tu y trouveras, tu ne la connais pas. Elle ne soutient plus la comparaison avec Hagar.

Il chercha ma bouche en grognant, encore de mauvaise humeur :

— Tu es Sarah et je suis Abraham. C'est tout ce qui compte, et je vais te le prouver, avec l'aide du Dieu Très-Haut.

Ce qu'il a fait.

En me comblant. Dans un plaisir que je ne connaissais pas, calme et moelleux. Je me suis souvenue des mots de ma chère Sililli : « On n'a jamais vu un homme se lasser de ces choses-là. Même branlants et bégayants, tant qu'ils peuvent dresser le manche, ils se rêvent encore bûcherons! » Mais une femme non plus ne s'en lasse pas, même quand son corps n'est que le souvenir de sa jeunesse.

Après quoi nous avons dormi profondément. Moi surtout, qui n'ai pas entendu Abraham se lever alors qu'il faisait déjà grand jour. Des voix m'ont réveillée. Abraham disait :

— Maîtres! maîtres, ne passez pas à côté de votre serviteur. Voici de l'eau pour laver vos pieds, profitez de l'ombre, ce térébinthe possède un feuillage épais, reposez-vous. Je vais chercher du pain, des galettes, que vous repreniez des forces.

J'ai entendu les voyageurs inconnus qui le remerciaient :

— Fais comme il te plaît.

Abraham les a installés sous le térébinthe avant de bondir dans la tente :

— Vite ! Prépare du lait caillé, des fruits.

— Mais qui sont ces voyageurs, Abraham ?

Il m'a regardée comme s'il ne comprenait pas ma question.

— Pourquoi tant de précipitation ? ai-je à nouveau demandé.

— Ce sont les envoyés, les anges de Yhwh.

Il est ressorti, toujours aussi empressé. Alors j'ai entendu la voix de l'un des voyageurs qui demandait :

— Où est Sarah, ta femme ?

Je me suis immobilisée, troublée. Ainsi ils connaissaient mon nouveau nom, alors qu'Abraham ne me l'avait donné que depuis la veille ?

— Elle est sous la tente, répondit Abraham.

— L'année prochaine, au même jour, Sarah ta femme aura un fils.

Ce fut plus fort que moi. J'ai songé à la nuit que je venais de passer dans les bras d'Abraham et j'ai ri. Pas un fou rire. Pas un gloussement ni un petit rire d'amusement. Un rire comme je n'en avais jamais eu de toute ma vie. Un rire pour croire les paroles de Yhwh et ne pas les croire. Un rire qui me secouait de la tête aux pieds, ruisselait dans mon sang, dans mon cœur, qui m'inondait la poitrine et se lovait dans mon ventre comme une vie tressaillant.

Un rire qui a chagriné Yhwh, car les voyageurs ont demandé un peu sèchement :

— Pourquoi ce rire ?

Moi, aussitôt, de derrière la portière de la tente, j'ai essayé de mentir :

— Non, je n'ai pas ri.

— Si, tu as ri.

Impossible de cacher le rire, impossible de mentir à Dieu.

Mais aujourd'hui je sais que Yhwh me l'a accordé, ce rire, car je le méritais. Après tant d'années à n'être que Saraï au ventre sec, l'épouse d'Abram, me voilà vieille femme et Sarah la féconde ! Sarah enfantant la descendance d'Abraham, Isaac, mon fils ! Comment ne pas en rire ?

Non, je ne me moquais pas de Yhwh. Qui l'oserait ? Je me moquais seulement de moi, de la courbe de ma vie. De mes craintes, de ma consolation et de mon enchantement.

Car tout advint.

Ce fut à mon tour de connaître le gros ventre, les seins qui se gonflent et durcissent. Les hanches lourdes, les caprices, les sueurs. J'ai vu enfin Abraham s'agenouiller entre mes cuisses, l'oreille collée à mon nombril, tremblant comme un jeune homme et s'exclamant :

— Il bouge, il bouge !

Ce fut mon tour d'avoir peur. J'ai connu les nuits aux yeux ouverts, aux pensées noires. Je me suis souvenue de Lehklaï, de toutes celles que j'avais vues mourir en donnant la vie.

Ce fut mon tour d'éprouver une fierté sans bornes, de montrer mon gros ventre dans toute la vallée d'Hébron. À qui voulait le voir, je disais :

— Qui l'eût cru ? Sarah et Abraham attendent un garçon né de leur chair. Si vieux qu'ils soient tous les deux, voilà la volonté de Yhwh.

Eux aussi riaient.

Ainsi que l'avaient prédit les voyageurs, ce fut mon tour de monter sur les briques de l'accouchement. Le front humide, la douleur dans les reins et les cris dans la bouche. Mais je fus assez lucide pour demander aux sages-femmes :

— Si cela va mal, n'hésitez pas. Ouvrez-moi le ventre et prenez l'enfant vivant. Moi, j'ai fait mon temps.

Mais Yhwh cette fois était dans mon corps. À la stupéfaction de tous, ma douleur a été courte, guère plus violente que celle d'une mère de douze enfants. Isaac est né beau et rond, doux comme un pain de miel. Mon Isaac, le plus bel enfant qui soit venu au monde !

Dès la naissance, il possédait les lèvres d'Abraham, des yeux qui vous vont droit dans le cœur. Il a suffi qu'il grandisse pour que l'on devine à quel point il serait fort et clairvoyant, avec un peu de la grâce de sa mère, de la beauté de Saraï.

De partout on venait pour nous voir. Les uns et les autres s'étonnant à haute voix :

— Qui l'aurait prédit ? Sarah allaitant un fils pour les vieux jours d'Abraham !

Ils repartaient, impressionnés par la grandeur de Yhwh, admirant Sa puissance et la fidélité de Ses promesses.

Éliézer de Damas, lui-même, vint rôder devant ma tente. Toujours le même. Bel homme, mais la paupière trop lourde sur l'œil. En le revoyant, j'ai songé à ces jolies fleurs soufrées qui recouvrent les rives de la mer de Sel. On va pour les cueillir et l'on se brise les membres dans les crevasses qu'elles dissimulent.

Après avoir constaté qu'Isaac était aussi beau et fort qu'on le disait, la voix pleine de dépit, il m'annonça :

— Ton neveu Loth se comporte très mal à Sodome. Il ne respecte pas Yhwh. Il se saoule continûment, couche avec qui bon lui semble, jeune ou vieux, femme ou garçon. On dit qu'il va même avec ses filles.

Je lui ai demandé :

— « On dit... » Toi, tu l'as vu faire ? Tu as tenu la chandelle sous sa tente ?

Il a ri, fielleux :

— On le dit et je crois ceux qui le disent. Que je le voie, moi, cela n'a pas d'importance. Le Dieu Très-Haut, Lui, le voit faire. Il va se fâcher, tu peux en être certaine.

J'ai répondu :

— Abraham aime Loth, ne t'en déplaise, Éliézer. Il ne l'abandonnera pas. S'il le faut, il disputera la vie de Loth à Yhwh.

C'est exactement ce qui est arrivé. Yhwh a détruit Sodome, mais Abraham l'a supplié d'épargner Loth. Il a dit à Yhwh : « Loin de toi de faire mourir le juste avec le méchant ! » Et le Dieu Très-Haut l'a entendu. Éliézer n'en était pas content. Je ne l'ai plus jamais revu. Bon débarras. En voilà un que l'on va oublier pour toujours.

Quant à Loth, une fois qu'Abraham eut acquis la bonté de Yhwh pour lui, il m'a envoyé un veau et des parfums, me faisant dire par son serviteur que mon bonheur faisait son bonheur et qu'il s'en allait vivre avec les siens dans le désert du Néguev.

Pauvre Loth! Je l'ai aimé moins qu'il ne le voulait et plus qu'il ne le fallait. Je l'ai mal aimé, et ma beauté trop prodigieuse en a fait sa victime. Il est une ombre dans ma vie. Comme Hagar.

Après la naissance d'Isaac, elle est venue me voir avec Ismaël. Une fois, deux fois, puis de plus en plus souvent. Nous n'avions guère de choses à nous dire. Elle guettait les rires d'Ismaël tandis que je surveillais la brusquerie de son fils, craignant toujours un peu pour Isaac. Jusqu'au jour où elle s'est exclamée :

— Regarde comme mon fils est caressant avec le tien. Ils vont être heureux ensemble, ces deux frères!

— Je ne crois pas, ai-je répondu.

— Que veux-tu dire?

— Il vaut mieux que tu t'éloignes. Tu n'es plus ma servante et Isaac n'a pas besoin d'un frère. Ton fils est grand. Désormais, vous pouvez marcher et trouver une place qui soit tout à vous.

— Mais pourquoi? Sarah, je t'ai aimée plus qu'une maîtresse. Comme une sœur...

Je l'ai interrompue d'un geste.

— Non, Hagar. Ma jalousie n'est pas morte, elle est seulement de côté. Ma volonté qu'Isaac soit l'unique héritier d'Abraham n'est pas morte non plus. Sois raisonnable. Nous ne nous aimons plus. Nos fils ne s'aimeront pas car ils sentiront la suspicion entre leurs mères. Je peux te dire : « Pars! », car c'est en mon pouvoir. Et je te le dis.

J'ai résisté à ses larmes et à ses supplications.

Aujourd'hui, il en est encore qui m'en veulent pour cela.

Ai-je eu tort? Comment savoir? J'étais orgueilleuse de mon bonheur et ne voulais aucune ombre sur mon rire.

Mais Yhwh s'est chargé de le transformer en cri pour m'apprendre plus de modestie.

Cela est arrivé un matin où le ciel était bas sans qu'il pleuve pour autant. Je cherchais Isaac et ne le trouvais pas. Je suis descendue vers la tente d'Abraham et les ai vus tous les deux, chargeant les bâts d'un âne avec du bois. Abraham avait sa mine grave. Il me semblait même pâle, le teint laiteux sous sa peau brune. Isaac était comme d'ordinaire, aimable et insouciant. Sauf qu'il était vêtu d'une tunique neuve que je ne me souvenais pas de lui avoir donnée le matin.

Intriguée, je les ai observés sans m'approcher. Abraham s'est assis sur le dos de l'âne et a pris Isaac dans ses bras. D'un coup de talon il a poussé la bourrique au petit trot sur le chemin de Moriyyah.

Je les ai d'abord regardés s'éloigner. Puis j'ai senti toutes mes chairs se serrer.

Un pressentiment m'a serré la gorge. Mon cœur et mes doigts se sont glacés. Je n'imaginais rien, mais je savais qu'il ne fallait pas que je m'éloigne d'Isaac. Alors j'ai couru derrière eux. Couru aussi vite que mes vieilles jambes et mon souffle me le permettaient. Cette fois, je regrettais mon âge.

Tout en courant, je songeais qu'Abraham avait l'habitude de faire des offrandes à Yhwh sur le plateau de Moriyyah. Des holocaustes de brebis, d'agneau ou de bélier. Peut-être emmenait-il son fils pour lui enseigner à faire l'offrande et l'associer dans sa parole avec le Dieu Très-Haut?

Cependant, je repensais à sa mine grise, à la tunique neuve d'Isaac. Le bois pour le feu de l'holocauste était dans les sacs qui pendaient sur les côtes de l'âne. Où était le bélier, l'agneau ou la brebis?

La douleur de ma respiration m'empêchait d'aller aussi vite qu'eux. L'angoisse me coupait ce qui me restait de souffle. Je me raisonnais, je voulais m'apaiser : « Mais à quoi songes-tu? C'est impossible. Pourquoi avoir même cette pensée? »

Mais je l'avais.

Quand enfin je suis parvenue au sommet de la petite côte qui atteint le plateau de Moriyyah, je les ai découverts à cent pas de moi.

Isaac empilait le bois sur l'autel. Un joli bûcher, arrangé avec soin. Abraham se tenait sur le côté, le regard perdu. Je l'ai vu tirer de sa ceinture son long couteau et j'ai su que je ne m'étais pas trompée.

J'allais hurler et me précipiter.

« Isaac ! Isaac, viens dans mes bras ! que fais-tu, Abraham ? Es-tu devenu fou ? »

Pas un son n'a franchi mes lèvres. Mes hurlements étaient du silence. Je n'ai pu courir, ni même avancer d'un pas. J'étais derrière la brisure d'une roche et une force m'y maintenait. Sous mon regard Abraham a appelé Isaac près de lui. Il lui a caressé la joue, a pris la corde qui nouait le bois de l'holocauste pour lui en lier les bras. Je suis tombée à genoux dans la poussière. J'étais impuissante, avec seulement mes yeux pour voir.

Ô Isaac ! mon fils ! Cours, fuis, ne tends pas les bras !

Mais Abraham l'a soulevé, l'a porté sur le bûcher.

Je te hais, Abraham, comment peux-tu, comment oses-tu ? Ton fils, ton unique fils ! Ma seule vie.

Mais Abraham l'a fait. Il a étendu Isaac qui ne pleurait pas, les yeux seulement étonnés. Abraham lui a caressé le front. Il l'a embrassé et sa main qui tenait le couteau s'est écartée de sa hanche. Lentement, le bras d'Abraham s'est dressé, la lame brillant dans son poing

Alors moi, Sarah, j'ai hurlé :

« Yhwh, dieu d'Abraham, écoute ma voix. La voix d'une mère. Tu ne peux pas. Non, Tu ne peux pas demander la vie de mon fils, la vie d'Isaac. Pas Toi. Pas le dieu de justice.

« Écoute mon cri. Si Tu laisses Abraham abattre son couteau, que le ciel s'obscurcisse pour toujours, que les eaux submergent la Terre, que Ton œuvre disparaisse, se brise, comme les idoles de Terah détruites à Harran par Abraham.

« Il m'a fallu toute une vie pour enfanter Isaac. Il a fallu Ta volonté, le souffle de Ta bouche pour qu'il naisse. Quelle autre preuve de Ta puissance réclames-Tu ? En permettant à mon vieux corps d'enfanter d'Isaac, Tu deviens pour nous tous, les femmes et les hommes, le dieu du prodige de la vie. Ô

294

Yhwh ! préserve cette vie ! Qui croirait, sinon, en un dieu qui s'en prend à l'enfant innocent ? Qui obéirait à un dieu qui propage la mort et tue le faible ?

« Ô Yhwh ! j'ai été jeune et j'ai prié les dieux d'Ur qui aimaient le sang. Je leur ai tourné le dos et j'ai vieilli près d'Abraham sans jamais voir un Juste abandonné par Toi. Tu as sauvé Loth. Isaac vaut-il moins que les Justes de Sodome ?

« Ta voix a vibré dans l'air, Abraham a dit aussitôt : Je suis là ! Et il n'y a pas eu de jour sans qu'il nous montre que Tu es notre bénédiction. Fais mourir Isaac, Tu seras notre malédiction.

« Qu'est-ce qu'un dieu qui tue, Yhwh ? Quel ordre répand-t-il dans le monde ? Moi, je Te le dis, une mère est plus puissante qu'un dieu, à ce compte-là. Il n'est rien, aucun ordre, aucune justice qui puisse ôter l'enfant à la mère.

« Ô Yhwh ! Suspends la main d'Abraham. Jette son couteau ! Ta gloire trouvera une demeure dans mon cœur et dans le cœur de toutes les mères de Canaan. Ne rejette pas ma prière, pense à nous, les femmes, c'est à travers elles que Ton alliance ensemencera l'avenir, de génération en génération. Je crie vers Toi, Yhwh : Que Ta fidélité soit sur moi comme mon espoir est en Toi ! »

En vérité, je ne suis pas certaine d'avoir crié. Mais, à l'instant où j'ai lancé ma supplique, les nuages ont déversé leurs eaux, les nuées ont donné de la voix et un bélier est arrivé en trottant.

J'ai crié :

— Abraham ! Abraham ! Le bélier, regarde le bélier derrière toi !

Cette fois mon cri a été dans l'air. Aujourd'hui Abraham affirme que c'est la voix de Yhwh qu'il a entendue, non la mienne. Alors nous avons crié ensemble.

Qu'importe. C'était fini. Le couteau n'a tranché que les cordes aux poignets d'Isaac. Mon fils m'a aperçue et s'est jeté dans mes bras.

Je n'ai pas ri de ce bonheur-là. J'en ai pleuré. Longtemps et avec une crainte terrible.

Et me voilà aujourd'hui, seule ici devant la grotte de Makhpéla, à regarder ma vie s'achever. Seule, car depuis combien de temps n'ai-je pas vu le visage de mon fils? Il a grandi et s'est éloigné de moi. Il devient un homme, tout entier occupé par ses amours et son rôle auprès d'Abraham. Ainsi est la vie, et c'est bien comme ça.

Attendre et me souvenir, voilà ce qu'il me reste pour un peu de temps.

Il n'y a pas de vent et pourtant les feuilles du peuplier, au-dessus de moi, tremblent. Elles emplissent l'air d'un bruit de pluie. Sous les cèdres et les acacias, la lumière danse avec un ruissellement d'or qui me rappelle la douceur de la peau de Pharaon. Un souvenir qui s'efface avec le parfum de lis et de menthe qui se pose sur mes lèvres. Des hirondelles jouent et pépient au-dessus de la falaise. Je suis bien.

Oh! je vois que je me suis trompée. Je ne vais pas être seule pour mon dernier voyage. J'aperçois une foule qui se met en route dans la vallée. C'est tout un peuple qui gravit le sentier de la colline. Eh oui, il me semble bien voir Isaac tout devant. Et derrière lui Ismaël. Et à leur côté Abraham.

Ô mon tendre époux, comme tu as le pas lent! Le pas d'un bien vieil homme. De l'homme que j'ai tant et tant aimé et qui vient me tenir la main avant que Yhwh ne me coupe le souffle. Dépose-moi, mon bien-aimé, moi la Mère des croyants, dans le caveau de Makhpéla. Prie le Dieu Très-haut que l'on se souvienne longtemps de Sarah et d'Abraham.

Remerciements

Ce livre n'aurait pas vu le jour sans les conseils et les recherches de Jean-Pierre Allali, Leonello Brandolini, Clara Halter, Nicole Lattès, Susanna Lea et Nathalie Théry.
Qu'ils en soient remerciés.

Table

Ville de Montréal

**Feuillet
de circulation**

À rendre le

06.03.375-8 (01-03) ✪